Chacun
peut guérir

Ce que les maux de ventre disent de notre passé
Ces enfants malades de leurs parents (avec Anne Ancelin
   Schützenberger)

Ghislain Devroede

Chacun
peut guérir

PAYOT

Retrouvez l'ensemble des parutions
des Éditions Payot & Rivages sur

www.payot-rivages.fr

L'illustration reproduite en couverture est un dessin que j'ai fait à la suite d'un atelier de respiration holotropique animé par Bernadette Blin et Francis Lery à Vera Cruz (Mexique) en 1993). (G.D.)

INTRODUCTION

Guérir !

Ah ! Guérir...

Qui n'a jamais eu besoin de guérir ? Qui n'a jamais eu envie de guérir ? Guérir d'une écorchure, d'un bobo, d'un rhume, d'une maladie banale : cela va de soi. Mais le problème peut être plus sérieux. Une maladie aiguë. Une crise cardiaque. Une pneumonie. Une hémorragie digestive. Ou une maladie chronique. Ah ! Guérir des rhumatismes ! De ces « choses » qui vous gâchent l'existence... Et qui durent, et qui durent... Ce diabète ! Ces problèmes de respiration, cet emphysème pulmonaire ! Ou cette fichue artériosclérose qui vous empêche d'avancer aussi vite que vous le voulez... Pire : guérir de ce cancer qui pourrait revenir... Ou qui n'en finit plus de revenir, et qui gagne du terrain... Qui conduit à la mort. Avec une profession médicale qui baisse les bras. Ou qui, forte du pouvoir de son savoir, vous annonce que vous mourrez très précisément dans tant de mois... Des médecins, hommes et femmes, totalement inconscients de ce qu'est une prophétie autoréalisatrice... Qui ignorent à quel point tous les médecins, même les plus scientifiques, font de l'hypnose sans le savoir, et sombrent, aveuglément, dans le scientisme.

Quand nous avons envie de guérir, c'est que nous avons perdu le bien-être et une certaine joie de vivre.

Je n'ai jamais rencontré de malade heureux.

Lorsque nous sommes malades, nous sommes en danger. La plupart des accidentés – pas tous – ont envie de guérir. Et, si possible, de retourner à leur état initial sans avoir à pleurer ni à faire le deuil de ce qui a, parfois, été perdu pour toujours. Face à une maladie potentiellement mortelle, comme l'est souvent le cancer, presque toutes les « personnes » qui en souffrent n'ont pas envie d'y succomber. Elles ont envie d'en guérir. Et de vivre pleinement. Tout en étant persuadés qu'elles sont, par malheur, « tombées » malades. Et qu'elles ont, en Occident, de nos jours – car ce ne fut pas toujours le cas –, le « droit » à la santé, sans avoir à assumer pleinement la solitude et la responsabilité de leur propre vie.

Mais il n'y a pas que le corps qui souffre.

Qui n'a jamais subi une peine d'amour ? Qui s'est jamais demandé comment en guérir ? Qui a jamais perdu un être cher par la mort : parent, conjoint, enfant, ami, amie ? Et qui peut se targuer d'avoir eu une enfance idyllique, sans la moindre souffrance ? Petites souffrances, grandes souffrances, immense misère ? Pourvu qu'il accepte de gratter la façade du paraître – ou y soit forcé –, tout un chacun, immanquablement, découvre, sous-jacente, une couche d'« abandonite » plus ou moins aiguë, plus ou moins chronique, plus ou moins enkystée. Et, sur ce plan-là, le vieillissement inévitable entraîne la possibilité d'une certaine fécondité. Quand s'impose l'évidence qu'il reste moins d'années devant que derrière, il paraît de plus en plus difficile d'éviter de faire face à ce qui a été nié ou renié. Certaines personnes qui n'ont jamais vraiment grandi que dans leur corps finissent, usure du temps inéluctable, par « retomber en enfance », c'est-à-dire par mettre au jour – ou, mieux dit, par laisser paraître – l'enfant qu'elles ont toujours été sous leur masque d'adulte. Mais d'autres, au contraire, mûrissent comme vieillit un bon vin et développent avec le temps une sagesse qui rayonne autour d'elles et qui est le fruit de leurs épreuves, de leurs expériences, des réflexions qu'elles en ont tirées, et des changements de leur personnalité et de leur comportement qui en ont résulté.

Quand nous tombons malades, de détresse physique ou de tristesse morale, nous ne sommes pas seuls à être seuls sur terre. Plus que liés, nous sommes surtout reliés, dans une attitude de « réalliance », au-delà de soi-même. Nous vivons en tribus dans un contexte social tissé de manière plus ou moins serrée. Avec une probabilité de nous faire aider plus ou moins grande suivant les époques, les cultures et les sociétés. Vient alors le temps de la possibilité du partage.

Et nous allons nous faire soigner...

Avec la rencontre d'un premier piège. Majeur. Un gouffre. « Prends soin de moi. » Comme un petit enfant dont s'occuperaient, enfin, de bons parents. Qui lui donneraient le biberon, la becquée, la panade et la béquille. Avec un droit à la santé garanti par un État parentifié sans possibilité d'analyse. Toute responsabilité individuelle et autonomie exclues des soins prodigués. Avec une méconnaissance totale du fait que toutes les douleurs de la vie sont accrochées les unes aux autres, à la queue leu leu, comme les wagons d'un train emmené par la locomotive de la vie. Et que, donc, toute douleur immédiate réveille de vieilles blessures mal cicatrisées. La quête de soin renvoie toujours à une quête de soi.

Soigner... Guérir...

Guérir ? Mais guérir de quoi ? Et de quoi s'agit-il donc ? D'un acte ? D'un processus ? D'un état ? Soigner, n'est-ce pas, d'une certaine manière, aimer ? Et guérir, n'est-ce pas, au-delà du plaisir, au-delà du bonheur, retrouver la joie de vivre ?

Chacun peut guérir – le titre de ce livre – peut aussi s'entendre comme « chaque un peut guérir ». Car guérir est un processus d'intégration, d'unification. On devient soi-même.

Dans ce livre, je veux être témoin, mais témoin privilégié, de quatre êtres humains qui sont plus que des « personnes ». Deux femmes et deux hommes qui, malades quand je les ai connus, ont guéri par la suite.

Non seulement ils ont cessé d'être malades, mais ils ont acquis en chemin, je dirais métaphoriquement la main dans la main, une qualité de vie, de bien-être, de bonheur incomparable à ce qu'ils vivaient quand ils étaient « tombés » malades. Comme le dit l'OMS, la santé, c'est bien plus que l'absence de maladie. Chez ces hommes et ces femmes, j'ai été le témoin privilégié d'une transformation tout du long, puisque, d'abord leur médecin, avec l'inévitable pouvoir que cela implique, je suis devenu ensuite leur compagnon, égal, et cheminant un pas en arrière pour ne pas leur tracer d'aucune manière leur voie, unique et incomparable. Bien entendu, j'ai brouillé les pistes et vaguement remanié leur histoire, pour respecter leur intimité.

Je raconterai d'abord l'histoire de Danielle qui a guéri d'une maladie réputée incurable. La maladie de Crohn est une maladie inflammatoire de l'intestin décrite il y a presque un siècle et pour laquelle nous n'avons toujours pas de traitement curatif. Comme nous savons qu'elle revient « presque » toujours, même après traitement chirurgical, et comme ni les malades ni les médecins ne supportent l'angoisse de l'incertitude, nous confondons « presque toujours » avec « toujours ». Et Danielle nous a démentis. Et à moins de prétendre que la vie est une maladie qui se terminera par la mort, c'est elle qui a raison, et non pas nous, qui pourrions la pousser, du haut de notre pouvoir de savants et de médecins, à la réalisation automatique des prédictions en décrétant qu'un jour ou l'autre elle récidivera.

Puis, j'ai choisi de faire le récit de la vie de René qui a été opéré d'un cancer du côlon quand il était mal marié, et qui s'est transformé en un fringant septuagénaire, plein de vie et d'enthousiasme. Le cancer, c'est un peu le corps en folie, puisque les cellules cancéreuses prennent progressivement le dessus sur le sujet malade. Mais ce serait une autre forme de folie que de penser que le cancer est un parasite, un vampire, un étranger. C'est aussi le sujet qui l'héberge. « Docteur, ce n'est pas moi qui meurs, c'est l'autre », dit une femme qui va mourir d'un cancer du sein à son psychanalyste, Michel de M'Uzan. C'est pourquoi je n'aime pas l'expression « vaincre le cancer » ni tous les slogans qui transforment telle partie de l'individu souffrante en un ennemi à terrasser.

La troisième histoire est celle de Vanessa qui, depuis qu'elle a mis au monde son fils unique, souffre de terribles douleurs anales dont personne ne trouve la cause. Sa vie personnelle, familiale et professionnelle s'en trouve gâchée. Pour beaucoup de gens, l'anus est une zone tabou ; on n'en parle pas, sauf dans les sex-shops. Et ce tabou se reflète dans la pauvreté lamentable des publications scientifiques sur les pathologies anorectales. Le secret de la sphinge Vanessa était jalousement caché dans son derrière, au même titre que le folklore populaire avait fantasmé que l'entrée de la chambre du trésor du grand sphinx de Guizeh était dans son anus. Et lorsque Vanessa a mis au jour les nombreux secrets qui s'étalaient dans sa famille au travers de nombreuses générations, son anus s'est tu. Les douleurs ont disparu.

Suivra le récit des réflexions et de la vie de Jacques, qui souffre de douleurs abdominales chroniques sévères et persistantes. Un exemple caricatural de colopathie fonctionnelle, une pathologie courante qui afflige 20 % de la population et pour laquelle aucun médicament n'est plus efficace qu'un placebo, mais qui répond à l'hypnose et à la psychothérapie, comme l'ont démontré plusieurs études rigoureuses. Jacques m'a mis au défi de le « guérir » sans me laisser aucune (toute) chance de le « soigner ». Psychologue et travaillant dans la communication en entreprise, il était bardé de mécanismes de défenses portant sur un savoir de la psyché. Il m'a littéralement utilisé. Et je me suis laissé faire. Il s'est contenté d'écrire. Et de me faire lire ce qu'il avait écrit. Pour que j'entende ce qu'il ne me disait pas et ne savait que dans son inconscient.

Dans la seconde partie de ce livre, j'ai réfléchi *a posteriori* à l'évolution de ces deux femmes et de ces deux hommes au décours de leur maladie. La santé, ce n'est pas un état de stagnation, c'est une persistance harmonieuse à travers le changement. Et le bonheur, c'est la croissance épanouie grâce au changement. L'amour permet le changement dans la continuité. J'ai donc tenté de mettre en lumière un processus de guérison chez eux. Non seulement ils ont cessé d'être malades, au sens traditionnel du terme, et ce, à travers certaines modalités bien connues scientifiquement et d'autres encore inconnues, mais surtout ils sont clairement devenus plus heureux. Danielle a réussi la prouesse de guérir d'une maladie de Crohn, guérison confirmée quinze ans plus tard par un pathologiste. Mais elle a aussi développé un cancer qui l'a propulsée encore plus loin dans la vie en l'amenant à régler des problèmes existentiels encore plus fondamentaux. René vit enfin en chair et en os, incarné sexuellement comme il ne l'avait jamais été et l'avait toujours désiré. Vanessa, sachant d'où elle est issue, est devenue multiorgasmique, par pénétration, avec le même mari. Et a eu avec lui deux autres enfants. Sans douleur cette fois. Quant à Jacques, il est en chemin, et sans mal de ventre depuis plusieurs années.

Je crois profondément qu'il est possible de vraiment guérir. Et de vivre plutôt que de survivre.

Je crois aussi que la démarche qui a inspiré ces deux femmes et ces deux hommes peut nourrir la créativité de chacun d'entre nous sur le chemin de notre vie.

Une belle métaphore est rapportée dans les milieux férus de l'Orient. Un méditant de longue date gravit la montagne pour aller trouver le maître, auprès duquel il rêve de travailler, pour encore mieux grandir. Le chemin est long et laborieux. Il pleut. Il arrive. Avant d'entrer, il dépose dehors bottes et parapluie. Le maître l'accueille avec bienveillance.

« Qu'attends-tu de moi ?

– J'ai besoin de grandir. De devenir un homme. Voulez-vous être mon maître ?

– Où as-tu laissé ton parapluie ? À gauche ou à droite de tes bottes ?

– ... ?

– Dis-moi. À gauche ou à droite ?

– Est-ce donc si important ? C'est un détail !

– Non, non, il n'y a rien de trivial dans ma question. Retourne méditer pendant dix ans. Tu reviendras me voir à ce moment-là... »

Manque d'attention au détail. Manque de présence dans l'instant. Manque de conscience. Le chemin de guérison passe par une quête intérieure, et non par la quête d'un guide, fût-il médecin. C'est ce que raconte la fable suivante. Un jeune Occidental rêve de rencontrer son maître lointain. Celui-ci vit en Inde. Le jeune homme travaille durement pour acquérir les moyens financiers nécessaires à la réussite de son projet. Quand il rencontre le « maître », il éclate en sanglots. Autant de bonheur que de souffrance accumulés avant l'aboutissement de sa quête.

« Quelle est la raison de tant de détresse ?

– Maître, enfin ! je vous rencontre ! J'ai attendu si longtemps ! Avec vous, je vais pouvoir guérir de mon mal-être... Vous serez mon sauveur !

– Quel dommage ! Tu as tant travaillé... Tu as fait tant de chemin pour venir me voir... Rentre chez toi, c'est là que tu trouveras ta réponse. Cette année-ci, c'est dans ton pays que les choses se passent. »

Rien ne remplace le voyage intérieur. Mais le chemin est long. Souvent très long. Les Orientaux disent qu'on ne peut prétendre pratiquer le zen si l'on ne le fait pas depuis trente ans. Mais ils disent aussi que l'illumination survient quand on trébuche sur un caillou. D'où la nécessité d'un lâcher prise total. Inconditionnel. Non pas « à » quelqu'un mais, « avec quelqu'un », à « soi-même ». Avec assez de confiance en cet autre pour ne pas avoir peur qu'il en profite dans un moment d'intense fragilité.

Les maux ont besoin de se traduire en mots. Et le corps ne ment jamais...

PREMIÈRE PARTIE

Quatre récits de guérison

CHAPITRE PREMIER

La tête cassée, ou ce qui lui arrive quand elle n'écoute pas le corps

Francis vendit la maison de ses parents après la mort de son père. Veuf, celui-ci y avait vécu après la mort de sa femme pendant vingt années. Il ne s'était jamais vraiment consolé, même s'il avait tenté, sans grand succès, quelques relations avec d'autres femmes. Francis était devenu un peu le père de son père au cours de ce processus de deuil. Il savait, en faisant cela, qu'il accomplissait une mission pour laquelle il avait été désigné alors qu'il n'était qu'un tout jeune enfant.

Son père était médecin généraliste. Il était évident pour lui que son fils le deviendrait aussi. Francis avait mis longtemps à comprendre à quel point il n'avait pas vécu sa propre vie, mais celle de son père. Cette prise de conscience l'avait transformé et lancé dans la vie. La vraie vie. Il avait tenté de se rapprocher de son père. Mais il était trop tard. L'homme était trop vieux. La prise de conscience de son fils ne faisait que l'irriter. Un jour, suite à une violente crise de colère, il était mort d'un infarctus.

Francis, qui habitait loin de là, était revenu pour les funérailles. Il ne fallait pas perdre de temps. Liquider vite la succession. Sa pratique médicale l'attendait. La vente ou la casse des objets n'avait posé aucune difficulté, généré aucun sentiment d'arrachement. Aucune tristesse.

Par contre, Francis découvrit en triant les papiers de son père des aspects de la vie de celui-ci qu'il ignorait. En particulier, son attention fut attirée par un grand coffre dans le grenier de la maison. Une liasse de lettres entourée d'un cordon vert était posée en évidence au-dessus de son contenu. Il se mit à lire les lettres une à une, dans l'ordre où elles avaient été rangées. Des lettres échangées entre une patiente et son père, qui était alors son médecin généraliste.

Huit heures du matin. Assise dans un lit d'hôpital, j'attends la visite du médecin qui doit venir me rencontrer pour discuter d'une probable intervention chirurgicale. On m'en avait recommandé un, que j'avais remplacé la veille du rendez-vous par un autre. Quelque chose m'avait poussée à m'adresser plutôt à celui dont on disait qu'il était un marginal. J'avais dû insister pour changer de médecin. Je n'avais aucune idée sur la nature de sa marginalité. Je n'allais pas tarder à savoir.

La porte de la chambre s'ouvre. Une équipe débarque, menée par un homme à la carrure imposante. Ce qui se dégage de lui est difficile à décrire. Une sorte de puissance. Il a clairement l'habitude du contrôle. Cela se sent. Cela remplit la chambre, que je trouve soudain beaucoup trop petite. J'aimerais bien pouvoir disparaître. Cet homme m'impressionne. Je me demande si je ne vais pas regretter ma demande. Il consulte mon dossier. Minutes difficiles. J'attends, le souffle court. J'ai l'impression de passer en jugement.

« Alors, vous aimeriez vous faire opérer ? Pourquoi ?

– Je souffre de la maladie de Crohn. Je voudrais pouvoir me libérer de ce bout d'intestin qui me fait si mal et m'empêche de vivre.

– Vous avez quel âge ?

– Trente-cinq ans.

– Tu as cette maladie depuis quand ? »

Pourquoi me tutoie-t-il ? Il m'énerve. Je ne me sens

pas respectée. J'ai l'impression qu'il me traite comme une petite fille.

« Depuis l'âge de vingt ans.

– Pourquoi as-tu pu vivre avec la maladie pendant quinze ans et te décides-tu subitement à te faire opérer ? Et qui veux-tu que je demande en consultation comme chirurgien ? »

Je commence à regretter mon choix… Ça ne va pas être simple…

« Mon père est mort récemment d'un cancer du côlon. S'en est suivi un tas de problèmes qui m'ont rendue très nerveuse. Et puis, j'ai peur de suivre son chemin et d'attraper moi aussi le cancer. Cette nervosité affecte mes intestins. J'ai toujours mal au ventre. Je passe mon temps aux toilettes.

– Quels problèmes ?

– Je suis l'aînée de la famille. Ma mère est invalide depuis quinze ans. Elle ne peut plus prendre la responsabilité de la famille. Donc, c'est à moi de le faire. J'ai quatre sœurs qui ont entre dix-sept et trente ans. Je me dois d'être présente pour elles. J'ai toujours été responsable de mes frères et sœurs. De plus, il y a ma propre famille. Mon mari et mes deux enfants ont besoin de moi.

– Et qui s'occupe de toi ? »

Les larmes sont prêtes. Elles étaient montées de toute façon dès son entrée dans la pièce.

« Je n'ai besoin de personne pour s'occuper de moi ! J'en suis capable toute seule ! J'ai trente-cinq ans ! Je ne suis plus une enfant !

– Tu es capable, toute seule, oui, capable de te mettre dans l'état où tu es, oui. »

Les larmes coulent à présent.

« Je n'ai besoin de personne pour me faire la morale ! Tout ce que je veux, c'est être opérée, pour pouvoir m'occuper de ma famille.

– Pourtant, tes sœurs ont l'âge de prendre soin d'elles-mêmes, non ? Tu fais partie de ces femmes qui doivent gérer la vie des autres pour mieux donner un sens à la leur...

– Ce n'est pas vrai, vous ne comprenez pas ! Depuis que je suis toute petite, je m'occupe de mes frères et sœurs. Ma mère a toujours été malade. Je me devais de l'aider ! »

Il s'approche du lit et me dit : « Si je saisis bien, tu passes ton temps à régenter la vie des autres et à nier tes propres besoins. Le résultat est ce que tu vis présentement. Dis-moi, tu aimes ça, être malade ? »

Cet homme ne me parle pas, il m'agresse. Il y a en lui une colère doublée d'amertume que je ne comprends pas. Il se défoule sur moi. Normalement, quand je sais qu'il va y avoir confrontation, je m'y prépare mentalement. J'installe mes barrières. Ainsi, je prends le contrôle de la situation. Mais ce matin, je suis prise au dépourvu. Il m'écrase. Je veux lui expliquer mes responsabilités, mais il s'en moque. Pourquoi trouve-t-il ma situation anormale ? S'occuper de moi, s'occuper de moi... quelle sorte d'égoïste veut-il que je sois ! Ce qu'il dit n'a aucun sens, aucun. Ma vie entière est fondée sur ces valeurs. Qu'est-ce qu'il veut ? Je ne comprends pas. Pourquoi me dire que j'aime la maladie ? Il est fou. C'est lui qui devrait être dans ce lit, à ma place, ou dans un service de psychiatrie !

« Non ! je n'aime pas être malade ! Cette question est stupide. Tout ce que je veux, c'est pouvoir mener une vie normale, sans problèmes, sans ces douleurs au ventre qui me taraudent.

– Ce que je veux, ce que je veux... Ce genre de phrases, ce sont des gens comme toi qui les prononcent, des gens incapables de faire confiance aux autres. Tu dois toujours diriger... Eh bien moi, tu ne me dirigeras pas. Je vois dans ton dossier que tu as déjà fait plusieurs dépressions. Ce dont tu as besoin, c'est d'être prise en charge en psychothérapie et non pas en chirurgie. Pourquoi veux-tu te faire opérer ? »

La panique s'est installée. « Essayez-vous de me dire que je suis folle ?

– La folie n'a rien à voir ici. Il est seulement question d'essayer de trouver ce qui t'amène à ces états dépressifs et qui s'est sûrement ensuite canalisé dans tes intestins, et te rend malade. J'ai moi-même suivi pendant de nombreuses années une thérapie et je ne fais que commencer à comprendre la complexité de certaines situations et des relations humaines.

– Si tu as des problèmes, c'est ton affaire ! Moi, je n'ai pas besoin d'un psychiatre. La plupart sont plus fous que les malades qui viennent leur demander de l'aide. Ou alors, ils vous matraquent de pilules, quitte à vous rendre zombies. C'est un chirurgien que je veux !

– Et moi, je ne veux pas t'envoyer à un chirurgien ! Des névrosées dans ton genre, j'en vois tous les jours. Ce que je t'offre, c'est une thérapie, avec moi ou avec quelqu'un d'autre. Quand tu auras décidé de vraiment guérir et t'occuper de toi, fais-le-moi savoir. »

Et il repart comme il est entré. En coup de vent. Je suis effondrée. Je pleure à chaudes larmes. Jamais je n'ai senti un vide aussi grand. Quelque chose m'échappe, me quitte. J'ai l'impression que ma tête est ouverte, que ma tête a été cassée, qu'on m'a violée. Je ne suis plus qu'une plaie vive.

Un peu plus tard, le gastro-entérologue, qui me connaît bien, entre dans la chambre. Il tente en vain de me consoler. Il m'encourage, me dit de ne pas abandonner, me propose de voir un chirurgien de son choix. Je refuse. Toute la journée, je fonctionne comme un automate. Je n'ai plus de ressort. Ma tête est cassée. Vraiment cassée.

Le lendemain, après une nuit sans sommeil, les larmes ont cessé. Ce qui reste s'appelle amertume et vide. Puis, graduellement, la colère prend place. Je voudrais bien le revoir ! Cette fois, ce serait pour le griffer, le gifler. Quelle brute maladroite ! Je vais lui en faire une thérapie, moi ! Et puis, l'ego blessé réagit. S'il pense que je vais accepter sa demande, il se met le doigt dans l'œil. Je vais m'organiser toute seule. Qu'il aille au diable ! Sur cette réflexion, je demande mon congé de l'hôpital et rentre à la maison.

Mais rien ne va plus, j'ai perdu le goût à tout. Ma famille. Mon travail. Je ne mange quasiment pas. Je ne dors plus. Mon état empire. J'ai tout le temps mal au ventre. Les médicaments que je prends pour lutter contre la douleur sont inefficaces, comme toujours. Je mange seulement des aliments liquides en boîte. Et encore, je dois me forcer à les prendre. La tête, elle, ne chôme pas. C'est même la seule chose qui fonctionne. Je n'arrête pas de penser à ce qui s'est passé cette journée-là. J'essaie de comprendre.

Deux semaines plus tard, je rencontre à nouveau le gastro-entérologue. Je lui pose ma question : « Croyez-vous que j'aie besoin d'une thérapie ?

– Toi, qu'est-ce que tu en penses ?

– Je trouve que je suis une personne qui arrive à fonctionner comme tout le monde, malgré la maladie. Je fais tout de travers en ce moment, mais je viens de vivre une grande peine : la perte de mon père qui est mort du cancer des intestins, ce qui n'est pas fait pour m'aider. Mais en temps normal, d'après moi, je suis bien équilibrée et fonctionnelle.

– Dans certains cas, c'est le patient qui est le mieux placé pour déterminer s'il a besoin d'une thérapie ou pas.

– Mais d'après vous, est-ce que je suis normale ?

– La normalité est toujours relative à la personne. Ce qui est normal pour l'une ne l'est pas nécessairement pour l'autre. »

Il m'examine, me questionne, puis je ressors de son cabinet avec une prescription de cortisone, de valium et de salazopyrine. Mais je n'ai pas obtenu de réponses à mes interrogations. Pendant quelque temps, je prends fidèlement la médication. Cela apaise mes douleurs physiques. Mon corps a toujours bien répondu aux corticostéroïdes. Les tranquillisants me calment un peu. Ils ne m'empêchent pas de penser, cependant. J'admets à présent que certains de mes comportements ne sont pas normaux.

Par exemple, j'ai constamment peur de tout. Quand je dis de tout, c'est de tout. Et ce, depuis l'âge de dix-huit ans. Je prends des tranquillisants au besoin, c'est-à-dire quatre fois par jour durant certaines périodes... Est-ce normal ? Dans certaines situations pourtant simples, quelquefois, je me sens dépassée, et je n'ai pour réponse que celle qui annonce que : « Quand je serai grande, je pourrai résoudre ces problèmes, mais pas maintenant... » J'ai trente-cinq ans ! Quand donc serai-je grande ? Qu'est-ce que c'est qu'être adulte ? C'est probablement ne pas avoir peur. Mes parents, eux, n'avaient jamais peur, mon mari non plus.

Après des jours de réflexions de ce genre, il est devenu clair pour moi que si j'ai été si cruellement blessée par ce que cet homme m'a dit, c'est qu'il y avait quelque chose à blesser. De plus, je suis arrivée à la conclusion que, oui, j'ai des problèmes. Sont-ils les mêmes que ceux des gens « normaux » ? Je n'en sais rien. Mais, pour ma part, je me trouve désormais face à une alternative : laisser faire et continuer à vivre ainsi, ou chercher des réponses à mes questions et améliorer la situation. J'opte pour la deuxième solution. Avec détermination, je m'engage dans une quête placée sous le signe de la franchise et de l'honnêteté. Guérir n'est cependant pas l'objectif premier. Mieux me comprendre, oui. S'il en découle un mieux-être physique, alors tant mieux...

Je procéderai seule. Mon orgueil m'empêche de demander de l'aide.

Danielle

Francis est très ému par cette lettre que son père a reçue. Et gardée. Sans doute parce que, lui aussi, avait été touché par cette patiente. Francis ne connaissait pas cet aspect à la fois brutal et efficace de son père. Manifestement, celui-ci avait visé juste. Il est également vrai qu'il avait été très agressif et avait profondément blessé Danielle. Il n'avait jamais parlé de cette histoire à son fils. Francis fut donc très surpris, en prenant la lettre suivante, de reconnaître l'écriture de son père. C'était une photocopie de la lettre qu'il avait envoyée à Danielle.

Paris

Merci, Danielle, d'avoir accepté de revoir avec moi la suite de nos rencontres jusqu'à ta guérison. Tu as été choquée par moi, mais à mon insu. Je n'ai aucun souvenir conscient de ce moment-là, alors que toi, tu le décris comme un coup de tonnerre. C'est cela, l'absence de communication. Le monologue à la place du dialogue. Et pourtant, la suite n'a-t-elle pas montré que j'avais raison ?

« Ce n'est pas ce que tu dis qui me fâche, m'a crié un jour mon ex-femme, pleine de colère, c'est la façon dont tu le dis ! » Peut-être que je t'ai bien vue, ce jour-là, il y a près de dix ans, mais peut-être aussi que ton côté emmuré avait réveillé en moi les morts et les démons de mon inconscient. Quand je t'ai rencontrée, j'avais pourtant derrière moi six ans de psychanalyse. Je comprenais bien ma misère intérieure, ma folie souffrante. J'avais bien fait le diagnostic, non seulement de ta souffrance médicale, mais de ta misère existentielle. J'étais arrivé à l'étape « bouddhiste » ou « psychanalytique », c'est-à-dire cette étape où l'on a réussi à prendre assez de recul, face à soi et à ce qu'on a subi, pour comprendre les choses. Les médecins, psychiatres inclus, sont des experts en matière de compréhension. Mais comprendre, surtout si l'on a bien compris, est une façon sublime que l'esprit humain a trouvé pour se protéger des agressions morales, émotionnelles et même physiques : si tu comprends pourquoi ta mère t'a agressée, toi, cela te fait moins mal. Mais ce faisant, tu escamotes la souffrance que son agression t'a infligée, et, avec celle-ci, la rage et le désespoir. Et tu n'arrives jamais au détachement et au pardon. Au véritable pardon. Pas à cette guimauve morale qui fait tourner une page pétrie de douleur…

Laisse-moi te raconter une petite anecdote. Malgré mon esprit « analytique », à la fois typique, me dit-on, de mon signe astrologique – Vierge, ascendant Vierge –, et exacerbé par ces années de psychanalyse, j'avais fini par comprendre… que comprendre m'avait permis de survivre à mon enfance. Et cela m'avait poussé, à travers la violence de ce que je vivais au quotidien, à aller explorer ce que mon cœur et mon corps avaient à comprendre.

J'avais très peur d'entreprendre cette thérapie, modifiée d'après « le cri primal ». Ma peur était en grande partie motivée par le fait qu'un de mes meilleurs amis m'avait précédé sur ce chemin et s'était suicidé. Arthur Janov nous a appris que l'enfant souffre et que c'est un véritable cri de manque d'amour qu'il pousse lorsqu'il retrouve cette souffrance. Mais l'expression de cette souffrance, nous enseigne-t-il aussi, modifie non seulement le comportement, mais le fonctionnement du corps. On a démontré que les larmes, qui coulent dans ces moments de profonde régression, sont beaucoup plus riches en protéines que celles que font couler les oignons. Quel est le sens de ces protéines ? La science ne le dit pas, mais nous pouvons en déduire que l'alchimie corporelle s'est transformée.

Dans le cadre de cette véritable formation, nous avions aussi des rencontres à plusieurs : j'ai passé mille heures avant de devenir, avec elles et eux, comme avec mes sœurs et mes frères de cœur plutôt que de sang. Souvent, nous sommes plus proches de ceux et celles qui sont du même esprit que nous, que de ceux et celles qui sont de la même famille que nous. C'est dans les familles que se perpétuent les violences les plus secrètes, les plus marquantes, les plus puissantes, qui sont emmenées par la vie comme sur une plaie à vif, comme un viatique, et déferlent alors sur autrui. En thérapie primale, par contre, parfaits étrangers au début, nous avons fini par devenir sans secrets les uns pour les autres.

Après avoir passé cinq cents heures à six, nous ont été brutalement ajoutées trois nouvelles personnes. Un peu comme si des triplés venaient perturber l'écologie familiale… L'une des « p'tites » nouvelles s'appelait Louise, version féminine de mon père Louis. À notre première rencontre, Louise a eu un petit mot gentil, à la fin, pour tous et toutes. En m'oubliant. J'ai noté cet oubli. À la seconde, elle m'a envoyé une flèche critique. Une fraction de seconde, j'ai ressenti l'angoisse dans la gorge. Je me suis senti singularisé dans le rejet. Puis, je l'ai déshabillée d'une analyse fulgurante. J'ai utilisé, bien sûr, une expression sexuelle, puisqu'il y avait dans la violence et l'agressivité qu'elle m'avait balancées une connotation d'attirance et de rejet qui étaient loin d'être asexués, et, dans mon analyse, un côté voyeur qui était du même ordre. Oui, j'avais bien vu que Louise, médecin comme moi, mais vingt ans plus jeune que moi, avait eu un père professeur de médecine comme moi je l'étais. J'avais aussi bien vu qu'il avait eu sur sa fille une emprise et une tentative de mainmise aussi intense que celle que mon père avait tenté d'avoir sur moi.

L'analyse du comportement de Louise effaça toute trace d'angoisse. Quelques jours passèrent. Je racontai l'histoire à un ami proche. D'un air narquois, il me dit que j'avais sûrement raison, mais il me demanda pourquoi je me comportais comme si j'étais le thérapeute… de Louise. À la rencontre suivante, celle-ci, manifestement encouragée par ma non-réponse très thérapeutique, affûta la flèche qu'elle me décocha, me l'envoya en plein cœur avec encore plus de rage… et reçut un coup de canon en retour. Elle répliqua plus fort. En trente secondes, nous hurlions tous les deux. Et pour une fois, je ne me préoccupais pas de l'impact de mes émotions ! J'ai gagné quand Louise sauta littéralement en arrière, s'écrasa et passa de la fureur aux sanglots. Je lui dis, calmé : « Louise, c'était la querelle de nos pères. »

Entre nous, les choses en restèrent là. Mais je n'ai jamais oublié la leçon. La quantité de fureur qu'elle et moi avions contenue derrière les pointes, les civilités, les contrôles et surtout l'impact de celle-ci sur moi, je l'avais complètement escamotée par une analyse fulgurante et juste. Comprendre protège, mais l'impact inconscient n'est que mis à la banque, où il peut faire des intérêts. Si le passé y est toujours dormant, les insultes s'y accumulent, et la plus petite attaque peut alors déclencher une tempête qui n'y est reliée que très indirectement. Il faut absolument aller à la source. Depuis que la violence de mon père a été exorcisée, je suis devenu très paisible devant ce genre d'attaques, sans analyse et sans contrôle.

J'ai été profondément marqué par la leçon que mon ami m'a donnée à propos de Louise. Après des années à apprendre à intégrer cette attitude, j'ai revu un jour un ami médecin vietnamien, lors d'un congrès à Paris. Dinh était un vieux sage. Il avait une pensée originale. C'était tout le contraire d'un mouton. Il avait été professeur d'université dans son pays d'origine, qu'il avait fui après la prise du pouvoir par les communistes. Dinh ne m'avait jamais dit ce qu'il avait souffert lors de sa fuite par la mer. Il était l'un de ces nombreux êtres humains que le monde entier avait baptisés du terme de « boat people ». Je savais pourtant qu'il avait souffert, car il m'avait très brièvement confié qu'il avait perdu des êtres chers au cours de sa fuite en exil.

Lui et moi n'avions jamais parlé de ces morts. J'avais appris combien les Orientaux sont éduqués à taire les émotions, considérées comme une marque de faiblesse. J'avais aussi appris que cet apprentissage consistait à ne pas laisser s'exprimer sans limites ces émotions jusqu'à épuisement. Beaucoup de gens, tu sais, confondent pardonner et oublier, et ils se contentent de refouler. Je suis convaincu aujourd'hui, et c'est ce que j'ai tenté de te dire, que « tourner la page », comme me l'ont dit de nombreux malades, c'est souvent le meilleur moyen de « tomber » malade dans je ne sais quel « trou ».

L'expression « tomber malade » m'a d'ailleurs toujours choqué. Je crois, au contraire, que laisser jaillir, de façon répétitive, *ad nauseam*, la rage et le désespoir, la peine et le vide, à l'occasion des innombrables insultes de la vie qui viennent remettre à vif des plaies du passé mal cicatrisées, possède un pouvoir de guérison. Or, Danielle, le travail est long et déborde largement le cadre thérapeutique : toute la vie est une occasion d'apprentissage. Je te répète ce que j'ai entendu des bouddhistes dire : il ne faut pas prétendre qu'on pratique le zen si on ne le fait pas depuis trente ans. Et ils disent aussi que le but, c'est le chemin. Ce qui implique que la guérison ne s'obtient jamais par la volonté de guérir, mais par l'acceptation totale et inconditionnelle de ce qui arrive. De tout ce qui arrive. Y compris de ce qui vient d'arriver, et tout de ce qui vient d'être réveillé par ce qui vient d'arriver. Ainsi émerge l'inconscient.

J'ai dit « accepter » et non pas « se résigner ». La différence est immense. Accepter, c'est l'inverse de nier. Et nier, c'est faire semblant que la réalité n'est pas la réalité.

Mon ami Dinh m'avait enseigné autre chose encore. Sur la colère. Comme celle de Louise qui m'avait renvoyé à celles de Louis, et ma terreur de petit garçon devant celles-ci. J'avais dit un jour, lors d'une rencontre à Bruxelles où nous pratiquions tous les deux : « Dinh, je pense qu'il est important, quand un patient nous engueule, de ne pas répliquer, de nous laisser engueuler, à condition bien sûr de pouvoir encaisser cette colère sans trop réagir intérieurement, ni sur le plan émotif, ni sur le plan corporel. Si c'est le cas, le patient va intensifier sa colère et nous ne jouerons pas au ping-pong avec celle-ci. Quand il aura atteint le paroxysme de celle-ci, subitement, il va s'effondrer en larmes. C'est là qu'il parlera des vrais problèmes, plutôt que de sa colère à leur sujet.

– Vous parlez comme Bouddha ! »

Je suis interloqué.

« Pourquoi me dis-tu cela ?

– Bouddha dit que la colère est un cadeau. »

Eh oui, Danielle, donne ce cadeau empoisonné à n'importe qui, c'est-à-dire à quelqu'un capable de

« l'encaisser » jusqu'au bout sans en souffrir, et tu t'en débarrasses à tout jamais. Malheureusement, comme nous ne sommes pas des Bouddha, nous encaissons les coups au lieu de les laisser passer à travers nous, et, dans ce cas, le filtre que nous opposons, même inconsciemment, empêche l'autre de guérir de sa blessure.

C'est évident dans la vie, où les relations ne sont pas censées être thérapeutiques. Même si elles le sont souvent à cause du rapport de forces et de pouvoirs où l'un vampirise l'autre, qui s'en valorise et ne voit pas sa propre souffrance en prenant soin de celle de l'autre. C'est même vrai dans les relations professionnelles thérapeutiques où, au point de départ, une personne est venue demander de l'aide. Pourtant, idéalement, c'est là que la blessure originaire devrait pouvoir être exposée à nu dans toute son horreur, dite et transformée en mémoire factuelle, dénuée d'émotions contenues et pathogènes.

Ce qui m'a troublé dans ta lettre, c'est le sentiment d'incompatibilité qui a émergé en moi, en lisant comment, toi, tu dis avoir vécu notre rencontre et, par ailleurs, mon absence totale de souvenir de ces choses blessantes pour toi. Je suis donc allé relire ma note de consultation, rédigée ce jour-là. Je te la recopie, mot pour mot : « Longue discussion avec la malade. Maladie de Crohn relativement tranquille depuis quatorze ans, découverte fortuitement lors d'une cholécystectomie en 1950. Spasmes, avec dilatations réversibles et inconstantes, objectivées au dossier radiologique. Histoire de dépressions récidivantes. Deux rémissions complètes de la maladie, dont une pendant quatre ans. Pas d'indication opératoire absolue : pas d'obstruction, de fistule, d'abcès. Jamais d'hémorragie digestive. Lésion nouvelle au sigmoïde qui me fait encore plus hésiter à demander un chirurgien en consultation. Veut se faire opérer surtout pour la douleur. Ne prend pas de stéroïdes tous les jours. Relie cette crise à la mort de son père l'an dernier. Fait une grosse réaction sur ce sujet. Nous en parlons longtemps. Dans l'ensemble, sur le plan strictement organique, je ne suis pas convaincu qu'elle doive être opérée, et, si elle l'est, que le chirurgien puisse éviter une iléostomie. À rediscuter. »

Ce qui me frappe dans cette note de consultation rédigée il y a dix ans, c'est que j'écrivais encore comme le font beaucoup de gens, y compris de nombreux médecins – sans sujet : « Veut se faire opérer... ne prend pas de stéroïdes... relie cette crise... fait une grosse réaction », un peu comme si quelqu'un t'écrivait : « Avons visité... sommes entrés... avons grimpé la montagne... voyage fatigant mais agréable. » Quand le sujet est absent, il est inexistant. Je réalise que souvent les médecins nient l'existence de l'autre en écrivant dans un dossier : « A fait une hémorragie », ou en disant, dans une projection épouvantable que font souvent les jeunes médecins : « Mon hémoglobine est à huit grammes. »

Néanmoins, passé ton abréaction sur la mort de ton père, qui a dû, à l'époque, m'impressionner, même si mon propre père était mort depuis longtemps, dans la réalité, sinon dans l'inconscient, « nous » (toi et moi) en avons parlé longtemps. J'aurais pu faire de toi et de moi une relation mayonnaise, comme c'est si souvent le cas dans la vie, en écrivant : « on » en a parlé longtemps. Si « tu » n'es pas une « autre », « nous » n'existons pas, et il n'est plus possible de parler que de « on ».

Je ne regrette rien, sur le plan objectif et médical, de cette consultation ; il n'y avait à l'époque aucune raison de t'opérer, et ta souffrance était bien plus psychique que physique. C'est toi qui, avec le temps, m'as dit que j'avais eu raison de te « casser la tête ». C'est toi la seule juge et arbitre de cette question. Mais je suis content de savoir qu'aujourd'hui tu n'as plus peur d'expurger la colère qui t'habitait encore, face au manque de sensibilité et de respect que j'ai eu à ton égard lors de notre première rencontre. Je n'essaie pas de me justifier, mais je te demande pardon.

Par ailleurs, tu dis dans ta lettre que la raison de ton choix de médecin et de chirurgien, ce fut la marginalité. Il devait y avoir des raisons très profondes à cela, puisque non seulement tu m'avais choisi parce que je suis marginal, mais encore tu avais changé de chirurgien la veille de notre rencontre. Seuls les marginaux sont autonomes, dit Edgar Morin. Ils entrent alors dans un processus d'autoréorganisation. La vie, pour eux, devient source de changements constants, d'apprentissages incessants, de recul perpétuel des limites. L'illimité est l'essentiel. Cette phrase de Jung me fait penser à Joanne, une amie poète, qui m'écrivait : « Je suis couchée sur le côté gauche, la jambe gauche tendue, la droite, repliée... en équilibre. Je ferme les yeux. Je sens le contour de mon corps avec toutes ses courbes... de femme. Chaque fois que j'arrête mon regard de l'intérieur, c'est comme si une étoile venait se poser sur cette partie de mes courbes. Je vois cela de l'intérieur vers l'extérieur. C'est lumineux. Tout mon corps en contour étoilé. C'est accompagné d'une musique de poussière d'étoiles. Et la lune paraît... Sa lumière laiteuse recouvre tout l'intérieur du tracé... Je me sens femme et pleine... C'est à ce moment que j'ai la sensation d'accéder à un nouveau palier, de descendre à un niveau d'une profondeur jusque-là inexplorée... où je n'ai plus de mots pour dire... Je me promène dans cette nouvelle réalité intérieure... où je sens que c'est sans fin... sans faim... L'horizon à perte de vue, sans que je me sente perdue... Est-il possible d'accéder à l'illimité, à l'infini ? »

La plupart des gens, à l'hôpital, font ce qu'on leur dit de faire, ils ne choisissent rien ni personne, et surtout pas leur chirurgien. Même les professeurs suivent. À peu près à l'époque où je t'ai rencontrée, mon université avait décidé de fonctionner comme une entreprise et d'adopter en conséquence une technique industrielle et corporative de management par objectifs. Il s'agit, pour l'organisme en question, de décider quels sont ses objectifs, en tant qu'entreprise, puis d'établir en conséquence la manière de gérer son personnel, en s'en rendant responsable, mais en le plaçant là où ses objectifs sont atteints, quelles que soient les aspirations des individus. J'entends encore le grand spécialiste de la question, psychologue de son état, invité à grands frais de Californie, parler au corps professoral réuni au complet. Il commence par ces mots : « Quatre-vingt-dix pour cent des gens dans cette salle sont dépendants. » Silence. Pas un remou. Pas une réplique. Personne ne tortille son derrière sur son fauteuil. Personne ne se lève choqué. Personne ne sort. Il avait donc raison !

Dans une société, les rapports de forces et de pouvoirs sont marqués du sceau de la dépendance. Si 90 % d'un corps professoral hautement instruit, crème intellectuelle de la société, sont dépendants, on peut les manipuler à l'envi : peur de non-promotion, peur de comité des pairs, peur de punition financière. Il est plus facile d'être brillant intellectuellement que d'avoir une maturité affective. Mais n'est-ce pas là un microcosme de toute notre société, où l'absence de liens affectifs profonds, égalitaires et respectueux a permis aux liens du pouvoir de fleurir comme une ortie au milieu d'un champ de fleurs fanées ? Le chemin de soi-même passe par l'indépendance absolue de l'âme. Il ne faut pas compter sur les autres pour nous aider sur ce chemin, car nous avons tous et toutes besoin de « bouche-trous » pour combler les gouffres de nos misères intérieures.

Mais sans les autres, pas de progrès non plus. L'isolement, la solitude pleine de détresse, c'est la non-rencontre avec les autres, mais c'est aussi la non-rencontre avec soi-même. Ta marginalité est ta force, et tu as reconnu en miroir ma propre marginalité comme un outil dont tu allais pouvoir te servir à ta guise pour te guérir à ta façon, en suivant tes besoins.

C'est vrai que ma carrure physique est imposante. Je mesure un mètre quatre-vingt-neuf. Déjà que les malades nous mettent sur un piédestal… ! Comme je ne peux pas me couper la tête, je m'assieds souvent sur un petit banc, pour inverser le rapport de forces et me retirer de la position « haute » de thérapeute où on veut me forcer à dire quoi faire. Le fait de me rapetisser fait parler. Parfois, aussi, je sens que l'égalité s'impose, et je vais me pencher pour arriver à un niveau où les yeux vont dans les yeux, en terrain plat.

Tu as raison de me reprocher d'avoir l'habitude du contrôle. Mon modèle d'homme, c'est-à-dire mon père, se comportait comme dieu le Père. Avec un petit « d » et un grand « P ». Maître après dieu, il régentait tout. J'ai compris de la vie qu'il a dû être affreusement seul, parce que j'ai commencé à l'imiter. Mais chassez le « naturel » et il revient au galop. Je te demande pardon d'avoir imposé mon contrôle.

Je crois qu'avec le recul du temps tu as bien exploré le sens de la valeur du sacrifice. Fritz Zorn a écrit dans son roman intitulé *Mars* qu'on l'avait éduqué à mort, et il est mort d'un lymphome. On ne peut pas donner ce que l'on n'a pas. Et il faut aller au bout de l'égoïsme pour toucher à l'amour véritable. Toi, tu vivais avec l'idée qu'il était normal que tu t'occupes de ta mère, tes frères, tes sœurs, ton mari, tes enfants. Il est normal d'aimer, mais il n'est pas normal d'avoir appris à aimer. Si ce n'est qu'un travail cérébral, bien assimilé et intégré à travers ton éducation, ce n'est pas vraiment quelque chose qui fait partie de toi-même. C'est pour cela que je t'ai agressée sur tes besoins.

Je suis moins incisif et chirurgical aujourd'hui, mais je n'ai pas changé d'idée. Quand quelqu'un est malade, cette personne a dépassé ses limites : c'est le temps de l'égoïsme absolu, élément essentiel pour se guérir. Mais notre société n'aime pas cette attitude et chacun projette tous azimuts des attentes qui se résument au fond à une seule : « Aime-moi. » Malheureusement, on ne peut pas transfuser l'amour, on ne peut que faire son deuil de ne pas avoir été aimé, et en tirer force et capacité à aimer.

Peu de malades se rendent compte qu'ils ont intérêt à être malades. Nous appelons cela le bénéfice secondaire de la maladie. Je n'oublierai jamais cette femme qui mourait d'un cancer du côlon. Elle avait perdu son mari dans un accident quand elle n'avait que trente ans. Elle avait élevé seule leurs filles. Vingt ans plus tard, elle s'était remariée. Son nouveau mari l'avait déracinée, l'emmenant loin de la ville où elle avait vécu toute sa vie. En plus, il l'exploitait beaucoup. Six mois plus tard, elle faisait un cancer du côlon.

On m'avait demandé de la transférer dans mon hôpital, en soins palliatifs, après qu'elle eut subi dans un autre hôpital une chirurgie exploratrice. Le chirurgien n'avait pu que poser un diagnostic. Il n'avait rien pu lui offrir pour la traiter. Il s'était même comporté comme un hypnotiseur idiot, inconscient de son pouvoir de grand-maître de l'Ordre des chirurgiens, et du pouvoir colossal qui amène à la réalisation automatique des prédictions. En effet, il avait regardé dans sa boule de cristal, comme s'il était un médium, une tireuse de cartes ou une voyante, et lui avait dit brutalement : « Vous en avez pour six mois ! »

Elle avait fait comme les saumons qui retournent aux sources pour mourir. Mon hôpital se trouvait dans sa ville natale. Le cancer avançait au galop. Elle trônait, comme une reine, dans sa chambre pleine de fleurs. Enfin, elle avait l'attention qu'elle n'avait jamais reçue ! Et elle approchait du sixième mois... Si elle devait mourir, que ce soit avec l'illusion d'être aimée ! Toi aussi, à l'époque, tu pouvais cesser de te sacrifier quand tu « tombais » malade dans je ne sais quel trou... La vérité méconnue éveille la colère. Quand je t'ai agressée sur tes besoins, tu as voulu me gifler et me griffer. Mais vois-tu aussi que, désireuse d'être touchée, tu as voulu me toucher ? Contact physique espéré, communication souhaitée. Tu étais déjà en chemin...

François

Cette lettre d'un père qu'il connaissait, somme toute, assez mal bouleversa Francis. Il eut les larmes aux yeux. Jamais son père ne s'était montré à lui comme cela. L'allusion à la personnalité tyrannique de son propre père, le grand-père de Francis, donc, ne surprit pas celui-ci. Il avait le vague souvenir d'un homme généreux

qui s'occupait de tout le monde, femme et enfants consi-
dérés sur le même plan, mais omnipotent. Autant son
père était solitaire et refermé sur lui-même, autant ce
grand-père faisait du bruit et prenait de la place. Les
rares colères auxquelles il avait assisté l'avaient terrorisé. Il comprenait pourquoi son père s'était replié sur
lui-même, mais il n'avait jamais imaginé à quel point sa
sensibilité était restée vivace sous sa carapace. « Quel
dommage qu'il soit mort, pensa Francis. Nous aurions
pu échanger tant de choses entre hommes ! »

Bonjour François, je t'envoie encore un bout de
chemin accouché sur papier. J'ai reçu ta lettre, qui m'a
fait très plaisir. Je t'ai senti si doux. Beaucoup, beaucoup plus doux qu'à l'époque ! Certaines de tes phrases
m'ont calmée. D'autres m'ont fait peur. Lors du sémi-
naire où nous nous sommes revus, nous avons décidé,
d'un commun accord, puisque je ne suis plus « ta »
malade, de mettre par écrit tout ce que j'ai vécu et tout
ce que tu as vécu, dans la plus grande transparence possible. Depuis lors, je passe par de drôles de phases. Je
suis conduite encore vers la colère. C'est une colère viru-
lente, qui fait parler quelqu'un d'autre que Danielle, avec
une force qui me stupéfie. Je dérange beaucoup de
monde pour leur plus grand bien, ou malheur ! C'est
leur choix. Je fais des colères éveillées. Mais sans ma
participation. Ce sont mes cris qui m'indiquent que ça
parle. J'ai l'impression de sortir de moi et de regarder
quelqu'un qui crie. C'est difficile à décrire. Le tout est
suivi de crises de larmes très profondes.

Je continue à « garnir » ma route d'illusions, que je
laisse tomber l'une après l'autre. Je m'aperçois que, avant
notre décision de tout nous écrire, de tout nous dire, en
acceptant inconditionnellement la réaction de l'autre,
quand je parlais de moi, c'était comme si je parlais de
quelqu'un d'autre. Je te remercie de me permettre ce
cadeau. De pouvoir refaire le chemin parcouru, cette fois
dans la transparence. Avant, j'étais deux. Maintenant,

c'est moi qui te parle. S'il y a une chose ou un sentiment qui soit vrai, c'est bien celui de la solitude. Mais la mienne porte des traces d'espoir.

J'ai décidé d'aller jusqu'au bout de ma démarche. Je veux reprendre le fil d'Ariane qui m'a conduite à aujourd'hui.

À bientôt mon ami. En espérant te lire prochainement.

Avec tendresse,

Danielle

Bonsoir François, c'est un autre chapitre de notre saga que je t'envoie aujourd'hui, mon ami. Je n'arrive pas à dormir. Les souvenirs remontent comme la lave d'un volcan. Sur le coup de ma décision de ne pas me laisser opérer, l'état dépressif dans lequel je vivais depuis ma sortie d'hôpital s'est transformé en énergie. Tout de suite, j'ai commencé à établir un plan de recherche. La première des choses que je veux comprendre, c'est pourquoi je me considère encore et toujours comme une petite fille. En attente de devenir adulte. Qu'est-ce que veut dire : « Être grande » ? Ce qui me vient immédiatement à l'esprit, c'est de ne pas avoir peur.

Mon père était brave devant la vie, même devant le cancer qui a fini par l'emporter. Ma mère n'a jamais bronché devant personne. Mon mari garde en toute circonstance la tête froide. Je pense que je suis la seule à être incapable de réagir. Je suis paralysée par un nœud d'anxiété qui me serre et m'étouffe au creux de l'estomac. Et graduellement amène la panique dans ma tête, jusqu'à ce que j'endorme le tout au valium, qui m'accompagne dans la vie depuis mes dix-huit ans. Pour pouvoir rester capable de fonctionner comme ceux qui m'entourent.

Agir sans peur et sans anxiété, est-ce possible ? J'ai souvent l'impression d'être en cage, une sorte de prison

intérieure dont je suis à la fois la geôlière et la prisonnière. Je détiens les clefs de ma liberté, mais je ne sais
comment les utiliser.

Dans ma tête, il y a comme un rideau fait de brume
opaque, une sorte de mur qui me cache le jour où se
trouve la vie. Je suis devant ce mur, à voir les émotions
des êtres humains, à entendre leur musique, à sentir leur
odeur. Je ne suis que spectatrice. Je ne participe pas.
Plus important encore, je ne saisis pas l'idée d'ensemble
de cette pièce dont le titre est la vie. Je retire une certaine satisfaction grâce à mes sens. Mais je fonctionne
au lieu de vibrer. Je suis un automate. Je fais du vol de
surface.

Être adulte, est-ce que cela s'apprend ? Ou est-ce un
état qui vous est donné ? Je pensais qu'avec le mariage
arriveraient l'état d'adulte et toutes les « supposées »
forces qui l'accompagnent. La religion nous enseigne
que les sacrements nous changent et nous renforcent. Et
pourtant ! Le lendemain de mes noces... Je me rappelle
très bien qu'avec étonnement j'ai constaté que je me
sentais, intérieurement, pareille à la veille ! Pourtant, j'ai
toujours copié les agissements de mes parents, j'ai toujours agi comme la société me le demandait : études, travail, mariage, enfants, le tout bien en ordre. Catholique
pratiquante. Et croyante. J'ai fait le même chemin que
les autres. Pourquoi est-ce que je me sens plus petite,
plus vulnérable ?

Comme un radar, chaque cellule de mon corps est
concentrée à étudier toutes les personnes qui m'entourent : chacune de leurs expressions, de leurs réactions,
chacun de leurs gestes est analysé avec ce qui me sert
d'analyseur... Ma sensibilité, et mon instinct. Mon cerveau est devenu comme une caméra, qui se met en focus
pour mieux capter tout ce qui se passe. J'enregistre tout.
Je ne vois rien. Je n'entends rien. Sauf ce qui est en
focus.

Cette période dure depuis le printemps. Nous sommes
maintenant en automne. Je n'ai toujours pas de réponse.
Je ne vois pas ma saison préférée, remplie de soleil et de

chaleur. Elle qui me nourrit le cœur et le corps, d'habitude. Je vis en recluse. Je suis prisonnière d'une question.

Côté santé, ça ne va pas du tout. Je ne prends plus de cortisone. Je prends seulement de la salazopyrine. Les diarrhées ont recommencé et les maux de ventre aussi. Je ne peux prendre aucun médicament contre la douleur, car je pense qu'ils augmentent mes pertes de sels biliaires. Je ne peux faire autre chose que subir ce mal, qui me tord le corps. Je perds du poids. Je dors mal. Je suis extrêmement nerveuse. Il m'arrive d'augmenter la dose prescrite de valium.

La « craque » faite dans ma tête il y a quelques mois s'est étendue. J'ai souvent peur de devenir folle. Je suis seule en enfer. Un soir, un appel de ma belle-mère, qui veut parler à son fils… Ce qu'elle a à lui dire ne peut se dire au téléphone. Apparemment, elle veut qu'il aille chez elle. Je la sens très anxieuse. Un de ses frères est atteint de schizophrénie. Il est présentement en crise. Je présume que le coup de téléphone a un rapport avec lui. À l'arrivée de mon mari, je lui fais part du message. Je lui dis qu'il devrait agir tout de suite. Il fait « oui » de la tête, mais s'assied pour souper. Durant la soirée, voyant qu'il n'a pas bougé, je réitère le message. Aucune réaction. Il ne bouge toujours pas. Il y a quelque chose qui cloche. Pourquoi ne téléphone-t-il pas, au moins ? Je l'ignore.

Ma curiosité me pousse à faire pression à nouveau. Je lui demande pourquoi il ne retourne pas l'appel. Il devient très nerveux et me répond, avec virulence, de cesser de lui en parler, qu'il n'a pas que ça à faire. Mais, du même coup, il décroche le téléphone.

Pendant qu'il appelle, les traits de son visage changent. Plus je le regarde, plus je me sens mal. J'étouffe. Il y a comme une bouffée d'électricité, qui m'envahit le corps. Je reconnais son expression. Elle m'est très familière. C'est la peur. Lui aussi ! Mais je ne l'avais jamais vue avant sur son visage ! Il a toujours dit ne jamais ressentir de peur devant la vie ! Comment se fait-il que je la vois si bien ? Mais alors, lui, que je croyais sans failles,

sans peurs, ne possède pas non plus cet état d'adulte !
Dieu du ciel ! Lui non plus ! Est-ce possible ? Il est
comme moi ! Il a peur ! Qu'est-ce qui m'arrive ?

Puis, dans ma tête, commence, au même moment,
une sorte de fébrilité mentale. Je vois une rétrospective
d'images de gens, qui m'entourent. Je constate que cette
expression est présente chez eux aussi, mais qu'elle est
tellement cachée que l'on ne peut en déceler la présence
qu'avec beaucoup d'attention : un rictus de la lèvre, qui
tremble quelquefois, les yeux fuyants pour ne pas laisser
voir la panique, un visage contracté, mais toujours bien
contrôlé. Je n'appartiens plus à rien, je suis suspendue
dans l'espace.

Je ne sais combien de temps j'ai passé dans cet état de
choc. J'essaie de rassembler mes idées pour comprendre.
Le monde d'où je viens est plein de professeurs qui enseignent de fausses notions. Mes illusions viennent de se
volatiliser. Je suis vide. À quoi vais-je pouvoir m'accrocher pour survivre ? Qui peut m'aider ? J'ai besoin que
l'on me montre le chemin, qu'on me parle vérité ! Ils ne
sont pas plus forts que moi. Je ne suis pas différente
d'eux. Il n'y a pas de démarcation adulte-enfant. Tous ces
gens vivent de foutaises ! Ils se mentent à eux-mêmes, se
racontent des histoires. Il n'y a pas d'état adulte. C'est un
apprentissage. Voilà la réponse.

Qui peut m'aider ? Moi ! Seulement moi ! Je me parlerai vérité. Voilà la réponse. Mais qu'est-ce qu'elle
m'apporte ? Désillusion, vide, amertume, déception. Je
suis à la dérive, ballottée par l'indifférence et la
méfiance, car je ne crois plus personne. Je n'ai plus de
port d'attache. Ceux et celles qui me tendent la main
cachent mensonges et illusions. Je détourne la tête. Ils
ne m'intéressent plus. J'ai l'impression d'être creuse, que
l'on a fait jaillir tout mon contenu. Je suis fragile, prête
à l'éclatement. Je me sens vieille et usée. Dieu ! Où sont
les merveilles et l'innocence ? Je ne vois que calculs
autour de moi... Je cherche la vie et la beauté, et je ne
trouve que douleurs... ! Je pensais qu'avec la réponse
viendrait la fin de mes problèmes ! Surprise, je ne fais

que commencer, car avec cette réponse vient une nouvelle crise de la maladie de Crohn.

Cette fois, c'est plus que sérieux. J'ai constamment de
la diarrhée. Elles sont intenses et nombreuses, jusqu'à
vingt fois par jour. Suivent la perte d'appétit, et la faiblesse. Classique.

Finalement, une douleur physique qui m'est
inconnue. J'ai l'impression que le corps va m'éclater.
Comme si mon sang poussait ma chair contre la peau.
Comme si mon sang voulait me sortir du corps par la
chair. Ces douleurs partent de la nuque jusqu'au bout
des doigts, la même chose se passe pour les jambes, du
haut des cuisses aux orteils. Quant aux doigts... J'ai
l'impression que quelqu'un a placé mes doigts dans la
fente d'une porte, et l'a délibérément fermée de toutes
ses forces. Pour m'écraser les ongles. Surtout la base de
l'ongle. Je ne peux plus rire. Je ne peux plus pleurer. Il
se fait une pression fantastique sur le bas de ma tête.
Juste là où se trouve le cervelet. J'ai l'impression qu'un
étau se resserre, chaque fois que je ris ou que je pleure.
Je dois absolument arrêter ce qui est en train de se
passer. Je dois attendre, sinon la pression devient intolérable. Impressions, impressions, impressions... Je ne
suis plus qu'impressions... Des impressions, qui m'enva-
hissent, qui prennent toute la place...

Dieu, j'ai mal, mal à fendre l'âme ! J'ai peur... J'ai le
sentiment que je vais mourir. De plus, mon ventre est
tellement enflé ! Je suis comme les enfants qui souffrent de malnutrition. Je n'ai plus de règles. Je ne transpire plus. Mes ongles, mes cheveux, mes poils ont cessé
de pousser. Mon corps a déclenché le bouton d'alarme !
Dans ma tête, c'est la panique pure ! Mal à mon corps !
Mal à ma tête ! Mal à mon être !

Après plusieurs nuits sans sommeil, un matin, en
essayant de manger quelque chose, je trouve la réponse.
Puisqu'il n'y a plus rien qui vaille la peine que je vive,
puisque j'existe pour souffrir seulement, pourquoi est-ce
que je me bats tant pour rester en vie ! Si la vie ne veut
plus de moi, alors je ne veux plus d'elle, j'abdique mes

droits à la vie ! C'en est assez ! Je vais me laisser mourir tranquillement. Si je ne mange plus, cela ne devrait pas trop prendre de temps. De toute façon, lorsque je mange, j'ai toujours mal au ventre ! Bien sûr, je ne contacte pas le médecin, car après ma rencontre avec ce chirurgien, que j'ai fini par aller voir après que tu m'eus cassé la tête, elle peut aller se faire voir, la médecine. J'avais décidé d'avancer toute seule, et je tiens parole.

Je continue ce régime, mangeant à peine une tranche de pain grillée pour déjeuner, et trois à quatre bouchées pour dîner. Même chose pour le souper. Pas de collation.

La vie ne veut pas de moi, alors je ne veux pas d'elle !

Pourquoi est-ce que j'ai cette maladie ? Je n'ai rien fait à personne ! Dieu ! Pourquoi ? Tu ne m'entends pas ? Tu ne m'écoutes pas ? Tu ne veux pas de moi ? Eh bien, moi non plus ! Désormais, tu n'existes plus pour moi, toute cette histoire de Dieu, c'est de la foutaise ! Et voilà une autre chose de réglée ! Eh bien ! Pour la solitude... C'est complet... Merci !

Je ne pèse plus que quarante kilos à présent. La faiblesse fait partie de mon quotidien. Je calcule avant d'agir. Ai-je assez d'énergie pour empêcher les enfants de se chamailler et faire le déjeuner ? Non ! J'en ai juste assez pour faire le déjeuner ! J'entendrai les chicanes jusqu'à l'heure de l'école, puis ce sera le silence, à nouveau ! Doux silence ! Et l'inévitable arriva. Mes intestins se mirent en occlusion ! Après vingt-quatre heures de vomissements et de crampes, ce fut l'hôpital à nouveau ! Après les soins de circonstances avec un tube dans l'estomac, et des liquides intraveineux, je suis de nouveau étendue sur un lit blanc à attendre ! Attendre quoi ? La vie ? La mort ? Presque pareil pour moi à présent... Je suis une morte de toute façon ! Je suis tellement faible que je ne peux plus rester couchée à plat sur le dos. Mon cœur se débat. J'étouffe. Lorsque je ferme les yeux, je me sens très bien sortir de mon corps et rester au-dessus de ma tête. J'ai peur !

Je reste ainsi durant quarante-huit heures. Ils me font

des radios. Pour conclure à l'occlusion. Une intervention chirurgicale sera nécessaire. Mais je devrai recevoir de l'hyperalimentation par les veines avant celle-ci, car je suis trop faible et ne résisterais pas à une opération.

« Qui est le médecin de garde ? »

C'était toi.

« Ah ! il n'y en a pas un autre ?

– Non. C'est lui qui est de service ce mois-ci. »

Autant j'avais déjà demandé ce médecin avec insistance, il y a un an, autant je n'avais pas le goût de le voir à nouveau ! Me faire casser la tête une fois m'avait suffi, merci !

Et mon orgueil quand même ! À moitié morte, et l'ego qui mène encore le bal !

Danielle

Quel enfer ! Je suis muet devant tant de souffrances ! Vaguement honteux d'une telle « chirurgie de l'âme » que je t'ai fait subir. Et pourtant... La suite a été tellement belle... Nous avons en commun le souci de l'Unité. Cela paraît amusant de le dire autrement, mais à ton âge et à mon âge, nous espérons tous les deux devenir adultes ! Pourtant, j'ai dix ans de plus que toi ! L'adulte donne et l'enfant reçoit. Personne n'a vécu une enfance adéquate et satisfaisante à tous points de vue, surtout sur le plan de l'amour. Si nous voulons donc voir quand nous nous comportons comme des enfants, il suffit de regarder quand nous demandons. La recette, car c'est une recette, et il y en a d'autres, est infaillible. Mais lorsqu'on a fini de chercher ce qu'on n'a pas reçu, on devient intègre, ou intégré, au sens étymologique du terme, qui veut dire complet. Syntone aussi. Unifié. Rassure-toi, je n'ai jamais rencontré personne qui ait atteint l'unité de l'Être, même si j'ai rencontré des gens fort évolués se déclarant accomplis : il aurait mieux valu qu'ils s'inclinent devant l'opinion des autres, plutôt que de se déclarer guéris de leur enfance.

« Si tu veux savoir qui est quelqu'un, dit le proverbe Sufi, n'écoute pas ce qu'il dit, regarde ce qu'il fait. » J'ajouterai : « Et regarde son entourage, choisi en général comme une image en miroir, ou, pour parler le jargon psychanalytique, comme un double narcissique. »

La première fois que j'ai demandé à une amie si on pouvait guérir de son enfance, elle m'a répondu qu'il fallait prendre le risque de l'espoir. J'ai trouvé l'expression très belle. Elle confirmait ce que j'ai toujours pensé, quand on me disait que la guérison du passé durait jusqu'à la mort. C'est vrai que je vois des vieillards mourir avant d'avoir vécu. Ils ont l'air d'enfants, ou de bébés. Quand on dit des vieux qu'ils retournent en enfance, je le répète, en fait, cela veut dire qu'avec les défenses qui s'écroulent, apparaît leur véritable nature profonde. Il faut dire ceci, le redire, le répéter : la guérison du passé peut durer jusqu'à la mort, que ni la maladie ni la guérison ne sont du registre de l'instantané !

Mais il ne me paraît pas non plus « normal » que l'homme ne puisse jamais devenir adulte. Peut-être est-ce à advenir, peut-être sommes-nous dans le sixième ou le septième jour de la création où l'homme n'est encore fait que dans son corps, peut-être est-ce ainsi qu'il faut comprendre Konrad Lorenz quand il dit que le chaînon manquant entre le singe et l'homme, c'est nous ! Peut-être sommes-nous une humanité adolescente, dans un cycle d'hominitude… Tu dis que tu es une petite fille, ma sœur. Moi, j'ai seulement treize ans… Je suis né à la conscience ce jour mémorable où un abandon m'a renvoyé à mon enfance, et surtout m'a fait comprendre dans tout mon être, corps inclus, à quel point j'étais un pantin, dont l'inconscient tirait les ficelles. Avant j'étais seulement un brillant zombie. C'était pratique pour la carrière, mais pas pour le bonheur.

Ce qui m'intrigue, c'est que pour toi, être enfant, c'est avoir peur. Or, je me sens encore adolescent, et pourtant j'ai flirté souvent avec le danger, sans peur, parce que suffisamment contrôlé. Il me fallait vivre intensément, pour pouvoir atteindre les failles dans l'armure qui me couvrait au sortir de mon enfance. Je ne suis pas sûr que ce que tu décris chez ton père, « brave » devant le cancer, soit l'absence de peur. Souvent, les cancéreux sont de vrais « canards », qui ne sont pas mouillés quand il pleut : rien ne les touche. Ce n'est pas qu'ils n'aient pas peur. En fait, ils rient souvent. Pour ne pas pleurer. C'est plutôt qu'ils ont une anesthésie de longue durée. Ne confonds pas le contrôle, qui est la peste de l'humanité, avec l'absence de peur.

Tu confonds aussi peur et angoisse. Jadis, tu sautais sur le valium quand tu étais angoissée, sans savoir que tu ne faisais que faire perdurer le problème. Je ne suis pas psychiatre, mais j'ai beaucoup vécu. À certains moments de mon existence, j'ai vécu des périodes d'angoisse indescriptibles, d'une intensité quasi chirurgicale. L'angoisse, pour moi, n'est qu'un couvercle, qui cache ce qui essaie de sortir pour être accueilli par des bras aimants. La peine, le désespoir, la colère, la rage. La vraie peur, la terreur, le vide, le néant. Mais c'est aussi, de l'autre côté du désert, le chemin qui mène aux éclats de rire. À la paix, au bonheur, à l'amour. Pour moi, toute approche pharmacologique relève du *band-aid*, du pansement. Bien sûr, quand on a la peau à vif, et qu'on continue à se la faire frotter tous les jours par conjoints, enfants, parents, « amis » et patrons, un *band-aid* est parfois très utile. Ce l'est aussi quand on ne peut se permettre de lâcher prise parce qu'on est seul et qu'il faut pourvoir à ses besoins matériels. Mais ce n'est, dans le meilleur des cas, que du temps acheté.

Oui, nous sommes souvent à la fois geôlier et prisonnier. Mais tu as raison de dire que nous détenons les clefs de la liberté et qu'il suffit de nous allier au prisonnier que nous sommes plutôt qu'au geôlier qui ne fait que perpétuer les vieux méfaits. La plupart des soignants sont tout à fait inconsciemment les alliés des parents. À ma connaissance, seule Alice Miller a pris résolument parti pour les petits enfants. Le Christ également, bien entendu, n'a jamais voulu infantiliser personne et nous a dit de retrouver la vérité de l'enfance. Ce n'est pas un dieu, mais quelle conscience et quelle sagesse ! Tu te décris comme devant un mur. Il y a quelques années, j'ai écrit un poème, que j'avais appelé « Réveil ». Moi aussi, j'ai vu le rideau dont tu parles :

> Et voilà que se lève le rideau
> de leur théâtre de folie
> ils m'ont menti
> permis en interdits
> dans leur monde sans femmes
> bonheur est malheur
> mais moi je vous dis
> tout est possible.

Seulement... Seulement, je suis un homme, et les hommes sont souvent plus agressifs que les femmes. Seulement, derrière l'enfant battu, j'étais resté l'enfant rebelle, qui avait toujours tenu tête malgré les cris et les coups : mieux valait les volées de mon père, mieux valait ses grandes colères à mon égard, que l'absence totale de communication avec ma mère. Je suis donc arrivé au mariage comme un bon bigot, bien dressé, sinon cassé, par mon père et par l'Église dite chrétienne. Et puis... ce ne fut pas du tout ce qu'on m'avait dit. Tu dis t'être rappelé avec étonnement le lendemain de tes noces que tu te sentais intérieurement pareille à la veille. Ce ne fut pas mon cas : le sol s'était effondré sous mes pas, je n'avais plus de balises, et j'étais parti seul à deux pour une vie de ménage, faute de couple. Il me fallut encore la peur de mourir d'un cancer pour me révolter contre tout, faire table rase du passé et recommencer à partir de rien ma propre éducation. Mon père m'aimait assez pour m'avoir encouragé à m'expatrier, comme lui l'avait fait à une toute petite échelle. S'il s'y était opposé, je n'aurais pas pu résister, et j'en serais mort depuis longtemps.

Enfin, quelque chose m'interroge beaucoup sur ce qu'il te reste à découvrir à propos de ta belle-mère et de son fils. Tu décris la scène où, très anxieuse, elle veut lui parler. Nulle part, tu n'évoques ton mari. Tu dis : « un de ses frères... », « à son arrivée... », « je lui fais part du message... », comme si ton mari n'était que son fils. Est-ce ainsi ? C'est même toi qui le forces à rester le fils, en le poussant, alors que, manifestement, il n'en avait rien à « foutre », à se rendre au téléphone, t'alliant par là même contre ton compagnon, avec sa mère. Ah ! ces maudites alliances pleines d'inconscience ! Ah ! ces relations mère-fille, ou un peu moins pathologiques mère-belle-fille (là au moins, les deux femmes ont fait un transfert hors des liens du sang)... ! C'est ainsi que j'ai fini par baptiser « matrones » ces génitrices qui sont convaincues d'être mères, alors qu'elles ne sont pas encore femmes, et qui ne savent pas que le mot « matrone » est le féminin du mot « patron »...

Oui, belle amie, le monde est plein de « professeurs » ! Qui enseignent des fausses « notions ». Qui inculquent des fausses « valeurs ». J'ai perdu, comme toi, mes illusions sur beaucoup de choses. J'ai payé le prix de la solitude. Je suis passé de l'isolement, où j'étais tranquillement gelé et anesthésié, dans l'esseulement et son cortège de douleurs, avant d'aborder le rivage de la solitude, ouverte sur la vie et l'amour, le plaisir et la joie. Et j'ai fait miennes les belles paroles de mon âme sœur Hélène, qui, un jour, m'a dit : « Je pense, je dis ! Je fais, je vis, je ris ! » Je fais donc miennes tes belles paroles, aujourd'hui sacrées. Sujettes à aucun compromis. Pour quelque raison que ce soit... « Je me parlerai vérité. »

Je suis très peu contaminé par le sentiment de culpabilité, dont on dit, à tort ou à raison, que c'est la mère qui l'induit chez le petit en assortissant son amour de menaces conditionnelles. Ma mère ne voulait pas d'enfant et l'a dit clairement. J'ai dû le comprendre très jeune et, pour faire face au vide et ne pas mourir de souffrance, je me suis emmuré. Pourtant, ce qui s'éveille en moi en lisant ta dernière lettre, ou bien c'est de la culpabilité, ou bien c'est une immense compassion. Une ancienne malade m'a dit que la responsabilité, c'est d'être habité par sa propre conscience, alors que la culpabilité, c'est d'être habité par la conscience d'autres que soi. Quiconque se sent coupable doit donc se demander qui ose parler à sa place. Mais, nonobstant toute culpabilité face à une projection sauvage de mes souffrances infantiles sur toi, je me sens plein de tendresse pour ce que tu as vécu seule lorsque tu t'es éveillée à la réalité.

Je te demande pardon d'avoir été si incisif. Ma quête de vérité, d'idéalisme, d'amour m'a souvent rendu dur, impitoyable, agressif. Ce n'est qu'en vivant mes propres souffrances d'enfant que je suis devenu plus doux et que j'ai appris à respecter le rythme de l'autre. Y compris, bien sûr, celui de ma mère, avec qui, sur une base d'égalité, j'ai développé durant les dix dernières années de sa vie une relation qui m'a satisfait et l'a satisfaite. Même si elle n'était qu'au niveau de l'intelligence et de la compréhension.

Avant de mourir, ma mère m'a dit merci de lui avoir appris à pleurer. Et, alors qu'elle voulait de toute sa volonté cérébrale mourir par anorexie, faute de se trouver un quatrième mari après en avoir enterré trois, et qu'en plus elle me demandait de l'assassiner – autre mot en l'occurrence pour obéir à sa requête d'euthanasie –, je l'ai affrontée.

« Tu peux mourir. Pourquoi ne meurs-tu pas ?

– Ta sœur...

– ... ?

– Elle ne vient plus jamais me voir, elle ne me parle plus !

– Arrête de faire payer à ma sœur le manque d'amour que ta sœur, au point de s'en suicider, et toi, vous avez subi de votre mère ! »

Ma mère a demandé pardon à ma sœur de ne pas l'avoir aimée. Elle en a oublié d'avoir mal au ventre. Je ne pensais pas être capable d'accompagner ma propre mère au décours d'une colopathie fonctionnelle. Et notre mère est morte paisiblement quelques mois plus tard. Mon dernier souvenir d'elle est le faible sourire qu'elle m'a adressé. Un faible sourire en réponse à mon remerciement de son immense curiosité qui m'avait lancé sur ma quête, dans ma recherche de l'amour.

Rien n'est gratuit. Derrière tous nos actes, nous avons un but. J'ai beaucoup « aimé » afin d'être aimé. En fait, j'ai dit très longtemps que l'amour n'existait pas encore, mais qu'il était possible. La plupart des relations ne sont que transférentielles. Comme j'ai été longtemps un zombie ambulant, un néocortex perché sur deux pattes, je « voyais » bien, j'analysais bien. Mais le cœur, l'âme n'étaient pas très présents. Ils y étaient pourtant, je crois, rétrospectivement. Malgré la dureté de mes incisions, la confrontation de mes relations, je n'ai pas fait de « casse ». Les malades ne sont pas morts quand je les ai fait opérer. Je déclenchais parfois des crises, mais des crises gérables à long terme. Dans mes relations amoureuses, j'ai abandonné des femmes assez fortes pour surmonter la douleur de la séparation, j'ai subi la rupture de celles trop fragiles que pour ne pas me l'imposer, et je suis toujours resté disponible à l'écoute.

Me frappe dans ta lettre la couche qui sépare encore la souffrance de ton vécu du rappel de la souffrance du passé. Note que tes mots prêtent au change. Ainsi quand tu dis que « l'on a fait jaillir tout ton contenu », cela peut être le résultat de ma brusquerie ou celui de la relation avec tes parents : les mots seraient les mêmes. Mais tu es aussi tellement lucide, puisque tu comprends que ce n'est que le début ! « J'en ai marre des illusions », me dit un neveu qui m'est cher. Moi aussi, quand j'ai ouvert les yeux de la conscience, j'ai confondu la fin avec le début. Certains me disent que la fin, c'est la mort, mais je ne les crois pas. Prétendre qu'il faut être mort pour être debout et vivant, c'est une des perversions majeures de l'enseignement attribué au Christ. Je préfère les paroles qui s'extasient sur le fait que « le Verbe s'est fait Chair », reconnaissant le caractère sacré du corps.

Je ne savais pas que d'autres que moi avaient eu mal

jusqu'à la base des ongles. À l'époque, je n'étais que douleur. Jour et nuit. Tu dis que tu avais mal à fendre l'âme. L'expression est belle, mais pas tout à fait juste. Le Christ, encore lui, est comme le glaive, dit-on, qui est venu séparer. Ce qui était fendu, ce n'est pas ton âme, qui est indescriptible et indestructible, mais ce qui t'en séparait. Ou, pour reprendre une image que tu saisiras bien, l'image que tu te faisais de « Toi ». Parfois, quand un être humain est déchiré par les blessures de la vie, il ne reste que la façade et les mensonges. Nous, médecins, avons adopté pour décrire ce genre de personnalité, le terme anglo-saxon *borderline*, à la lisière entre le sain et le fou, et ce genre de personne bascule par épisodes dans une folie d'autant plus difficile pour l'entourage qu'elle fait irruption comme un volcan en eaux tranquilles.

Mais, suite aux traumatismes de la toute petite enfance, il n'y a pas que les mensonges qui protègent comme un rempart. Tu n'as pas choisi la mythomanie non plus qui compense le vide et procure une belle image agréable à regarder, mais creuse. Toi, tu ne mens pas comme tu respires. Au contraire ! Petite, tu as dû sûrement beaucoup rêver d'un monde meilleur que celui qui t'entourait et qui était plein de violence. Tu as dû conserver et nourrir un idéal qui t'a guidée vers ta vie à toi. Boris Cyrulnik dirait de toi que tu es l'exemple type d'une femme résiliente. Deux de tes frères se sont suicidés quand tu étais petite, alors qu'ils étaient tes idoles. L'un d'une balle dans le cœur suite à une peine d'amour. L'autre d'une balle dans la bouche faute de pouvoir dire ce qu'il était obligé de taire. Tu m'as dit un jour que lorsque vous aviez une rencontre sexuelle, ton ex-mari, proche de l'orgasme, se redressait parfois, serrait les poings, prenait un visage de folie et d'agressivité. Tu m'as dit que tu avais peur qu'il te frappe. J'ai dû te faire opérer deux fois pour la maladie de Crohn que tu avais à l'époque, parce que tout était bloqué dans ton ventre, et que les tissus étaient tellement cicatriciels qu'il fallait l'incision d'un bistouri pour permettre, à nouveau, un passage au flux de vie. Mais avec toute la violence imposée et subie qu'implique tout acte chirurgical, même fait avec bienveillance. Tu es résiliente ! Les rêves de ton enfance ont formé un pont-levis de ton château fort vers une campagne, où tu as pu être secourue, accueillie, confortée, jusqu'à ce que toi, tu prennes ta propre vie en main.

Tu as commencé à devenir toi-même et sortir, comme un papillon de sa chrysalide, de ce qu'ils avaient fait de toi.

François

Bonjour, François.

Mieux vaut tard que jamais. Tout bouge tellement vite, que je n'ai pas vraiment eu le temps d'écrire. Il m'est arrivé plein de trucs que tu qualifierais d'« intéressants ».

Je vais te raconter ce qui m'est arrivé, un beau matin, au travail. Le président du syndicat est venu m'avertir qu'il n'y aurait plus de livraison en dehors des heures de travail. Il a déposé un document sur mon bureau. Il a frappé fort sur mon bureau. Son ton de voix était excessivement agressif.

« Cela, tu ne le feras plus jamais en dehors des heures. Fini ! Terminé ! »

Je ne suis pas encore remise de cette expérience. Cela fait pourtant bientôt quinze jours qu'elle a eu lieu. Lorsqu'il eut terminé, une espèce de courant a passé tout le long de ma colonne vertébrale. Je me suis tendue, comme une chatte prête à bondir. Je suis incapable de te répéter tout ce que je lui ai dit. Je ne m'en rappelle pas. Je me suis « éveillée ». Je crois que j'ai dissocié, que j'ai lâché prise. Je l'ai engueulé comme ce n'est pas permis ! Toute la journée, j'ai gardé un « poing » de colère au niveau des épaules. Je vais chez Josiane mercredi, pour qu'elle m'aide à faire sortir le restant de cette colère qui m'habite encore. Tu sais que je vais souvent chez cette femme qui me fait des massages orientaux, qu'elle appelle shiatsu, et qui s'apparentent à une forme d'acupuncture où les pouces remplacent les aiguilles. Mais on est loin de la « touche-thérapie » ou des massages qui mélangent dans l'hypocrisie sensualité et sexualité, ou, pire, s'en défendent dans une froideur glaciale et mécanique. Son âme est au bout de ses doigts, et ma peau entend cette voix qui me rejoint jusqu'au plus creux de moi-même.

Deux jours après mon algarade, ou le lendemain, je ne peux le dire avec certitude, j'ai pris conscience que cette colère avait débloqué quelque chose en moi. Et depuis, j'ai développé des douleurs incroyables dans le cou et le haut de mes épaules. La seule position qui me soulage est la position fœtale, mais avec la tête extrêmement rentrée sur les genoux. Je crois que je refais un processus de naissance. À la suite de cette expérience, je remarque que je suis devenue plus sûre de moi. Je ne me hais plus, comme c'était le cas auparavant, lorsque je me fâchais. Mais la plus belle découverte que j'ai faite, c'est que je suis devenue capable de faire face à des figures d'autorité maternelle. En étant forte. En maintenant ma position sans faille. « Voici ce que je pense. C'est à prendre ou à laisser ! Je ne changerai pas pour vous ! Vous ne me faites plus peur ! » J'ai l'impression que le *punching bag* dont je me suis servi, en en faisant jouer ce rôle par le président du syndicat, m'a permis de crever un abcès intérieur et que le pus d'une rage abyssale ne fait que commencer à monter.

Mais ces colères me font peur. Je me rappelle, après être revenue sur terre, que je devais me contrôler pour ne pas le gifler et le griffer. Je ne pensais pas posséder une force aussi puissante à l'intérieur. Tu t'en souviens... Notre première rencontre... Toi aussi, j'avais voulu te gifler et te griffer... Ainsi, ce désir m'habite, moi.

Est-il possible de vider le contenu sans colère, par d'autres moyens, comme les pleurs, le massage, l'écriture, la parole ? Je peux te dire que la colère me fait vraiment perdre le contrôle et j'ai peur de ce que je pourrais faire ou dire.

Bon, je te quitte, car mon fils ne cesse de venir m'interrompre avec des questions ésotériques. Je perds le fil de ce que je veux te dire ! Je vais lui donner mon temps entièrement. L'amour l'a changé, mon fils ! Il est devenu plus compréhensif. Et beaucoup plus tendre. C'est beau à voir.

À la prochaine.

Merci de me lire.

Danielle

Bonjour à toi, François.

Je voudrais partager un petit récit avec toi. L'autre jour, j'écoutais une conférence à la télévision. Le médecin, qui la donnait, répétait constamment : « Votre enfant intérieur, laissez-le vivre, laissez-le briller ! » À un moment donné, tu connais mon imagination, je me suis mise à voir cette petite fille, comme un diamant aux mille facettes. Mais ces facettes ne brillaient pas, parce qu'on avait mis des empreintes dessus. Ma mère a mis son empreinte et une facette ne brille plus. Mon père a mis son empreinte et je ne brille plus. Ma grand-mère, mon professeur, mes amies, mon mari ont mis les leurs, et je ne brille plus. Il faut exister avec ces empreintes, qui deviennent des poids de plus en plus lourds à porter, jusqu'au jour où un événement ou quelqu'un vient te voir, ayant à la main un chiffon blanc d'une grande douceur (tu as été ce quelqu'un pour moi), et te montre comment enlever les traces laissées par les autres en polissant chaque facette. Petit à petit, l'éclat se présente à nouveau, et tu te retrouves, un enfant possédant toute son unicité.

Quand cette unicité a été retrouvée et que toutes tes facettes extérieures brillent de mille éclats, alors commence le voyage intérieur où n'est présente qu'une seule voie en ligne droite vers Celui qui m'a pensée.

La petite fille vit de plus en plus chez moi, et j'en suis de plus en plus très consciente. Cela me rend heureuse. Et lorsqu'elle dort, la femme de plus en plus mature prend place, surveille l'enfant et s'amuse à goûter la vie.

J'espère que mon récit t'a amusé. Paix, sérénité à toi ! Avec tendresse.

Danielle

Bonjour, belle Danielle.

Nous nous sommes revus depuis ta dernière lettre. Comme tu as embelli ! L'extérieur reflète toujours l'intérieur ! Il y a longtemps, j'ai publié un texte qui portait sur le toucher. Je l'ai modifié, pour toi, après avoir lu ce que tu as écris de l'expérience que tu as vécue avec Josiane.

C'est le fruit d'une longue réflexion à propos du thème du toucher entre soignant et soigné, sujet rarement abordé. Je te l'envoie, comme nous nous le sommes dit au téléphone, parce que tes deux lettres, qui ont éclairé un long silence, me font associer au fait que le corps ne ment jamais. La violence physique du syndicaliste s'est déversée, non sur toi, mais sur ton bureau. Et pourtant elle a fait exploser la gangue, la muraille dont tu t'étais entourée. Quand tu me parles du pus qui s'écoule de toi, je ne peux pas ne pas fantasmer sur le fait que cette rigidité était une représentation mentale déformée de l'inflammation purulente et de la fibrose bien réelle de la maladie de Crohn, dont tu souffrais à l'époque où tes intestins étaient aussi rigides que ton esprit était défensif. Merci à ce syndicaliste inconnu, sorte de soldat inconnu dans ce processus de guérison, que tu as suivi en solitaire.

Tu sais comme j'ai toujours admiré le fait que lorsque tu venais me voir, à l'époque où tu étais malade, nous avions une convention tacite, qui faisait que tu ne prenais jamais rendez-vous. Rebelle de force durant ton enfance, tu étais toujours rebelle quand tu te penchais vers un mieux-être, ainsi, à l'antipode de ces malades, dépendantes, abonnées à leur médecin, comme d'autres le sont à leur télévision, en quête d'un biberon symbolique périodique appelé « prochain rendez-vous » ! Je dis de ces malades, ces « patients », que je reconnais tout de suite quand ils entrent dans mon bureau, qu'ils viennent y chercher le biberon, la béquée, la panade et la béquille.

Quand tu partais, je ne savais jamais si tu reviendrais. Jamais, curieusement, je ne m'en suis inquiété. Je ne me suis jamais non plus posé de questions. Jamais, je n'ai dû refréner une envie de te demander si tu voulais revenir, ni quand. Intuitivement, je crois, je devais avoir compris qu'il te fallait rester farouchement libre, maîtresse de ta destinée. Mais j'avais aussi très vite compris que tu possédais une créativité hors du commun.

Nous avons souvent discuté de ma croyance selon laquelle maladie, sexualité et créativité sont interreliées à un niveau très archaïque, très inconscient. À un niveau qui est transracial, transidentitaire, transreligieux, translinguistique et transnational. À un niveau spirituel, immatériel. Tu as compris que le bout des doigts de Josiane pourrait t'accompagner quand tu guérirais de l'abcès rouvert par le poing de cet homme. Que je t'admire ! Quand on parle de « toucher quelqu'un », on introduit, d'emblée, différents éléments et interprétations où la linguistique et la sémantique peuvent nous orienter. Au sens strict du terme, « toucher » signifie établir un contact physique avec un être animé ou inanimé. Seul sens dont on peut dire qu'il est impossible de toucher sans être touché.

Se profile pourtant, derrière cette forme de communication corporelle, une connotation sexuelle, que le langage populaire québécois exprime particulièrement bien par rapport aux autres dialectes de la langue française. Quand une femme dit : « Mon père m'a touchée », elle ne dit pas qu'il l'a prise affectueusement dans ses bras, mais qu'il a commis l'inceste. Finalement, un sens encore plus profond du terme signifie que la personne a été rejointe émotionnellement et implique une participation de l'inconscient.

Au cours des dernières décennies, la société nord-américaine, et, plus globalement, la société occidentale ont été influencées par divers mouvements idéologiques qui ont servi de balises pour tracer le chemin de la vie. Si les églises, la morale et le nationalisme y ont laissé leurs marques, l'économie et son monde de consommation sont venus prendre, pour l'instant, la relève. Dans cette ère de consommation, les biens, et même les gens qui nous entourent, servent à combler un besoin immédiat, purement égoïste. « On » peut consommer pour des raisons affectives aussi bien que pour des raisons corporelles ou sexuelles, telles qu'au cours d'une aventure d'un soir. Avec l'acquisition de la liberté d'expression, tant par les hommes que par les femmes, « on » consomme maintenant la sexualité comme on s'offre un bon repas.

Une patiente qui avait eu cinquante amants me parlait ainsi, un jour, de sexualité « bon dîner » ! Inutile de te dire qu'elle a été incapable de me « consommer ». Pas plus que cette autre qui, dans un groupe ésotérique portant sur une prétendue « loge des ancêtres », avait traversé la pièce dans la pénombre pour se coucher sur moi et m'astiquer consciencieusement le pénis. Pénis qui restait affectueusement flasque, sujet et non plus objet de désir... Elle s'était mise à respirer violemment, se redressant sur mon corps, détournant la tête et tendant la main qui avait tenté de me posséder par le sexe vers un personnage inconnu. Toujours dans le silence. Pour finir par pousser un cri primal. Un hurlement de petite fille blessée. Puis elle s'était écroulée sur ma poitrine en sanglotant. Pendant que je l'entourais de mes deux bras avec une infime compassion.

Mais, trop souvent, la rencontre sexuée de deux êtres humains est devenue une « chose qu'on fait », au lieu d'être un abandon à soi et un don de soi. « On » a perdu la notion du don. « On » ne donne plus pour le plaisir de donner. Par le fait même, « on » ne touche plus vraiment l'autre, parce que toucher, c'est permettre à l'autre de grandir et de s'épanouir. Le toucher a donc deux dimensions ou significations : la tendresse et la sexualité. Après avoir consommé la sexualité, l'humain se rend pourtant compte qu'il y a autre chose. Puisque toucher, c'est un don à l'autre, il n'est plus valorisé parce qu'il ne peut être consommé... Pour Platon, l'amour est manque, et c'est foutu d'avance puisqu'il ne peut conduire qu'au chagrin du raté ou la perte d'un désir fait de pure convoitise. Mais pour Aristote, et je préfère sa version, l'amour est jouissance de l'existence de l'Autre...

Le toucher... Sujet tabou de par ses implications inconscientes. Irréductibles à toute forme de rationalisation. Il sème la controverse, le recul, la dénonciation, la marginalisation. Et souvent, il éveille un sentiment de profonde solitude.

Cette solitude est créée par des émotions trop longtemps refoulées. Lorsque nous refusons de laisser libre cours aux émotions, nous tentons de passer outre. Comme si de rien n'était. Nous accumulons alors un certain nombre de besoins, de manques. Qui finissent par être oubliés par notre conscient. Puisqu'une émotion est un phénomène psychosomatique, elle doit nécessairement comporter une composante psychique et une autre corporelle. Le toucher, stimulant le corps, permet le réveil corporel et indirectement psychique. La manifestation émotionnelle qui en découle est d'autant plus intense qu'elle met en évidence un besoin, un vide qui ne peuvent plus être niés. De ce contact avec la réalité résultera parfois la libération d'un sentiment de profonde solitude. C'est la fuite de cette solitude intérieure qui fait souvent refuser le toucher. Fuir ! Fuir la solitude ! Et fuir toute forme de toucher, qui pourrait en rappeler le souvenir dans un lointain passé de son enfance.

Toucher et être touché sont des besoins fondamentaux. Je le répète... Le toucher est le seul mode de communication bidirectionnel : impossible de toucher

quelqu'un sans être en même temps touché. Il est nécessaire pour prendre contact avec le milieu qui nous
entoure. Pour délimiter notre individualité. Et encore
plus, pour parvenir à une connaissance et une acceptation de notre entité avec ses dimensions intellectuelle,
émotionnelle, corporelle et spirituelle. Des gestes aussi
simples qu'être bercé, embrassé, exploré par la palpa-
tion, le contact physique lui-même, sont essentiels pour
parvenir à ces fins.

Le peu de publications disponibles sur le sujet et la
connotation péjorative qui y est associée reflètent bien
l'ambiguïté du toucher. Si, dans certains cas précis, il
prend une signification sexuelle, le toucher est d'abord
affectif. Parce que la sexualité est un domaine tabou,
mal connu, mal exploré, mal apprivoisé, il y est fait référence, souvent à tort, pour qualifier de « sexuel » tout ce
qui est inhabituel, ce qui nous est inconnu. L'inconnu
fait peur. Les gens ont peur de se toucher par crainte de
sexualité. Il faut alors faire référence à la théorie freudienne qui ramène tout à la sexualité, ou à la théorie jun-
gienne qui pense qu'il y a plus que la sexualité comme
force essentielle chez l'être humain. Au nom de cette
crainte sera alors bannie, ou à tout le moins limitée, surtout « au nom de Freud » – qui ne peut plus protester ni
évoluer –, toute démonstration physique d'affection.
C'est ce qui me fait récuser tous les maîtres et autres
gurus, toutes les écoles et innombrables élèves et clones.
À chacun de devenir soi-même. Tu l'as magnifiquement
compris en m'écrivant la métaphore des empreintes
laissées par ces doigts qui ont sali les facettes de ton brillant original.

L'ambiguïté du langage provient du fait que la
démonstration d'affection et la relation sexuelle sont
placées sur un même axe. Il existe même une échelle
reflétant le manque de discernement entre faire l'amour
et le toucher affectif ! Dans un livre consacré à l'entrevue
médicale, un « expert » a gradué cette échelle de 0 à 11,
0 étant l'évitement, 1 à 3, les démonstrations d'affection
et 11, la relation sexuelle ! Tu te rends compte ? Comme

si tendresse et sexualité étaient en continuum ! Il est pourtant absolument impératif de faire la distinction. De placer sur deux axes différents le toucher affectif et la relation sexuelle. Et la tendresse, bordel ?

Socialement handicapés par le manque d'affection, plusieurs tenteront, inévitablement sans succès, de combler ce besoin, ce vide, par une rencontre des sexes. L'exemple le plus frappant est le taux aberrant d'agressions sexuelles avec, dans bien des cas, des victimes de moins de quinze ans. Au cours de leur vie, près d'une fille sur deux et un garçon sur trois sont victimes d'actes sexuels contre leur consentement. Si la société reconnaissait le besoin d'être touché, et si elle acceptait les contacts affectifs, elle agirait à la source même du problème et protégerait d'innocentes victimes. Il faut chercher ici quel est l'impact sur le devenir de l'enfant d'un modèle occidental de parents, profondément marqué par l'héritage judéo-chrétien. L'inceste est beaucoup plus fréquent chez l'homme que chez l'animal. Les rôles respectifs de la mère et du père sont aussi radicalement différents chez l'animal et chez l'humain.

Si, comme au début du siècle dernier, et comme cela continue encore dans certains milieux, pays et cultures, le rôle de mère est dissocié de celui de femme, celui de père de celui d'homme, seront créés des parents qui vivent dans la mésentente sexuelle chronique mais font des enfants, et cela non pas par amour mais par devoir. Ou par instinct de survie à travers leur progéniture. Immanquablement, les qualités parentales seront gommées et les frustrations des géniteurs iront s'assouvir dans le produit qu'ils auront engendré. Ce faisant, le toucher des parents, essentiel à la croissance des petits, deviendra sexualisé ou absent. La relation père-mère-enfant deviendra donc sexualisée, avec des préférences parent-enfant variables suivant les sexes. C'est ce qui a d'ailleurs été démontré quand le développement du petit face à la modestie, la nudité et les fonctions d'excrétions a été étudié de manière scientifique.

Au-delà de la sexualité, le poids relatif de la mère et du

père sera différent face à la fille ou au fils. On a aussi démontré que le toucher, en situation de laboratoire, ralentit le rythme cardiaque des sujets de l'expérience. C'est dire son importance ! Il reste pourtant à apprendre quel est l'impact, non seulement physiologique mais global sur la personne, de la qualité du toucher, et des attitudes, conscientes et inconscientes qui sous-tendent le geste. Il est probable qu'un toucher libidineux ou agressif accélère le pouls, alors qu'un toucher plein de tendresse devrait l'apaiser et le ralentir. À voir et à explorer scientifiquement ! En attendant, je mets dans le même « coin » ces géniteurs incestueux et machos qui se croient tout autorisés, et ces matrones que sont les génitrices qui se pensent mères alors qu'elles ne sont même pas encore femmes. Il y a un long chemin à parcourir pour qu'un être de sexe masculin devienne homme, puis père, et, parallèlement, dans une différence et une égalité absolues, un autre être, de sexe féminin, devienne femme, puis mère.

Les implications médicales de la prévalence des abus sexuels deviennent évidentes quand nous apprenons que la moitié des femmes souffrant de colopathie fonctionnelle ont été abusées sexuellement, les deux tiers avant l'âge de quatorze ans ! Hélas, pour 90 % d'entre elles, cela reste inconnu du médecin traitant ! La plupart d'entre nous resteront aussi inconscients que, par rapport aux femmes non abusées, elles subissent beaucoup plus d'interventions chirurgicales et consomment plus d'actes médicaux. Une femme violée par son père subira environ huit interventions chirurgicales au cours de sa vie, dont 75 %, en rétrospective, auront été parfaitement inutiles ! Il y a là abus symbolique où le bistouri du chirurgien, phallique et envahissant, suit le pénis du père dans une compulsion de répétition, où le seul progrès est de sortir de la famille. Cette femme devra aussi attendre près de dix-huit ans avant que l'abus ne soit mis au jour, et cela bien qu'elle ait vu en moyenne dix-huit spécialistes différents, dont chirurgiens et gastro-entérologues !

L'ambiguïté du toucher provient aussi des différentes définitions que les cultures lui accordent. Les traditions religieuses, les comportements acquis au cours de l'histoire d'un peuple et transmis à travers les générations, contribuent également à une divergence de sens. Encore plus, il s'agit fondamentalement d'un choix de société, qui opte pour une linguistique dirigée, dominée par un cerveau, une logique qui rationalise tout, ou d'une linguistique en harmonie avec l'être entier, dans toutes ses dimensions.

Avec la médicalisation des malades, on en est venu à soigner un organisme malade et non une personne souffrante. Pourquoi les médecins sont-ils si froids, ont-ils tellement peur d'impliquer émotionnellement leur propre identité, se barricadent-ils dans un mutisme sans faille ? Un médecin canadien passe en moyenne un quart d'heure avec chaque malade. Non, mais tu te rends compte ! Il ne faut pas oublier que le corps a une mémoire, que la mémoire consciente ou inconsciente n'a pas. Et que le toucher, classé machinalement comme étant un des multiples volets du langage non verbal, a le pouvoir de réveiller ce corps endormi avec ses secrets.

L'utilisation thérapeutique des mains par le toucher apparaît comme un acte humain universel. C'est pour cette raison que dans notre société civilisée, on échange des poignées de main. Bien plus qu'un protocole de politesse, ce toucher nous fournit de précieux renseignements par des éléments aussi simples que la température de la main, son degré d'humidité, sa fermeté ou sa mollesse, la durée du temps de contact. On peut aussi voir l'évolution chronologique du toucher en notant, par exemple, si une consultation a amené des modifications physiques de la main. On serre donc la main des malades avant et après l'entrevue. Cette utilisation des mains doit faire partie intégrante du processus thérapeutique proposé pour rétablir un équilibre de santé chez tout être souffrant. Non seulement le toucher est accessible à tous, mais il ne nécessite aucuns frais ni ordonnance. Bien que ce geste soit fondamental, il semble qu'il soit oublié dans cette ère scientifique à cause de notre adulation pour la robotisation. Certains rêvent d'inventer des machines pour ne plus avoir à toucher les patients. Notre main s'est transformée en gant métallique mécanisé, électronique.

Bref, à l'heure des scanners, de l'ingénierie génétique et de la technologie croissante des actes médicaux, le toucher comme agent thérapeutique offre peut-être une complémentarité plus humaine et plus fondamentale. En nous faisant prendre conscience que notre moi ne s'arrête pas à l'apparente frontière de notre peau, le toucher nous ouvre une porte vers d'autres questionnements sur la nature des liens qui nous unissent entre humains. Y compris entre soignés et soignants. Et à travers cette relation à visée de guérison se crée un écho qui est mémoire du passé.

Il est à noter que la réflexion que je te fais n'est pas scientifique. La méthode scientifique est un mode de purification qui permet d'apprendre à penser ce que nous voyons plutôt que de voir ce que nous pensons. Malheureusement, la relation traditionnelle scientifique en est une de sujet à objet. Le toucher, lui, puisqu'il est, à la base, constitué de respect de l'autre, fait davantage intervenir une relation de sujet à sujet, d'égal à égal. Et il est impossible de toucher quelqu'un sans être soi-même touché. Je ne le redirai pas assez souvent ! Bien qu'on puisse en mesurer les effets par la science, on ne peut pas mesurer la relation égalitaire du toucher et on ne peut pas décerner de diplôme d'humanisme. Mais alors... Si le toucher est un moyen de communication, est-ce à dire que la communication en soi n'est pas scientifique ? Les attitudes des soignants vont être modulées par leur personnalité certes, mais aussi par le type de profession qu'ils auront choisi. Cela est vrai, bien sûr, pour tous les choix de carrière. Rien ne se fait au hasard, et certainement pas le choix d'un métier ou le type de spécialisation entrepris. Pour ce qui regarde le toucher, par exemple, le gynécologue pensera d'abord au toucher vaginal et le gastro-entérologue, lui, pensera au toucher rectal.

Quand on pense, par exemple, au toucher rectal comme une façon d'entrer en relation pour le médecin et le malade, il faut faire la remarque que, pour la plupart d'entre nous, l'anus est une zone tabou. Tous les tabous sont modulés par la culture, plus ou moins au courant du fait psychanalytique, plus ou moins influencée par la culture machiste. L'intrusion dans l'anus peut être prise *a priori* comme quelque chose de plus qu'une agression, quelque chose de l'ordre du viol, qui n'est tolérable que dans une situation grave, en salle d'urgence, et fait par des chirurgiens, qui ont rendu le toucher routinier pour poser des diagnostics graves organiques. Ce faisant, ils ont réussi à faire oublier que ce « trou » est tellement proche des organes génitaux, tellement relié à la sexualité, dans une évolution constante de l'analité vers la génitalité, puis la sexualité puis la capacité d'entrer en relation, corps et âme.

Toi et moi, nous avons peu abordé ce que tu as vécu dans ton anus, du fait de la maladie de Crohn. Tu m'as pourtant dit un jour que tu avais vécu une proctoscopie comme un viol, que tu était sortie de ton corps, observant la scène du plafond de la salle d'endoscopie, comme si tu vivais une expérience de mort imminente. Je n'avais rien dit, mais je n'avais eu aucun doute sur la perception juste de ce que tu vivais, car je connaissais un peu la vie de cet homme. Les confidences de sa femme. Et qu'ils étaient terriblement mal mariés.

Je continue donc à élaborer sur les intrusions de l'anus.

Et que dire d'un toucher rectal fait sur un enfant ? La relation entre le médecin et l'enfant ou l'adolescent est différente de celle avec l'adulte, parce que les parents font partie intégrale de la relation. Les parents arrivent avec leur histoire, et une grande quantité de préjugés religieux, socioculturels et parfois même psychanalytiques face à l'orifice anal. Souvent, lorsqu'un enfant a déjà subi un toucher rectal, il aura une grande résistance à un autre examen. L'enfant pleure, crie, gigote, se défend et cela prend parfois deux rendez-vous pour faire le toucher rectal sans violence. Mais le toucher rectal n'est pas vécu comme une agression s'il est fait dans le cadre d'une relation marquée au sceau de l'affection et de la tendresse. Il est alors possible de répéter l'examen au prorata des nécessités médicales. Quant aux parents, il est parfois nécessaire de leur expliquer l'examen et surtout de verbaliser leurs fantasmes, à savoir que le toucher rectal n'engendrera pas chez leur fille une fixation sur une sexualité purement anale, et chez leur fils une tendance à l'homosexualité. Tout, dans le toucher rectal, a une dimension métaphorique. Le faire avec le petit doigt permet de montrer qu'il est plus petit que les selles. Si celles-ci sont capables de sortir sans faire mal, alors le petit doigt doit pouvoir rentrer aussi sans faire mal. Si les sphincters anaux sont bien relâchés, il est possible de faire le toucher rectal sans douleur, même si le doigt est très gros. C'est l'attitude de celui qui utilise la main avec le doigt en extension qui détermine la réaction de l'enfant. L'index en extension, doigt de Dieu ou son représentant, dégage une impression de menace et d'intrusion, alors que le petit doigt donne l'impression d'un geste de chatouillement, et ce, sans rapport avec la grandeur du doigt, mais avec sa posture, conditionnée par les attitudes du soignant. Cette impression d'agression ou de réceptivité et de don est tout à fait en accord avec l'iconographie judéo-chrétienne qui montre le doigt dominant en extension de Dieu le Père – ou son délégué, ou son substitut laïcisé – et la main ouverte et accueillante de la Vierge Marie, Jésus-Christ et la plupart des saints. Il est impératif que l'enfant se sente le moins agressé possible, si on veut conserver un climat de confiance.

Voilà, chère Danielle, quelques lignes qui, je l'espère, te parleront à propos de tout ce qui a trait au toucher du corps de l'autre.

Je suis sûr que tu vas bien. Ou comme le disait une autre, à la suite du pharmacien Coué : « Tous les jours, et sur tous les plans, je vais de mieux en mieux. » Elle le faisait répéter comme une litanie d'autohypnose et de reprogrammation à la guérison. Sage !

Merci pour la tendresse, que je partage avec toi.

François

Francis interrompt sa lecture. Il est ému. Ses yeux sont de nouveau embués de larmes. Au travers de la relation que son père a eue avec cette femme, malade d'abord, en quête d'aide, et puis, manifestement, dans un dialogue toujours davantage égalitaire, Francis découvre un autre homme que celui qu'il croyait avoir connu.

« Oui, se répète-t-il, quel dommage qu'il soit mort ! Dialoguer avec un mort, cela ne suffit pas à combler un vide relationnel... »

Chère Danielle, voilà nos réflexions bien en chemin... J'espère que ce récit, commencé dans l'inégalité que vivent la malade et le médecin qu'elle a choisi, finira dans l'égalité et l'autonomie.

Tu me dis que tout bouge tellement vite. Rappelle-toi, la lenteur des sténoses de la maladie de Crohn, qui te faisait tellement souffrir, la lenteur de l'hyperalimentation intraveineuse nécessaire pour te remplir des protéines nécessaires à une bonne guérison, après la chirurgie. La lenteur avec laquelle certaines de mes remarques sur ton père d'abord, ta mère ensuite, mettaient à te rejoindre. Dieu merci ! Les mots sont fulgurants ! Lorsqu'ils sont justes, et que nous sommes prêts à les entendre au creux de notre âme, ils ont un pouvoir de baume qui efface nombre de vieilles blessures.

Vite, vas-y vite, laisse-toi emporter par le courant de la vie, sur le chemin de la conscience et de la réalité ! Cesse de t'agripper à la violence du passé, au manque d'amour, à la mort de tes frères adorés. La vie est un fleuve qui coule entre les rives de la colère et du désespoir, et qui mène, je l'espère, à un océan d'amour. Je dis « je l'espère », parce que l'humanité entière suit confusément un chemin aveugle qui devrait logiquement, et surtout si on extrapole l'histoire, déboucher sur une mutation où la conscience, l'esprit, l'amour, appelle cela comme tu le désires, se sera enfin incarné, et où l'homme, qui aura cessé d'être morcelé en corps et en esprit, en cœur et en fesses, en âme et en sexe, sera devenu un. Et où la femme, qui aura conquis son égalité et son indépendance, aura cessé d'imiter l'homme et sera, de son côté, à sa manière, devenue une !

J'ai été, il y a peu, invité par les théologiens canadiens, qui organisaient une rencontre sur les constructions du corps en christianisme. Je leur avais pourtant bien dit que je croyais en la possibilité d'amour entre les humains, ici, sur terre, et que je ne fréquentais aucune Église. Conscient que la spiritualité est issue de l'intérieur, mais qu'on peut apprendre une religion comme on apprend les mathématiques. D'où les guerres de religions, qui sont censées relier. Ils m'avaient tout de même invité. Et même réinvité plus tard à un groupe de réflexion. Par provocation, j'avais intitulé ma conférence, portée par une abondante iconographie : « Et le Verbe ne s'est pas encore fait Chair »... Nous avions été occupés toute la soirée à échanger...

Merci à cet homme d'avoir été chercher la sainte colère qui t'habitait depuis si longtemps ! Colère et culpabilité se marient dans une conjugaison maudite qui ronge l'être dans son intérieur jusqu'à sa destruction. Le courant dont tu me parles, qui a passé le long de ta colonne vertébrale, me fait penser à ce qui est dit en Orient de la Kundalini. Le tantrisme est une forme de bouddhisme qui dit que le plus sûr chemin de la spiritualité, c'est la sexualité. La Kundalini, dit-on, est une énergie sexuelle lovée au bas de la colonne, comme un serpent endormi. Qui, lorsqu'elle est réveillée, remonte jusqu'au sommet du crâne. Symboliquement, il y aurait là une fusion du corps et de l'esprit. On sait que l'énergie dégagée par la fusion est beaucoup plus grande que celle de la fission. Mais je ne suis jamais allé en Inde. Je crois que le voyage en Inde intérieure est plus riche d'apprentissages que celui dans les pays exotiques, et je t'écris donc de façon à la fois livresque et expérientielle.

Il est bien entendu pour moi que le tantrisme ne parle pas de baiser, mais de faire l'amour. Wolinski a illustré dans *Le Nouvel Observateur* le fait que les Français en ont marre de seulement baiser, imitant en cela les Québécois, qui ont fait *Le Déclin de l'empire américain*. Le dessin est très drôle. On voit un homme à genoux, occupé à joyeusement faire l'amour à une femme à quatre pattes. Le monsieur, l'air tout content, lui dit : « Chérie, j'aimerais aller me promener à la campagne, main dans la main. » La femme, d'un air dédaigneux, se retourne et lui lance : « Non, je ne t'aime pas assez pour cela. » C'est ça, la baise. Toutes les langues que je connais font la différence entre fourrer et faire l'amour.

Tu me parles de courant à l'occasion d'une grande colère. Je n'ai jamais entendu pareille affirmation, mais tu me poses la question du lien entre colère et plaisir sexuel. T'en souviens-tu ? Tu m'avais parlé de ton mari d'abord, ensuite de ces hommes qui, au moment de l'orgasme, levaient les poings comme s'ils allaient te frapper... L'orgasme est un coup de bistouri dans l'inconscient, qui fait émerger ce que contient la boîte de Pandore. Souvent, ce n'est que larmes ou rires. Mais ce peut être rage, désespoir, renaissance et autres régressions. Et l'acmé du plaisir n'est pas toujours à départ de rencontre sexuelle.

Un jour, à Paris, on m'avait demandé d'animer un atelier sur la psychosomatique. Le groupe était composé uniquement de psychologues. J'avais commencé par essayer de les convaincre que le corps et la psyché, c'est la même personne, comme c'est indispensable dans le milieu scientifique, mais il était évident que je les ennuyais terriblement. Il avait fallu que j'improvise, et j'avais jeté la balle dans leur camp en leur demandant de me raconter, à tour de rôle, l'histoire de leur vie, en parlant exclusivement de leurs symptômes, leurs maladies et leur sexualité. Très vite, une femme avait raconté une histoire pénible de son enfance où elle avait essayé, en vain, d'attirer l'attention de son père, plongé dans son journal et absorbé par la télévision. Je m'étais approché d'elle. Elle s'était mise à pleurer. Le groupe avait formé un cercle autour d'elle, sans la toucher, dans le silence. Elle sanglotait en position fœtale, et nous étions très émus par tant de souffrances contenues depuis si longtemps. Il y avait un *crescendo* de douleur qui était audible et presque palpable. C'était comme si ce qu'elle vivait équivalait à faire la douleur plutôt que faire l'amour.

Subitement, je ressentis une sorte de paix s'installer, sans que je puisse voir quelque indice que ce soit sur le visage et le corps de la femme. J'avais l'impression qu'elle était allée au bout de sa peine, qu'un cercle venait de se refermer, que quelque chose venait de s'accomplir. Quand elle se releva, et que je lui demandai de verbaliser ce qu'elle avait vécu, elle me confirma mon impression. Elle nous dit, à notre stupéfaction à tous et à toutes, que la souffrance avait culminé sur un orgasme où elle s'était dissipée.

Mais, me diras-tu, quand tu as senti que la colère t'habitait, et qu'un courant te passait tout le long de la colonne vertébrale, tu n'étais pas dans la souffrance ! N'oublie pas que la colère, poussée au paroxysme sans qu'on y mette un frein, débouche sur de la peine. Toujours ! Bouddha, je te l'ai déjà dit, nous enseigne que la colère est un cadeau. Dont on peut débarrasser la personne qui nous le fait, à condition que nous n'allions pas puiser dans notre propre colère pour jouer au ping-pong. J'ai raconté, dans un de mes livres, une histoire qui t'est pertinente. Un jour, j'accueille en consultation une femme, qui avait mal au ventre depuis dix ans. À cause d'une colopathie fonctionnelle. Ce problème porte de nombreux noms. Dans les pays anglo-saxons, le préféré est celui de syndrome du côlon irritable. Le terme français est moins affectif puisqu'il ne parle pas d'irritabilité. Il n'y a pas d'anomalie physique visible en radiologie, à opérer, ou à traiter avec un médicament physique. Mais les vieux cliniciens francophones vont aussi parler de colite malheureuse. Mauvais terme, puisque parler de colite voudrait dire qu'il y a inflammation, mais bon terme aussi, puisqu'il est clair que les malades qui en souffrent sont malheureux d'un malheur longtemps inexprimable.

Je te raconte cette histoire parce qu'il y a un lien entre la colopathie fonctionnelle et la maladie de Crohn dont tu as tant souffert. Nous savons que lorsque des gens comme toi passent par une phase de guérison tranquille où la maladie de Crohn ne les trouble plus, ils ont souvent des poussées de colopathie fonctionnelle. Inversement, j'ai déjà vu quelques malades, toutes des femmes, très constipées, de façon chronique, dont la cause de la constipation était une colopathie fonctionnelle, développer subitement une colite de Crohn aiguë. Nous savons aujourd'hui, de façon prouvée scientifiquement, que la colère fait contracter le côlon de tout le monde, mais encore plus celui des malades qui souffrent de colopathie fonctionnelle, eux qui sont habitués à minimiser les événements stressants de l'existence, et donc parlent avec leurs tripes plutôt qu'avec leur tête. La femme, dont je te raconte l'histoire, avait beaucoup souffert dans un mariage où son mari la battait. Elle avait divorcé, élevé ses enfants, et s'était taillé une ascension sociale fulgurante. Restait le mal de ventre qu'aucune pilule n'avait pu soulager. Nous avions beaucoup sympathisé à la première rencontre. Elle s'était rendu compte, ce jour-là, que le début de la douleur remontait à un avortement imposé par l'ancien mari. À sa seconde visite, elle était venue me voir en proctoscopie.

Je viens de te répéter l'histoire que tu m'as racontée. Tu sais, celle où tu m'as dit un jour avoir vécu comme un viol l'examen du côlon et du rectum que t'avait imposé un des médecins que tu avais vus. Comme d'habitude, consciente et finement intelligente comme tu l'es, tu avais associé spontanément ce « viol » symbolique, par pénétration anale, à ce que ta mère te faisait subir petite, quand elle te mettait sur le pot et que tu étais constipée. Je connaissais un peu, socialement, le médecin qui t'avait examinée, et je savais qu'il était très mal marié. Je ne connaissais rien de ses rapports sexuels avec sa femme, mais j'avais entendu un jour celle-ci faire, en public, des remarques très acerbes à son égard.

Il me parut évident que cette malade n'avait pas du tout envie de se faire examiner le rectum. Je m'assis donc pour raccourcir ma grande taille, et pour qu'elle puisse me dominer de sa petite taille. Elle se mit, bien sûr, à parler. Subitement, mon instinct me fit lever la main et lui dire : « Frappe ! » Sa première réaction donna l'impression qu'elle pensait que j'étais fou. Puis, elle m'effleura la main, et je lui dis : « Allez, allez, tu peux faire mieux ! » D'un coup, elle lâcha les rênes et se mit à me frapper avec une violence inouïe, et à gesticuler dans tous les sens. J'étais obligé, comme je ne suis pas masochiste, d'amortir les coups pour qu'elle ne me fasse pas mal. Son *crescendo* de rage déboucha subitement sur les sanglots. Elle s'assit, prit la main de l'infirmière pour s'y accrocher, et me dit qu'elle se sentait comme une petite fille. Nous avions entendu déferler toutes ses colères accumulées, en commençant par celles contre le mari violent puis en remontant jusqu'à son enfance. Avant qu'elle ne touche à la peine de ne pas avoir été aimée.

Est-ce que la colère de ta colonne est le début d'un grand réveil qui va chercher encore plus de souffrance que celle que tu as déjà exprimée, avant de déboucher sur la joie ? Il n'y a pas de chemin de ton chemin. Je ne peux que t'accompagner, y compris dans les zones de ténèbres où je suis aussi aveugle que toi.

Je n'ai jamais oublié la scène mémorable que tu as vécue dans mon cabinet. Tôt après la deuxième intervention chirurgicale que tu avais subie, tu avais reçu congé du chirurgien qui t'avait opérée, et tu étais venue me voir. Tu avais commencé à me parler de la vie qui avait précédé les premiers symptômes de ta maladie. Ce jour-là, tu m'avais beaucoup ému parce que, pour une raison que j'ignore, tu avais revécu l'horrible détresse que tu avais vécue, et ravalée, petite, quand l'un après l'autre les deux frères que tu adorais, les seuls piliers affectifs de ton enfance, s'étaient suicidés avec leur carabine. Malgré l'horreur de ces souvenirs, grande et forte comme tu l'as toujours été, même cette fois-là tu étais partie sans prendre rendez-vous.

Tu étais revenue six mois plus tard. Cette fois, tu m'avais stupéfié. Tu m'avais dit, dans mon cabinet, que tu avais revécu les drames chez toi, seule, dans ta chambre à coucher. Tu avais même trouvé, toute seule, ce qui avait déclenché le processus. Tu m'avais dit avoir entendu à la radio la même mélodie que diffusait doucement le plafond du bureau de l'hôpital où émergeaient les souvenirs la première fois. Naturellement, tu réinventais sans le savoir la musicothérapie. Tu ignorais que c'est par le biais de ce que tu avais réinventé toute seule, sans lecture et sans indication, ce que Stanislav Grof avait découvert à travers ses expériences avec le LSD utilisé chez les mourants, à l'époque où cette drogue était encore permise, et avant qu'il n'utilise l'hyperventilation comme moyen d'induire des états modifiés de conscience d'une grande profondeur.

Comme toi, sans le savoir, Grof avait remarqué, expérimentalement, que lorsque les malades qu'il accompagnait vivaient des émotions intenses sous l'influence du LSD, et qu'ils étaient exposés à une composition musicale donnée, plus tard, la musique pouvait les précipiter au même endroit de leur inconscient, même s'ils n'étaient pas sous l'influence du LSD. C'est ce que toi aussi, tu avais fait. La première fois, ma présence t'avait probablement été utile, sinon indispensable. Par contre, la seconde fois, chez toi, tu avais vécu le même processus, mais seule, cette fois, et, ayant dépassé ta dépendance affective à mon égard, tu t'étais contentée de m'en faire le récit. Tu t'étais donc servie de moi un peu comme un enzyme, essentiel au changement, mais hors circuit ensuite.

Tu me demandes s'il y a un autre moyen de vider le contenu de l'abcès que cette colère immense que tu as ressentie. Je ne sais pas. La colère est un puissant outil de séparation. Elle est puissante pour couper les fibres du cordon ombilical. J'ai souvent vu alterner colère et détresse au fil des jours du processus de guérison. Peut-être est-il possible de toucher directement la peine qui nous habite, si la personne qui est en face de nous pour nous aider est libérée de sa propre haine. Je dis « libérée » et non pas « contrôlée », car lorsqu'on est sensible, on n'a même plus besoin des messages non verbaux pour percevoir la colère contenue. J'ai toujours pensé qu'il y avait d'autres chemins que celui d'expurger ce mélange explosif de rage et de souffrance, issu de cet espace de haine intérieure. Je l'ai toujours pensé. Je n'en connais malheureusement pas d'autres.

Je te souhaite, avec le début de cette année, de voir arriver la chute de ces chaînes qui ont entravé ta marche jusqu'ici.

François

Bonjour, François.
Il est sept heures du matin. Je suis assise devant ma porte, occupée à regarder le lac. Le temps est triste et lourd comme moi. Je donne du pain à un couple de canards sauvages, des colverts. Depuis deux jours, le mâle vient tout seul. Je pense qu'on a fait mal à sa cane. Cela me blesse. Je le vois seul, qui ne mange que quelques morceaux de pain. Sa solitude m'atteint.
J'ai cessé de fumer ce matin. C'était le seul « bonbon » que je me permettais. Mes intestins ne l'approuvaient pas. Je suis maintenant vraiment coupée de tout ce qui a un semblant d'affectif.
Je suis en souffrance, depuis que je t'ai revu. J'ai passé des moments très difficiles.
J'ai vécu l'abandon. Celui où il ne reste même plus l'idée d'un soupçon de résistance. Le lâcher prise total. Même au niveau de la pensée.
Le monde dans lequel j'ai toujours vécu a basculé. Les

illusions de l'ego sont maintenant séparées de l'ensemble, et sont démasquées. La réalité est juste à côté. Monde nouveau où je n'ai pas encore appris à marcher. Je suis entre deux, en suspension entre l'inconnu, que je ne connais pas, et le connu, que j'abandonne.

Je ne sens rien à l'intérieur de moi. Que ce sentiment d'abandon total.

Je ne désire plus rien. C'est le vide. La peur n'est plus. En ce moment, en tout cas. Je me sens disloquée.

Encore une boucle de mon cycle de vie en spirale, François ! Je m'encourage en me disant que bientôt viendra la naissance. Comme à Pâques, je vais ressusciter.

J'ai hâte de voir qui je serai cette fois. Ce sera intéressant... Chose certaine, mon plus gros travail va se situer et se situe maintenant au niveau de la dualité. Torture intérieure toujours intéressante à regarder et qui sert à démystifier qui nous sommes vraiment.

Je suis suspendue entre deux mondes, dans l'espace temps, les bras en croix. Il n'y a ni demain, ni hier. Que ce moment de suspension. C'est comme ça que je me sens.

Toutes sortes de choses nouvelles ou plutôt connues, mais qui n'étaient pas encore conscientisées, vont maintenant vibrer avec connaissance et conscience.

La douleur de l'autre ? Je la sens et je la porte ! Consciemment.

La douleur est lourde et opaque. Elle écrase, fait courber la tête vers la terre.

L'acceptation de ces souffrances amène un certain degré de détachement de moi-même pour pouvoir continuer à porter.

Cette acceptation apporte en même temps un certain degré de joie intérieure très profonde.

Mon intériorité est maintenant l'espace où se déroulera ma vie. La porte est ouverte. Je suis à l'intérieur.

Je dois partir pour le travail.

Je te souhaite toute la tendresse dont tu as besoin.

Tendrement.

Danielle

P.-S. : Je quitte mon mari. Il n'a pas changé, comme je l'avais un moment espéré. Alors, je ne l'attends plus. Je n'ai pas besoin de lui pour changer, moi. Nos différences sont devenues irréconciliables. Nous divorçons sans violence. Je déménage la semaine prochaine. Cela concrétisera ma transformation intérieure.

Bonjour, belle amie !

Tu es triste, tu es souffrante, tu me parles d'une autre mort. Et tout cela, tu me l'écris sur un papier à lettre fait de douceurs, de teintes pastel, d'oiseaux et de soleil. Peut-être es-tu déjà habitée par la paix, la tendresse, l'amour. Peut-être que seul ton esprit ne le sait pas encore ! Et tu couches les lettres qui forment les mots d'une belle écriture, ronde, sensuelle, féminine jusque dans chaque courbure, et qui transpire bonheur et plaisir. Ton corps sait déjà le bien-être qui t'attend. Devrais-je dire qui « vous » attend, plutôt ! En effet, c'est la dualité qui fait souffrir. De nécessité, elle est devenue handicap.

Tu dis que tu es en souffrance depuis que nous nous sommes vus. On peut grandir grâce à l'autre. Mais on peut aussi grandir malgré l'autre. Quand l'autre vous réduit à n'être plus que autre. Il faut passer de « s'identifier à l'autre » à « identifier l'autre ». Lourd et pénible travail de deuil où les projections vous atteignent en plein visage comme autant de boomerangs. Mais il y a aussi la souffrance qui révèle, sans les déclencher, le bien-être, l'amour, le bonheur, la paix. Ce qui fait le plus pleurer, c'est lorsque nous comprenons à quel point nous n'avons même pas été regardés. Ne parlons pas de voir.

Alors, belle amie : « Je suis en souffrance depuis que je t'ai vu. » Tu parles du vide. Il faut l'explorer. Chaque expérience est unique. Je connais ce sentiment d'abandon, d'anéantissement, de vide. Les Orientaux disent que le vide et le plein, c'est la même chose. Je crois qu'il y a sûrement une passerelle, étroite comme un fil entre les deux faces de la médaille, pour passer à l'état d'Être. Tu dis que tu ne désires plus rien. C'est là encore une idée orientale, mais que cette fois je ne peux partager. Le désir dont il faut se départir, c'est la convoitise. Tout comme il y a un univers de mutation entre émotions et simple affectivité. Vivre l'instant, c'est mourir au passé, sans penser au lendemain qui sera renaissance.

Toi aussi, tu travailles donc la dualité. Nous voilà égaux. Avant de rencontrer ma femme, j'avais compris à quel point j'étais dissocié en prenant subitement conscience que j'écrivais toujours mon prénom en deux syllabes séparées, « Fran » et « çois ». Mieux, j'avais constaté que ma démarche très superficielle et comportementale de relier le « n » de « Fran » au « ç » de « çois » déclenchait en moi une angoisse torrentielle déferlante. L'angoisse, si elle n'est pas matraquée au Valium, est un puissant moteur d'introspection, quand nous sommes capables de la vivre intensément tout en restant fonctionnel dans la réalité du quotidien. Péniblement, et avec disparition de l'angoisse comme réponse de mon inconscient, j'avais découvert que je n'arrivais pas à relier le prénom de ma mère Nelly, « N », à celui de mon père Charles, « C ». Et au premier matin, le lendemain de la rencontre fulgurante avec ma femme, celle-ci m'avait dit qu'elle voulait être honnête avec moi sur le fait que les deux hommes importants de son enfance étaient son grand-père Franz, et son oncle Geoffroy, et que moi je m'appelais François. J'en avais été bouleversé. De savoir qu'elle savait. Que je n'aurais rien à lui apprendre doctement. Qu'elle connaissait la dualité... La dualité, c'est le derrière et le devant, la gauche et la droite, le haut et le bas, le masculin et le féminin. Mais c'est aussi être ou ne pas être. C'est le néant et la réalité. Je communie avec ce que tu écris, car je crois profondément que c'est « entre » que tout advient.

Merci pour ta tendresse que je partage.

François

Bonjour mon ami, il est sept heures du matin. La vue du lac me calme. Les canards qui plongent et replongent me ramènent à la simplicité. Le chant des oiseaux me fait rire, car la « joie » monte. Au loin un cygne, persistance de la joie qui monte et grandit.

Tu vois, je t'écris de ma nouvelle maison. J'ai rompu les amarres de mon enfance. J'ai pris mes racines avec moi pour les implanter dans cette terre de douce France.

Je sors tranquillement. Je prends tout mon temps, dans cet état d'abandon, en essayant de garder en moi le plus possible de ce que j'ai senti et vécu durant la période de ma vie qui vient de s'achever définitivement. Elle a été dure, mais belle, et grande.

Je sens cette lumière, qui est en moi ce matin. Elle me donne la joie et la sérénité, François. Je sais maintenant. J'ai conscientisé l'ego et le non-ego. J'ai aussi vu tout le travail à faire à chaque instant sans relâche.

Avec le vécu de l'abandon, qui se répétera, viendra, j'en suis certaine, le détachement complet.

Il me reste l'amour. Rien que ça.

Je veux être habitée par l'amour, comme je le suis par la sérénité. Je veux n'être qu'amour, exactement comme la nuit où je n'étais qu'amour dans chacune de mes cellules. Où je sentais bien chacune d'entre elles gorgées d'amour, à tel point que j'ai eu peur d'en éclater. Crois-tu qu'une personne puisse vivre constamment dans cet état merveilleux, si elle sait maîtriser cette énergie ? Quand tu as connu cela, moins que ça ne suffit plus ! Par l'amour, est-ce que je pourrai sentir ce que c'est qu'être la terre, le ciel, le cosmos ? Être et sentir le tout ! Je veux savoir ! Je veux me voir faisant partie de la masse de la vie fondue en elle. Est-ce que l'amour peut me donner ça ? L'amour passion que j'avais pour mon nouveau compagnon est maintenant conscientisé. Je l'ai bien compris.

De quelle manière vais-je aimer celui qui vient ? La passion appartient à l'ego. Comment sera vécue et sentie cette nouvelle sorte d'amour ? Est-ce que je pourrai vivre dans un état de non-ego ? C'est cela que je veux. Le reste ne m'intéresse pas.

C'est là-dessus que portent mes réflexions et mon travail. Je vais trouver, j'en suis certaine, la réponse qui m'apaisera.

Bien entendu, mon corps se porte à merveille. Cela fait maintenant dix ans que j'ai été opérée pour la deuxième et dernière fois. Cela fait déjà plus de cinq ans que mon corps n'est plus que plaisir et qu'il ne me fait plus jamais souffrir, faute que je puisse m'exprimer.

Je te laisse. Passe une belle journée.

Merci pour tout.

Je te souhaite toute la tendresse dont tu as besoin pour t'épanouir.

Danielle

Bonjour à toi, mon ami !

Comment vas-tu ? J'espère que la vie est généreuse et bonne envers toi. Il y a bien longtemps que je n'ai pris ma plume pour te parler, si j'en crois la date de la dernière lettre que je t'ai écrite.

Je suis dans le tourbillon de la vie maintenant. Je veux tout sentir. Tout voir. Tout savoir. Je fais partie des passionnées et des sensibles, je crois. Car, pour moi, toutes les expériences étaient à faire depuis ma dernière lettre.

La sensibilité… J'ai déjà lu, quelque part, que les gens dotés d'une sensibilité à fleur de peau sont des voleurs. Parce qu'ils vivent plus que les autres. Ils rient plus. Ils pleurent plus. En définitive, ils sont dans le processus de l'incarnation, but de la vie… si je ne me trompe. Il est dit d'eux qu'ils sont bénis par Dieu.

Ma vie est guidée par le cœur, le corps, et l'âme.

Le corps, d'abord. Tant de choses se sont passées. Tant de choses… Je ne sais par où commencer. Je ne suis plus clouée par le mal qui habitait mes entrailles. Mal qui résultait de tant de souffrances physiques et morales. Accumulées, refoulées dans ce vase clos sans porte de sortie qu'était mon corps. Dont le seul exutoire fut la maladie.

Pour moi, le plus grand changement est qu'aujourd'hui, dès l'instant où je sens un désaccord en moi, je sens mon corps qui me parle. Si je ne passe pas à l'action en reconnaissant le problème, et en faisant ce qui est bien pour moi, je vis alors la dualité. Pour m'aider à me libérer, je vais quelquefois chercher de l'aide à l'extérieur. Ou bien je m'exprime par les larmes, la parole, l'écriture, la colère. Bien que j'aie toujours de la difficulté avec celle-ci. Les marques qu'elle a laissées en moi, lorsqu'elles devenaient violences, ne sont pas complètement effacées.

Tu vois, je suis passée du subi à l'écoute et à l'action.

Le cœur, ensuite. L'amour a occupé une bonne place durant ces années. Je suis allée à sa recherche sous une autre forme qu'un transfert parental sur un mari. J'ai rencontré des êtres magnifiques bien que différents. L'un d'entre eux avait l'intelligence pour centre de vie. Tout était vu à travers un esprit scientifique. Tout devait être compris. Tout était analysé. Le senti n'avait pas de place. Avec lui, ce furent de longues discussions qui m'apportèrent la connaissance. Il ne nourrissait que son intelligence. Par contre, son cœur était rempli d'une rancune qui le consumait sans relâche.

Le deuxième, au contraire, ne vivait que par le senti. Avec lui, ce fut une passion démesurée, un tourbillon d'émotions, qui m'emmenèrent faire un tour de montagnes russes. Il fut celui qui réveilla mon corps de femme et lui fit vivre toute l'intensité des plaisirs de la chair. Avec lui, j'ai voyagé jusqu'à l'épicentre de l'orgasme. Avec lui, le corps et le cœur ont vécu à fond de train. Il m'a montré beaucoup de facettes de l'amour et de la vie, les belles comme les moins belles. Avec lui, j'ai aimé, ri, échangé, pleuré, crié. J'ai connu l'abandon, et le rejet, et la tromperie. Avec lui, j'ai appris la simplicité, l'humilité, l'abandon du moi. Et j'ai découvert que j'étais humaine.

J'aimerais bien maintenant rencontrer l'être qui m'est

divinement destiné pour m'enseigner l'équilibre, et j'aimerais partager avec lui le reste de ma vie dans la paix, la sérénité, et la complicité.

Voici un poème que j'ai écrit, un soir de solitude :

Prends-moi, mon amour, prends-moi,
Donne la mesure, pour que nos corps,
Dansent au même rythme,
Laisse-moi sentir la cadence de ton cœur,
Que je m'y unisse,
Que l'amour nous emporte dans son grand tourbillon,
Que nous ne sachions plus mesurer le temps,
Laissons-nous être, laissons-nous être,
Savourons chaque parcelle de cette union,
Jusqu'à la limite de nos forces.

L'âme, enfin. Je sais que tu as déjà saisi qu'avec toutes ces expériences de vie, mon âme n'a pas cessé de sentir et de changer. À travers les joies et les larmes de l'amour et de la vie, j'ai appris et j'apprends toujours qui je suis. Avec un problème… Il y a la remise en question… On se demande : « Est-ce les autres, ou est-ce moi ? » Et comme nous ne voyons sur les autres que ce que nous sommes, alors il faut passer au deuxième acte. Et dire : « Pourquoi est-ce que je suis comme cela ? » Obligatoirement, on revient aux créneaux de formation de l'enfance, créneaux qui dirigent notre comportement, créneaux qui ne sont pas les nôtres, puisqu'ils ont été formés avec des valeurs que nous ne connaissions pas. Je crois sincèrement que lorsqu'une personne arrive à trouver les causes de son comportement présent, et qu'elle décide de mettre en place ce qu'elle sent, cette personne a commencé à retrouver son unicité. Puis, elle commence le travail de mise en place des créneaux de son unicité.

Une mort. Une naissance.

La libération de l'être humain ne se fait qu'à partir du détachement et du lâcher prise.

Apprendre à sentir ce qui est sien et ce qui ne l'est pas

au niveau des émotions, c'est déjà faire un pas immense vers la liberté.

Apprendre à laisser aux autres la chance de se réaliser et de vivre leur vie sans se sentir diminués, c'est un autre pas vers la liberté.

Apprendre à trouver et à utiliser le positif dans ses erreurs, c'est encore un pas vers la liberté.

Apprendre à accepter et à pardonner, c'est toujours un autre pas vers la liberté.

Apprendre à aimer sans juger et sans demander, c'est le plus grand pas vers la liberté.

La tête cassée a toujours sa fissure. Mais maintenant, l'ouverture est utilisée comme réceptacle de la beauté de la vie, de l'amour. Il y pousse des fleurs dotées de couleurs magnifiques.

Món ami, je ne te remercierai jamais assez pour cette naissance. Début de ma vie.

J'ai composé une prière : « Cœur de Jésus, oasis de paix, étanche ma soif, unis-moi à la source divine rayonnante en moi... »

Je te laisse sur ces mots, mon ami.

Je t'embrasse et te souhaite tout ce dont tu as besoin pour te réaliser.

À bientôt.

Danielle

Bonjour, François,

Merci de m'avoir permis de relire notre courrier, du début à la fin. Je viens de terminer la lecture de ces lettres que tu m'avais envoyées il y a quelques semaines. J'ai tellement de choses à faire ces temps-ci ! J'aimerais pouvoir être Shiva, la déesse indienne qui a plusieurs bras, je crois. Hier encore, j'ai reçu à dîner plus de quinze personnes ! Depuis mon retour de vacances, on dirait que tout arrive en même temps. Enfin, bref, c'est super et c'est comme ça...

Tu ne me croiras peut-être pas... J'ai eu énormément

de difficulté à me reconnaître dans ce qui était apparemment de ma main ! J'étais tellement sceptique que j'ai éprouvé le besoin de vérifier. Et j'ai réussi à retrouver le résumé des lettres que nous avions échangées. Eh oui, ces lettres étaient bien de moi ! On m'a toujours fait croire que j'étais sans défense. On m'a toujours traitée comme si je n'étais pas là. Ou inutile... Seigneur ! À me relire, je conclus aujourd'hui que j'avais du caractère. Et quel caractère ! Je l'ignorais... Je pense plutôt que cela servait fort bien les autres, cette illusion d'être sans défense... Surtout ne pas débusquer ni débloquer la vraie Danielle...

Je veux te raconter une anecdote. Un jour, je suis allée chez ma sœur. Elle me donne un album plein de photos. J'y vois une femme accroupie par terre avec mes enfants. Je dis à ma sœur : « Qui est cette femme ? Elle a l'air si souffrante... C'est pas possible... Qu'est-ce qu'elle a ? La connais-tu ? Elle devrait aller consulter... Un médecin ! Un psy ! C'est pas possible... Regarde son visage... Elle souffre ! » Et ma sœur de répondre : « Danielle, c'est toi ! » Et tu sais ? Même aujourd'hui, je ne suis toujours pas certaine que c'est moi qui suis sur cette photo !

J'ai pris beaucoup de temps pour lire toutes ces lettres que nous nous sommes échangées. J'ai beaucoup de difficulté, maintenant, à lire. Mon corps réagit violemment après seulement quelques minutes de lecture. Je deviens agitée. J'ai de la difficulté à continuer. Je dois déposer mon texte, et reprendre ma lecture plus tard. On dirait que ma tête ne veut plus participer à l'expérience. Je ne sais pas, mais cela ne m'atteint pas.

En outre, j'ai de plus en plus l'impression que maintenant, la vie se situe à un autre niveau. La lecture ne fait plus, pour moi, que confirmer la vie. Tu ne trouves pas ? Par contre, je dois te dire aussi que c'est quand même bizarre... Moi qui ai vécu tant d'années la tête dans les livres... Moi qui ne vivais qu'à travers eux... Mes pôles d'intérêt ont peut-être changé.

J'ai retrouvé la copie d'un test de personnalité que tu

m'avais fait passer, il y a longtemps. En fait, tout au début de nos discussions. Étrange rapport... Tellement juste dans sa simplicité absolue... Il s'agit de l'Inventaire multiphasique de la personnalité du Minnesota (MMPI). Si je me souviens bien, tu m'avais dit que tu l'avais découvert quand tu étais en formation à la clinique Mayo. Tu m'avais aussi dit que tous les malades de cette célèbre institution américaine passaient cet examen avant de même voir un médecin... De sorte que celui-ci ait déjà une vague idée de qui était le malade en face de lui, et qu'il puisse ainsi mettre en perspective ses trouvailles médicales.

Alors, je t'inscris les énoncés d'interprétation. Et je ne me gêne pas pour les commenter à la lumière de qui je suis devenue, et de ce que je sais aujourd'hui.

– Le sujet se croit indépendant et bien adapté... (Le sujet était indépendante et mal adaptée, mais n'en savait rien.)

– En regard de la maîtrise de soi et des valeurs morales, le sujet a tendance à donner les réponses valorisées par la société. (Le sujet n'en connaissait pas d'autres.)

– Légèrement déprimé ou pessimiste... (Je défie quiconque d'être positif et énergique dans les mêmes conditions ! Et puis, tout ce rapport rédigé au masculin...)

– Indépendant ou légèrement non conformiste... (Tout cela ne demandait qu'à être réveillé.)

– Accorde beaucoup d'importance aux intérêts féminins... (Les intérêts féminins sont toujours présents, mais dans un autre ordre d'idées.)

– Sensible, soucieux de l'opinion d'autrui... (Sensible, oui. Par contre, elle n'avait que l'opinion d'autrui car elle n'avait pas droit aux siennes.)

– Assez apte à structurer son travail et sa vie personnelle... (Le travail a toujours été l'outil à travers lequel je me suis trouvé des valeurs.)

– Manifeste des intérêts à la fois pratiques et théoriques... (Comme une religieuse me le disait : « Danielle, tu n'es pas intelligente comme les autres. Par contre, tu as l'intelligence de savoir comment faire ce que tu dois faire. » Bref, j'étais débrouillarde, mais conne !)

– Quelque peu tendu et agité... (Malgré les calmants...)

– Peut entretenir des rapports sociaux très convenables... (Oh, la la ! Celle-là, je vais la sauter.)

Encore une fois, tout cela rédigé au masculin...

Finalement, j'ai trouvé cela très intéressant... Et j'en ris encore. Comment peut-on oser analyser un être humain, avec un cœur, avec une âme, et avec un corps qui vibre, de cette façon. Je ne sais pas... Mais à l'époque, c'étaient les outils qui existaient... Aujourd'hui, on a la chance de pouvoir regarder en arrière... De changer pour le mieux la manière dont on voit les humains. Enfin, mon ami, tu sais déjà cela, car c'est ce que tu pratiques depuis longtemps. Tu soignes l'ensemble de l'être... Et non seulement les symptômes qu'a cet être humain.

Bref, j'ai voulu partager cela avec toi. Moi, je trouve ça tellement drôle maintenant.

Dans ta première réponse, tu me dis : « Si tu comprends pourquoi ta mère t'a agressée, toi, cela te fait moins mal. » Eh bien, tu vois, ces dernières années se sont passées à reconnaître ce qui a été fait pour que je sois devenue ainsi, et à le reconnaître, et à le remplacer par quelque chose qui est mien. C'est peut-être mieux dit que dans la lettre que je t'ai fait parvenir la semaine passée, lettre que j'ai eu beaucoup de difficultés à écrire. On aurait dit que je me devais de la faire parfaite. Et à mon goût, je l'ai relue depuis, je la trouve beaucoup trop contrôlée et trop structurée. La tête pas morte... Je relis aussi la période où je vivais une naissance... La douleur se situait aux épaules et au cou. Maintenant tu sais... Lorsque je vis une naissance, je me sens littéralement passer à travers une membrane, tête première. Elles sont plus vivantes maintenant, les naissances.

Lorsque je te parlais de la Kundalini qui circulait dans ma colonne, à l'époque, j'ignorais de quoi il pouvait s'agir. Aujourd'hui, je sais. Et je crains cela... La Kundalini, c'est une catapulte. Il vaut mieux que ton corps soit prêt… Je te le jure, quand cela monte… tout casse.

Il y a beaucoup de « casse » dans ma vie… dis donc ! Quand tu me parles du pus « qui s'écoule de toi », aujourd'hui, je me vois vomir, la gestuelle physique est présente, je vois le mal qui m'habitait sortir.

Tu parles beaucoup du toucher. Aujourd'hui, lorsque je parle à quelqu'un, j'essaie, si possible, de le toucher pour le rassurer et lui passer mes vibrations de calme.

Par contre, j'ai encore le vieux réflexe de ne pas vouloir être touchée lorsque j'ai de la peine… Mais c'est conscient, maintenant…Tu ne sais pas à quel point, quand on est suspendu entre l'irréalité de la souffrance, et l'illusion d'être, comment le simple geste d'être touchée peut mettre du baume dans notre cœur, et nous relier à l'humanité.

Je suis curieusement surprise de deviner que les rêves servent presque toujours à confirmer quelque chose qui appartient au passé. Les miens, en fait, annoncent toujours l'avenir et ils sont utiles pour m'aider à m'y préparer, si besoin est.

Malgré tout le travail que j'ai fait, je ne me souviens pas de rêves qui soient attachés au passé. Nous ne fonctionnons pas tous de la même manière. C'est ce qui rend la vie intéressante, tu ne trouves pas ? Tu sais, François, la vie se justifie par elle-même, heureux ou pas, souffrant ou pas… Je suis présentement en crise. Quelque chose se promène à l'intérieur de moi. Sérieusement… Je te le jure… Mais c'est ça, la chance de participer à la vie… En acceptant ce qui nous arrive avec amour…

Je te laisse. Mon fils vient d'arriver à la maison. Il va m'installer un antivirus. Je suis incapable de faire ces choses… Il faut apprendre des plus jeunes.

À bientôt.

Danielle

CHAPITRE II

Le canard

« C'est incroyable, me dit-il, le visage radieux. Vous vous rendez compte ?, continue-t-il avec un enthousiasme communicatif. Je suis allé chez mon amie hier soir. Nous avons fait l'amour. Nous avons refait l'amour ce matin. J'ai soixante-seize ans, et je n'ai même pas pris de Viagra ! »

Il a l'air heureux. Je ne l'ai jamais vu aussi heureux.

Je le connais depuis vingt ans.

« Vous, vous êtes un canard ! »

Instantanément, les larmes affleurent au rebord inférieur de ses paupières. Je suis surpris de sa réaction, très vive et immédiate, aux paroles que je viens de prononcer.

Tout le monde sait que les canards ne coulent pas quand il pleut. Si leurs plumes s'imbibaient d'eau, ils ne pourraient plus ni flotter sur la mare qu'ils ont adoptée, ni s'envoler lors de leurs transhumances au printemps et à l'automne.

Lui, il a passé une bonne partie de sa vie à Genève, comme chef de police. Donc, comme lui avait dit un jour un ami, confondant force et contrôle, il avait « des nerfs »…

Je venais de l'opérer d'un cancer du côlon. Le diagnostic

avait été aussi difficile à poser que le traitement facile à appliquer. Il avait consulté plusieurs chirurgiens avant que son fils ne me l'amène. Il était même monté à Paris. Il était allé voir un premier chirurgien, trois ans auparavant, parce qu'il tachait de sang le papier-toilette. Une colonoscopie n'avait révélé qu'un petit polype tout à fait bénin. Qui avait été ôté. Sans changement des pertes de sang. Un an plus tard, un deuxième chirurgien lui avait fait une autre colonoscopie, après avoir ligaturé sans résultat des « hémorroïdes » internes. Lui aussi avait trouvé plusieurs polypes, qu'il avait aussi traités. Sur l'un des morceaux, le pathologiste s'était posé des questions. Dans une glande intestinale, il avait trouvé des anomalies cellulaires bizarres et quelques cellules en train de se diviser. Il s'était demandé si le spécimen avait été prélevé tout près d'une plus grosse lésion ou même d'un cancer.

René était un homme très gentil. Bien entendu, il était aussi un malade extrêmement compliant. Obéissant. Respectant les prescriptions de ses médecins. Scrupuleusement. Les règlements, la loi, il connaissait. Il avait pris sa retraite dans le Midi, à La Seyne-sur-Mer, tout près de Toulon, où il avait une villa. Le dernier chirurgien lui avait ordonné de revenir trois mois plus tard. Il avait retrouvé, toujours au même endroit, trente centimètres plus haut que l'anus, quelques îlots qui ressemblaient à des polypes, et il les avait brûlés au cautère électrique, à travers le colonoscope. Il avait vérifié les résultats de son travail un mois plus tard. Cette fois-ci, l'intestin s'était rétréci au niveau du polype. Il y avait un peu de sang. Le chirurgien avait refait des biopsies. Sans conclure à un cancer, le pathologiste s'était à nouveau demandé pourquoi, dans ce polype « adénomateux » non cancéreux, il trouvait au microscope des cellules bizarres en train de se diviser. Le chirurgien avait fait faire un lavement baryté, qui avait été lu par un excellent radiologiste, et interprété comme normal.

René était gentil. René était obéissant. Le chirurgien lui avait dit, en termes clairement compréhensibles, ce qu'il avait trouvé, et ce qu'avaient conclu le pathologiste et le radiologiste. Il lui avait donné congé pour deux ans. Obéissant et aveuglément confiant, il n'était pas venu à l'idée de René d'aller voir un autre médecin pour avoir une seconde opinion à propos de ces trouvailles bizarres. Il continuait toujours à perdre du sang par l'anus. Pas seulement sur le papier-toilette, en s'essuyant. Il en avait remarqué qui était mélangé à ses selles.

René avait donc laissé passer deux ans.

Son fils m'appelle.

Il est homéopathe. Il travaille dans un milieu de médecine douce. Il connaît ses limites. Il n'a aucune hésitation à demander l'opinion de quelqu'un qui travaille en médecine dure, fût-ce avec douceur.

« Voulez-vous voir mon père ? Ces pertes de sang par l'anus… Ces polypes bizarres… Cette sténose à la colonoscopie… J'ai peur qu'il ait un cancer du côlon, et ce, depuis trois ans ! Voulez-vous le voir le plus vite possible ? »

Et cancer, René a.

Un autre radiologiste trouve, lui, un tout petit cancer dans la boucle sigmoïde du côlon, juste au-dessus du rectum. La superposition des anses intestinales, normale à cet endroit, a fait manquer le diagnostic au premier radiologiste, mais pas à l'œil expert, remarquable, du second. Par acquit de conscience, il refait un second lavement baryté, puisque deux ans se sont écoulés sans traitement. Il est formel : René a un cancer du côlon. Un tout petit cancer, qui s'étend seulement sur quelques centimètres.

Avant de l'opérer, je veux savoir qui est cet homme qui a un cancer. Après tout, s'il vit avec celui-ci depuis au moins trois ans, moi, je ne le connais que depuis un mois. J'ai tout de suite reconnu les symptômes de ce qu'on appelle en France la pensée opératoire, et à l'université Harvard, aux États-Unis, l'alexithymie, terme de source grecque, qui signifie l'impossibilité de dire en mots ses émotions. Cet homme ne vit pas. Il n'est pas réellement incarné. Il pense sa vie. Toutes ses actions sont mûrement réfléchies, et dictées par les ficelles qu'il a apprises depuis sa conception.

Je veux, avant toute chose, créer avec lui une alliance thérapeutique, pour qu'il passe sans encombre à travers le traumatisme que représente toute intervention chirurgicale. Nous, médecins, nous nous faisons trop souvent illusion sur le pouvoir quasi magique de la technique moderne. Nous avons tellement pu observer l'amélioration spectaculaire de la survie après une colectomie, comme ce sera le cas pour René, que nous ne nous posons aucune question sur ces histoires qui « tournent mal ». Un peu fatalistes, ou aveugles aux inconscients, nous ne nous demandons pas pourquoi, *grosso modo*, peu de progrès ont été réalisés depuis trente ans. Et nous nous croisons les doigts lorsque les malades quittent l'hôpital, munis de statistiques pour les groupes de malades, incapables de les appliquer à un sujet donné d'un groupe donné. Vivra ? Vivra pas ? Nous en sommes encore à l'obscurantisme du Moyen Âge et à remettre le malade entre les mains de Dieu. En attendant les merveilles promises par la génomique...

Parmi les nombreuses prises de sang prélevées sur René, il y en a une particulièrement inquiétante. Le taux d'antigène carcino-embryonnaire, un marqueur de tumeur cancéreux, dépasse, à quatorze unités, de beaucoup, la limite supérieure de la normale, qui n'est que de cinq. Le cancer de René ne s'est pas cantonné dans son côlon : des cellules malignes circulent dans tout son corps. Tous les autres examens reviennent normaux. Rien n'indique de métastases du cancer dans un autre endroit du corps.

En révisant son dossier parisien, auquel j'ai accès, je remarque que vingt ans auparavant, René a été vu en urgence pour un problème d'hyperventilation avec sensation de syncope. Il n'avait été ni traité pour la crise, ni suivi par un psychologue par la suite. Cela avait été donc comme une bulle de lave dans un volcan endormi, qui s'était réveillé.

Sans pousser plus loin pour ne pas troubler René

avant l'intervention chirurgicale, j'en avais conclu que déjà à ce moment, il était habité de problèmes profondément enfouis. Je n'avais donc pas été surpris d'apprendre que, censure aidant, il me dise qu'il ne rêvait jamais. Nous rêvons tous et toutes, chaque nuit. Nous ne nous en souvenons pas toujours. En dehors peut-être d'êtres humains totalement intégrés et réalisés que je n'ai jamais rencontrés, l'absence de souvenirs des rêves est pour moi, toujours, un symptôme de censure inconsciente d'une problématique enfouie et archaïque qui ne peut pas, hors catastrophe, être élaborée.

Je fais aussi passer à René un test de personnalité informatisé, et donc plus neutre que l'opinion d'un clinicien, fût-il psychiatre. Sans surprise, l'ordinateur conclut que « le sujet se présente sous un jour favorable, sur le plan du conformisme, des valeurs morales et de la maîtrise de soi ». René est un gentil petit singe savant, qui a bien mémorisé sa leçon, et a produit, dans sa vie, le retour de ce qu'on lui a appris. L'ordinateur décrit René comme « réservé dans un contexte social non familier ». Seule ouverture possible, il est très intéressé à l'esthétisme et aux arts. Quelque part, enfouie sous la chape des bonnes manières apprises, sa sensibilité reste vivante. Les échelles de valeurs des différents aspects de sa personnalité sont toutes dans les limites de la normale. René ne fait pas de vagues. Tout au plus, puis-je remarquer qu'il est plus déprimé qu'hystérique et hypochondriaque, comme c'est toujours le cas chez les cancéreux au contraire des colopathes, et qu'il est plus refoulé qu'anxieux. En bon ex-chef de police, il est plus dominateur que dominé. Il est « insécure », et le niveau de son échelle de « force du moi » est faible.

7 octobre

René est prêt, psychologiquement, à se rendre au bloc opératoire. Ce jour-là, comme je lui ai dit, il peut se laisser aller et se confier à nous. Mais après, l'ai-je prévenu, ce sera à lui de se prendre en main. Dès l'intervention terminée, ce sera à lui, et à personne d'autre, de respirer profondément et tousser régulièrement pour éviter l'accumulation de glaires dans les poumons, source d'atélectasie, de collapsus des alvéoles, des petites cavités aériennes pulmonaires, et par conséquence de pneumonie. Ce sera à lui de se remuer les jambes et de se lever, pour éviter phlébites et embolies pulmonaires de caillots sanguins. Ce sera à lui de se nourrir pour reconstituer ses tissus blessés. Nous ne pouvons que l'accompagner, prévenir, et traiter, au besoin, les complications. Nous pouvons donc le soigner. Pas le guérir. Ambroise Paré disait jadis : « Je le pansai, Dieu le guérit. » Et comme nous sommes, aujourd'hui, à une époque où l'humanité hésite et oscille entre l'humanisation de Dieu et la divinisation de l'homme – selon la formule de Luc Ferry –, je cite souvent Ambroise Paré avant d'intervenir chirurgicalement. Mais j'ajoute aussitôt que « Dieu » habite entre les deux oreilles du malade qui va être opéré. Au même titre que le Christ disait jadis que « le Royaume des Cieux est en vous » et non « autour de vous »…

L'intervention chirurgicale se déroule sans encombre. La lésion est assez haute, à bonne distance du bassin, et une anastomose – c'est-à-dire le rétablissement de la continuité entre l'intestin au-dessus du segment malade et celui sous la lésion extirpée chirurgicalement – peut être faite en préservant son anus. René a un « bon » cancer. Ce dernier n'a pas encore envahi toute la couche musculaire du gros intestin ; le péritoine est intact. Même si le cancer est là depuis trois ans au moins. Probablement parce que René dispose d'un bon système immunitaire de défense.

Le cancer est entouré d'un liseré inflammatoire de cellules lymphocytaires qui le protègent d'un envahissement trop rapide. Il n'y a aucune métastase dans les ganglions examinés qui entourent le côlon et le rectum.

Sur cette base, je peux déjà annoncer à René qu'il a huit chances sur dix que ce cancer ne revienne jamais, et qu'il n'aura que deux ans d'attente et d'inquiétude à avoir avant de le savoir, puisque dans le cas qui le concerne, la survie à cinq ans après la résection intestinale est la même qu'à deux ans.

Son fils médecin lui offre le livre de Carl Simonton, *Guérir envers et contre tout*, qu'il dévore avec passion. « Je vivais toujours dans l'avenir. Depuis que vous m'avez parlé, je vis dans le "ici et maintenant"… »

Le jour auquel il fait allusion, c'est celui où je l'avais affublé de l'épithète de « canard »… Le taux d'antigène carcino-embryonique – un marqueur sanguin clinique du taux de cellules coliques cancéreuses – a chuté de façon vertigineuse. Il est maintenant de une unité, tout à fait normal. Il a pourtant plus de lymphocytes – une sorte de globules blancs – inhibiteurs qu'activants. Leur rapport, très bas à 0,2, ressemble à ce qu'on trouve dans le sida. René n'a pas le sida…

30 novembre

« Pensez-vous que j'ai développé ce cancer à cause de mes problèmes de couple ? Je me suis marié à l'âge de vingt-six ans. J'ai toujours été fidèle à ma femme durant nos trente-cinq années de vie commune. En fait, pour être honnête, je dois vous dire qu'elle ne voulait pas se marier. À l'époque, elle me disait qu'elle m'aimait seulement d'amitié. Elle n'a jamais aimé faire l'amour avec moi. J'adorais et j'adore toujours faire l'amour. Dans la vingtaine, je faisais l'amour avec des filles de mon âge, et j'avais énormément de plaisir avec elles. Mais, curieusement, je n'en étais pas vraiment amoureux. Tomber amoureux de ma femme a été une découverte et une grande surprise. J'ai dû beaucoup insister pour qu'elle accepte de m'épouser. J'étais attentif à son plaisir et très patient avec elle. Mais elle n'a jamais eu d'orgasme. Même quand je la caressais avec tendresse et en écoutant sa peau pendant des heures.

» De ces rencontres peu satisfaisantes au niveau de la sexualité sont nés trois fils. Souvent, j'ai songé à divorcer, tellement j'étais insatisfait. J'avais d'énormes scrupules à l'idée de le faire à cause de mon éducation catholique. Puis je me suis dit qu'il fallait que je reste à cause des enfants. J'avais toujours, malgré tout, un peu d'espoir qu'elle change, qu'elle devienne plus une vraie femme dans mes bras pendant que nous avions des rapports sexuels. Depuis six ans, nous n'avions plus de relation que tous les deux ou trois mois. Depuis deux ans, elle se refusait totalement à moi, à chacune de mes avances. Bien entendu, depuis notre mariage, elle n'a jamais tenté de me séduire, elle n'a jamais fait les premiers pas, elle n'a jamais eu la moindre fantaisie érotique avec moi.

» J'ai fini par renoncer. Depuis qu'elle se refusait à moi, je ne faisais plus aucune tentative de l'approcher. J'étais triste, mais je ne lui en parlais pas. Et elle ne semblait rien sentir et ne pas s'en apercevoir. Docteur, y a-t-il un lien entre la pauvreté de ma vie conjugale et ce cancer du côlon qui me tombe dessus, peu de temps après ma retraite ? J'aurais pu jouir de l'existence sur tous les plans, sans aucune obligation. Et me voilà en danger de mort ! »

Il s'interrompt, en larmes. Cette fois, ce n'est pas moi qui les ai réveillées, mais le récit de sa misère sexuelle.

« Mais il y a pire encore ! Ma femme n'aime rien de ce que j'aime ! Elle a peur de tout ! Peur de prendre l'auto ! Peur de prendre l'avion ! Nous avons une terre en Haute-Provence, du côté du Luberon. Si vous saviez comme c'est beau ! Quand le soleil se couche et qu'il fait chaud dans la pinède, les odeurs qui se dégagent de la terre m'enivrent. Je peux marcher des heures durant, infatigable, à observer la nature autour de moi et vivre à l'unisson. J'entends avec une extrême précision le bruit des insectes, le chant des cigales, le mistral, quand il souffle et qu'il fait frémir les pins. Je croise des animaux sauvages, presque pas effrayés de me rencontrer. Ma femme est imperméable à ce plaisir. À cette jouissance. Elle est lisse. Je ne la sens pas vivante.

» Et c'est moi qui ai eu un cancer !

» Mais depuis que vous m'avez opéré, j'ai commencé à

plus m'aimer. Avant, je voulais toujours changer les autres, à commencer par ma femme. Mes enfants sont proches de moi. Plus que ma femme. Celui qui travaille en Inde pour le Fonds monétaire international est venu me voir peu après l'opération. Lui et son frère aîné m'apportent beaucoup de soutien. Je sens qu'ils veulent que je survive mieux, que je vive, que je ne me laisse pas aller au désespoir. Le plus jeune des trois s'est allié à sa mère. Il sait qu'elle et moi, nous n'avons aucun dialogue. Mais je crois qu'il préfère que j'abandonne sa mère par la mort que par le divorce.

» Mon fils aîné, de par son expérience professionnelle médicale, est l'enfant qui me comprend le mieux, celui avec qui j'ai le plus de complicité. Avec qui je peux le plus dire ce que je vis. Nommer mes émotions les plus profondes sans avoir à les censurer. Mon second fils, lui, s'est enfui le plus loin possible pour arriver à exister par lui-même, et se trouver. Malheureusement, face à ma femme et notre fils cadet, j'ai le sentiment d'affronter un bloc de béton compact, où il est l'homme que je crois que les parents de Cécile souhaitaient qu'elle soit. Et je me suis souvent demandé pourquoi je n'ai pas été assez fort pour la détacher de lui. Parfois, je me demande aussi si pour cet homme, je n'ai pas été un père assez viril, plutôt qu'un simple géniteur.

» Et sa peur de l'avion ! Sous prétexte d'un attentat à l'aéroport de Rome, elle ne veut même pas que nous y rejoignions notre fils expatrié qui doit y aller pour son travail ! Il va falloir que je cesse de tenter de la changer. C'est moi qui dois changer. J'ai dit à Cécile que j'allais lutter pour ma vie avant tout. Vous avez été ma planche de salut. Vous m'avez secoué. Vous m'avez donné un fameux coup de pied dans le derrière. Ça a fait mal ! C'était nécessaire. Curieux à dire… J'ai l'impression que ma femme me respecte plus qu'avant. Et chose étrange, pour la première fois de ma vie, je rêve beaucoup… »

16 mars

« Le pilote d'un hélicoptère et moi, nous nous sommes agrippés tous les deux à un câble fixé sous l'appareil. Nous survolons une forêt. Parfois, nous volons à si basse altitude que nos pieds frôlent le faîte des arbres. Puis nous survolons un plan d'eau, pour ensuite atteindre une île grecque. Il y en a, en fait, plusieurs. Spectacle magnifique, vu du haut des airs, que ces très petites îles colorées, rehaussées par l'intensité du bleu de la mer. Nous atterrissons au bord de l'eau, tout près d'un camp militaire. Le pilote ramasse un récipient à moitié immergé. Il a déjà contenu de l'huile. De l'eau s'est introduite par les deux orifices pratiqués à un bout du bidon. Il la vide. Nous entrons dans le camp. Il verse les quelques gouttes d'huile restées dans le bidon sur le mécanisme du pistolet qu'il porte à la ceinture. Puis, il tire deux coups de feu à travers la vitre d'une fenêtre. Il verse ensuite le restant de l'huile sur la poignée de la porte. Immédiatement, un officier nous chasse et nous reconduit à l'hélicoptère. Nous repartons, toujours dans la même position bizarre, agrippés au câble qui pend de l'engin. »

« Mon ami et moi, nous devons démolir un camion semi-remorque en piètre état. Un motocycliste se présente au garage et me demande de faire la vidange d'huile de sa moto. Mon ami et moi acceptons sa demande. Mon ami me demande d'enlever le filtre à huile, qui est situé tout près du siège de la moto. Ce faisant, maladroitement, je le laisse tomber par terre. Il n'est pas brisé. Seulement sali. Le propriétaire de la moto, furieux, me déclare que ce filtre est irremplaçable, et qu'il est impératif que je le nettoie. Je pars chercher de quoi le faire. Un individu me donne un tube rempli de graisse, me disant que ce produit fera l'affaire. En retournant au garage, je passe à travers un champ où paissent des vaches. Une dame s'écrie : "Attention au taureau !" Je me retourne. Je vois deux jeunes hommes qui ont tous les deux revêtu la peau d'un bœuf, et qui s'amusent à faire peur aux gens. »

« Je vais à un moulin à bois pour y acheter du contre-plaqué. La personne, avec qui je fais affaire, est une belle et très grande dame. Après que j'ai chargé mon achat dans mon camion, elle me demande de réparer sa chaudière à vapeur. Son mécanisme est déficient. Je me rends à sa demande. J'ouvre le panneau qui donne accès à la boîte de contrôle. Grâce à un tournevis, je rétablis le contact entre les fils électriques. Tout se remet à fonctionner normalement. La belle dame semble satisfaite de mon intervention. Elle me prend dans ses bras. Elle me serre très fort, tout en m'embrassant. Je commence à la caresser à mon tour. J'arrive au point ultime de faire l'amour avec elle. Elle me dit : "Non ! Attends jusqu'au mois de mars !", puis, sans perdre une seconde, elle change d'avis : "Ah non ! Fais-le tout de suite !" Au même moment, une légère explosion se produit dans la chaudière à vapeur. Quel malheur ! »

25 avril
René va vraiment très bien. Il a repris les dix kilos qu'il avait perdus au moment de l'intervention chirurgicale. Il a des selles tout à fait normales. Plus aucune trace de sang dans ses selles. Colonoscopie et lavement baryté de contrôle postopératoires sont complètement normaux.

René va marcher seul en forêt. Il est allé, seul, faire un peu de ski de fond dans les Alpes.

Lui et sa femme ne font toujours pas l'amour. Pas de câlins ni de tendresse non plus. Ils ne se touchent pas. La nuit, ils s'endorment aux deux extrémités du lit. Le matin, frustré, il se réveille dans la même position. Le lit commence à accuser la marque de leurs deux corps, de part et d'autre d'une élévation centrale.

René se masturbe. Pas très satisfait de le faire. Il veut ce qu'il appelle une amie. Il se sent « en chasse ». Il ne veut plus d'une femme passive, dont il pourrait se servir. Questionné, il dresse, tel un adolescent, le portrait-robot de la femme qu'il aimerait rencontrer... Après tout, il est encore, comme homme et père, un tout petit mâle. Il n'a que... soixante et un ans ! Il se cherche une femme qui aimerait les mêmes choses que lui. « J'aimerais qu'on puisse faire des choses ensemble. » Il n'a pas encore réfléchi à la différence qu'il y a entre dire « on » et dire « nous ». « Je veux me sentir à l'aise avec une femme. Maintenant, j'ai toujours tort. Mais, malgré tout, je me sens bien, parce que toutes les portes sont ouvertes. Je ne verserai pas dans la folie, mais tout est possible ! » Et d'expliquer même à son épouse quel type de femme il recherche à présent...

5 septembre

« Il y a un an, vous m'avez traité de canard, dit René d'une voix tremblante. Tout à l'heure, en arrivant à l'hôpital, j'ai eu comme un choc. Une immense tristesse s'est levée en moi. C'est incroyable ! Je suis obligé de reconnaître qu'elle m'habitait quand vous m'avez opéré. Tellement enfouie en moi qu'à l'époque, j'étais incapable de vous dire quoi que ce soit. Comment saviez-vous ? Ou plutôt, comment avez-vous senti cela ? Je reconnaîtrai toujours le moment précis où je me suis senti reconnu. C'est quand vous m'avez dit que je me comportais comme les canards, protégés de la pluie et de l'eau par leurs plumes, pour pouvoir voler légèrement, et ne pas couler quand ils amerrissent. Vous êtes le seul à qui je puisse me confier, à qui je puisse tout dire. Quand j'étais petit, je devais toujours me la fermer. Les grands avaient toujours raison. Je suis devenu grand comme j'avais été petit. Pas étonnant que j'aie fait une carrière de policier, respectueux de l'autorité et de la loi, que j'appliquais avec la rigueur d'un juste, mais fermé à toutes mes émotions, et surtout à ma colère. De temps à autre, celle-ci s'éveillait quand je me retrouvais impliqué et mis en danger dans des situations violentes.

» Je découvre avec plaisir mon fils médecin, celui qui m'a guidé vers vous. À lui aussi je peux parler et nous commençons à dialoguer. Avec une encore plus grande profondeur qu'avant la chirurgie. Lui me connaît bien mieux que vous, mais c'est normal, car il m'est aussi plus proche. J'admire la façon dont il a réussi à se détacher de moi et de sa mère. Nous avons dû le faire beaucoup souffrir. Il est fin, intelligent, plein d'expérience. J'en suis fier, et je trouve qu'il est plus évolué que moi. L'autre jour, il m'a demandé si je pensais refaire ma vie. Nous parlons de tout. Même de sexe. Vous imaginez ? De mon temps, c'était inconcevable. Jamais je n'ai surpris mes parents en train de faire l'amour. Je n'ai jamais entendu le moindre bruit suspect, même quand ma curiosité sexuelle s'est éveillée. Pire, je ne les ai jamais vus se tenir par la taille. Même pas par la main. De temps à autre, ils s'embrassaient sur la bouche, mais d'un baiser furtif, superficiel, chaste.

» J'ai peu de contact avec mes deux autres fils. L'un vit au loin. J'ai réussi, un vrai miracle, à entraîner ma femme à Londres, en avion. Vous vous rendez compte. En avion ! Marseille-Londres ! Une prouesse. Mais il y avait une bonne raison ! Il s'y mariait avec une Anglaise qu'il avait rencontrée lors d'un de ses voyages d'affaires. Je ne vous dis pas le travail ! Ma femme est terrorisée par l'avion. Elle a toujours peur de mourir dans un accident. Elle se cramponne à moi du décollage à l'atterrissage. En plus, elle déteste les Anglais. Je me demande si c'est de la jalousie, car notre fils, à un certain moment de sa vie, avait vécu avec une Canadienne anglaise, et son aversion pour les Anglais date de là. Allez donc savoir pourquoi ! De toute façon, nous n'avons jamais échangé que des banalités quotidiennes. Frustrant ! Très frustrant ! Et la sexualité ! Quelle horreur !

» Quand à mon troisième fils, c'est le fils de sa mère. Il me dit que la famille, c'est sacré. Il me culpabilise à l'idée d'une séparation, et me rend responsable, comme sa mère, de l'échec total de notre mariage. Mon fils médecin me dit de ne pas l'écouter. Que c'est un chant de sirène, dangereux pour moi. Il me dit que c'est une excuse que je me donne de rester avec ma femme pour mon plus jeune fils. Que je manque de couilles ! Tout cela est bien compliqué. Parfois, je me sens bien découragé. J'ai l'impression de porter une montagne sur le dos. Et je suis profondément seul ! Pas déprimé. Non, non, surtout pas déprimé ! Triste et seul. »

« Je circule en voiture. C'est un ancien modèle. Un objet de collection. Je décide d'aller rendre visite à mon grand-père maternel. Je pars avec lui chercher de la peinture dans la remise derrière la maison. Il m'a dit que son neveu était lui aussi en visite, pour reprendre sa maison. Tout d'un coup, une masse d'objets dégringole sur mon grand-père, qui se retrouve coincé. Vite, je le dégage. Je le couche par terre. Il est vilainement blessé à la tête. À moitié inconscient, il geint. Je cours à la maison pour faire venir le Samu. Dans la cuisine, ma mère et quatre de mes tantes bavardent, rient et se bercent allégrement. Je leur dis le drame qui est arrivé à leur père. Je leur dis comme il est mal en point, couché dans la remise. Elles continuent à se bercer comme si de rien n'était. Aucune d'elles ne réagit. Je suis profondément choqué. J'aime mon grand-père ! Je retourne à la remise. Il veut se lever, je l'aide, il fait quelques pas. Il tombe sur le côté. Ne bouge plus. Je me réveille en sursaut. Je suis interloqué par ce rêve. J'ai rêvé de six morts ! Mon grand-père est mort depuis longtemps. Ma mère et ses sœurs sont mortes aussi. Pourquoi n'ont-elles pas réagi à ce qui arrivait à leur père ? Étaient-elles contentes de sa mort ? »

« Je suis dans un grenier avec mon épouse. Je ne connais pas cette maison. Elle me tient un langage incompréhensible. Je ne sais pas de quoi elle parle. Puis, nous prenons la voiture pour aller voir mon oncle malade. Arrivés chez lui, nous constatons qu'il a l'air de plutôt bien se porter, mais qu'il a perdu beaucoup de poids. Son fils nous fait monter dans un chariot tiré par un cheval. Il traîne aussi une énorme roche. Je m'émerveille de la puissance de ce cheval, capable de nous entraîner, avec ce poids qui nous retient en arrière, sur une pente abrupte. Le jeune homme, d'un clin d'œil, me montre, à l'avant du chariot, un petit moteur qui propulse le chariot. Le cheval n'est qu'un trompe-l'œil. Nous arrivons à un restaurant en haut de la colline. Ma femme et moi y pénétrons. Le restaurant est, en fait, un hôtel, fait de petits appartements. Nous entrons dans l'un deux. Les murs sont tapissés de velours rouge. Il y a des bougies. Cela fait très funèbre. Je ne me souviens pas très bien du mobilier de la chambre, ni de la suite du rêve. Je me retrouve, seul, aux commandes d'un camion qui ramasse les déchets. Il est très vieux mais son équipement sophistiqué est moderne. Il suffit d'appuyer sur différents boutons pour que les déchets soient séparés en différentes catégories. »

« Je m'absente quelques jours de chez moi. J'ai eu une mission policière complexe, où j'ai dû partir au loin avec un de mes collègues, pour essayer de trouver des indices à propos d'un assassinat qui a eu lieu à Paris. En mon absence, mon père et ma mère viennent s'installer chez moi. À mon retour, je constate qu'ils ont fait installer un système de ventilation. Devant mon questionnement, ils prétextent qu'ils ont senti, un jour, des mauvaises odeurs dans la chambre à coucher. Je me mets en colère. Je leur dis que la maison avait déjà un système d'aération. Qu'il leur aurait suffi de le mettre en marche. Je sors, fâché, de la maison et me rends dans une église. Je dépose ma casquette, de couleur grise, sur une petite table. Une vieille dame s'en empare, me regarde dans les yeux, me fait un grand sourire, et quitte les lieux. Un vieil homme a vu le manège. Il me dit : "Ne t'en fais pas. Tu la connais bien. Tu iras chez elle pour en reprendre possession". »

7 octobre, jour anniversaire

René va toujours aussi bien. Il se sent plein d'énergie. Il a maintenant soixante-deux ans. Tous les examens sont normaux. Il a fait un dessin de lui avant l'intervention chirurgicale et après. Curieusement, et contrairement aux instructions, il ne s'est pas représenté. Il a seulement dessiné son gros intestin. En avait-il besoin, de ce cancer ! Avant la chirurgie, il a dessiné en noir foncé les cellules cancéreuses approximativement là où se trouvait la lésion. Après la chirurgie, il n'y a plus aucune cellule cancéreuse dans le dessin. Il a fait des nuages de lymphocytes partout. René a bien compris que son système immunitaire était son allié pour ne plus retomber dans le piège du cancer. Il a passé une série de tests psychologiques. C'est plus simple, encore, pour lui de répondre par oui ou par non à des questions précises, fermées, que de développer une réponse à des questions ouvertes.

Il a un rapport très précis à l'argent et à tout ce qui tourne autour de l'analité. Il sait toujours la quantité exacte d'argent qu'il a dépensé, et paie toujours toutes ses dettes, fussent-elles minimes, rubis sur l'ongle. Il pense que les gens qui prônent l'égalité dans la société ne sont mus que par l'envie et la jalousie, et quand il fait un achat, il en veut pour son argent. Il préfère se priver de ce qu'il désire plutôt que d'emprunter à qui que ce soit pour pouvoir se l'acheter.

Il affiche ouvertement son goût du contrôle. Il pense qu'il faut imposer des lois encore plus sévères contre les automobilistes pour réprimer les excès de vitesse. Et rien ne le met plus en rogne que les gens qui n'arrivent pas à l'heure au rendez-vous. Il étouffe de colère dans la salle d'attente quand le médecin, en retard, n'en finit pas d'arriver. Mais, respectueux de l'autorité, il ne lui viendrait pas à l'esprit de faire la moindre remarque désagréable à ce sujet. Il trouve que les gens ne font, en général, pas bien ce qu'ils font. Ils ne sont pas assez perfectionnistes. Souvent, d'ailleurs, il ferait bien les choses à leur place.

Il se demande encore ce qu'il a bien pu faire pour attraper cette saleté de cancer. Il a toujours été « comme il faut », même s'il a souvent fait « comme si ». René est un homme ordonné. Il ne perd rien. Il est toujours capable de retrouver dans son bureau ce qu'il est allé chercher. Quand un document est particulièrement précieux, il le conserve dans un endroit spécial. René garde tout, et, de temps à autre, est pris d'une frénésie de grand ménage, où il jette beaucoup de choses accumulées inutilement. Il est fier de ses valeurs et a tenu à les transmettre à ses enfants. Il pense que tous les enfants devraient être éduqués sévèrement pour apprendre à ne rien exiger de leurs parents, et à ne rien gaspiller. Il se rend compte que, de temps à autre, des révolutions se font, et il pense qu'elles sont motivées par un désir de sauvage vengeance, mais il ne comprend ni le mot « sauvage » ni le mot « vengeance », bannis de son vocabulaire. Il pense que ces mots sont imprégnés de péchés, et ignore qu'en grec et en hébreu, le péché veut dire le manque, et que « commettre un péché » veut simplement dire : « rater la cible ». René est têtu, et, même quand ses progrès d'apprentissage sont lents, il persévère envers et contre tout. Il est un peu rêveur aussi, et prend plus de plaisir à planifier les choses qu'à les réaliser.

En clair, René est beaucoup plus obsessionnel qu'hystérique. Bien sûr, il est marqué par son enfance, au fer rouge.

Son père représentait pour lui un personnage stable, mais extrêmement strict. Il avait passé toute son enfance en quête d'une approbation, d'un encouragement, d'une satisfaction paternelle, qu'il n'avait jamais obtenue. En contrepartie, déçu dans ses attentes de reconnaissance, il avait développé un fort sentiment d'indépendance à son égard.

Il qualifiait sa mère d'intensément anxieuse, mais, par contraste avec son père, il la trouvait très compréhensive. Il avait beaucoup confiance en elle. À l'aise en sa présence, il avait développé un grand sentiment de protection à son égard, et il l'avait reporté sur sa femme et ses trois fils. Il était clair pour lui que c'était son père qui portait la culotte, sa mère étant, du moins à la surface, car il était mort longtemps avant elle, d'une grande passivité. Dans l'ensemble, il trouvait ses parents bien assortis, quoique trop sévères, car sa mère se calquait sur son père, et était trop portée à tout ramener au travail.

Sur un maximum de 19, l'échelle de proximité de ses parents ne montait qu'à 4, et comme René avait développé un cancer, cela allait tout à fait dans le sens d'une étude sur des jeunes médecins de l'université Johns Hopkins à Baltimore, suivis pendant plusieurs décennies durant leur carrière. Ceux qui avaient des valeurs basses ou bien développaient un cancer, ce qui fut la découverte surprise de ce travail, ou bien perdaient leur équilibre mental et émotionnel, ce qui n'était pas bien surprenant.

30 octobre

Il n'y a pas un souffle de vent. Le bateau vient de sortir du port, dans la presqu'île de Giens. Direction Porquerolles. La mer est lisse. Le ciel est bleu. René a proposé à Cécile d'aller passer une nuit dans le meilleur hôtel-restaurant de l'île, pour y fêter leur anniversaire de mariage. Le bateau prend de la vitesse. À l'autre bout du bras de mer, celui qui fait la navette en sens inverse vient, lui aussi, de démarrer. La haute saison est terminée, mais il y a encore quelques touristes, particulièrement durant le week-end.

Cécile s'est approchée de René, qui se fige, un peu étonné, quand elle se colle contre le côté droit de son corps et lui prend le bras. « Penses-tu que nous allons nous séparer ? » demande-t-elle doucement, sans aucune agressivité. René se sent touché et ému.

Quelques semaines plus tôt, il avait rencontré Jeanne. Jeanne était une célèbre journaliste. Elle avait vingt ans de moins que lui. Elle correspondait tout à fait au style

de femme qu'il aurait aimé épouser. Elle aimait beaucoup voyager et avait fait du trekking dans l'Himalaya.
Elle lui avait dit qu'elle adorait prendre l'avion, et son
métier l'amenait à se rendre dans tous les pays du
monde. René l'avait rencontrée par hasard sur le quai du
port de Toulon. Il était assis à une table, au café La
Réale, en train de siroter un pastis avant de rentrer à la
maison. Elle lui avait souri. Il avait répondu à son sourire. Elle lui avait demandé où il habitait. Il lui avait
répondu qu'il habitait à la Seyne-sur-Mer, et elle s'était
exclamée qu'elle avait une villa à Six-Fours. Il voulait
être honnête avec Cécile, et lui avait dit qu'il était invité
chez Jeanne. Elle n'avait pas fait de scène le jour où il
était allé dîner chez elle. Elle n'avait même pas versé une
larme, mais René, dont l'odorat s'affinait en vieillissant,
remarqua ce jour-là que son haleine avait une odeur
bizarre, désagréable.

Jeanne lui avait préparé une salade de poulpes et avait
fait griller un morceau de bœuf de Salers dans son
jardin. Ils avaient bu du vin de Cassis. René n'avait pas
été si heureux depuis longtemps. La conversation entre
eux était animée et tellement facile comparée à la lour-
deur des silences entre Cécile et lui. Ils avaient bu une
deuxième bouteille de Cassis dans le jardin. Ils s'étaient
assis sur un banc. René sentait le désir de Jeanne
monter, et le sien lui répondre. Ils avaient ralenti le
rythme de leur conversation, mais le désir parlait du
fond de leurs yeux. Ils s'étaient approchés. Leurs lèvres
s'étaient effleurées. Leurs bouches s'étaient entrouvertes. Le souffle de leurs narines caressait leurs visages.

René bandait. Il sentait monter un besoin irrésistible
de toucher Jeanne partout. Il dévoila son épaule et
explora sa bouche de sa langue. Puis, il glissa son nez le
long de sa mâchoire, descendant avec une infinie lenteur la pente douce du côté gauche de son cou jusqu'à
son épaule. Il inspira profondément, de façon répétée,
jusqu'à s'enivrer, s'imprégnant de l'odeur de la peau de
Jeanne tout en frôlant celle-ci de ses lèvres entrouvertes.
Il la sentait frémir de tout son corps sous la caresse

combinée de son odorat et de son baiser. Enhardi, il prit dans sa main la coupe du sein gauche de Jeanne. Puis, il passa au sein droit. Encouragé par le lâcher prise et l'abandon de Jeanne, il glissa un doigt le long de sa colonne vertébrale jusqu'à la raie de ses fesses, qu'il empoigna l'une après l'autre. Il glissa ensuite son doigt avec douceur et légèreté vers son sexe.

Subitement, Jeanne se dégagea, l'air effrayée. « Tu es un homme marié ! Les hommes mariés m'ont beaucoup fait souffrir. Je ne sais pas pourquoi je tombe toujours sur eux. Peut-être est-ce ma faute. Je ne veux plus souffrir en me demandant ce qu'il fait avec sa légitime. Rentre chez toi. Tu reviendras quand tu seras libre. » René, immensément déçu, n'avait pas tenté de la faire changer d'avis. Il était rentré chez lui, comme un écolier. Cécile dormait, ou faisait semblant.

« Penses-tu que nous allons nous séparer ? » lui redemande-t-elle. René bredouille qu'il n'en sait trop rien. Elle dépose sa tête sur son épaule. Se colle encore plus. Le bateau a fini la traversée, et entre dans le port de Porquerolles. Au bout du débarcadère, la navette de l'hôtel les attend. Ils sont les seuls passagers. Le chemin n'est pas très long. Au-delà des vignes, l'auberge. Luxueuse. Malgré la période de l'année, il y a encore des clients, attirés par la qualité de la table et la beauté du site. Il est déjà l'heure de dîner. Sitôt installés dans leur chambre, René et Cécile font la fête. Ce n'est pas la première fois qu'ils mangent à cette table étoilée. L'atmosphère s'égaie. René décide de sabler le champagne et choisit une merveille. Chère, mais une merveille. Un Krug millésimé. Ils mangent. Ils boivent. Ils rient. Ils oublient. Ils tentent de se rejoindre. Le désespoir a déserté les lieux.

En entrant dans la chambre, Cécile se colle à lui. Se frotte le ventre contre son sexe. Qui répond instantanément. Un moment, en l'embrassant, René oublie que c'est Cécile qu'il embrasse. Et pas Jeanne. Fiévreusement, il la déshabille. La caresse. L'embrasse partout, comme lorsqu'ils étaient jeunes. Cécile lui ôte ses vêtements, avec une hâte un peu maladroite et très systématique. René caresse son sexe, sec. Elle lui embrasse la verge. Le caresse. Le suce. Le masturbe. René a envie de la pénétrer, mais il ne retrouve pas le plaisir partagé qu'il avait ressenti tellement intensément avec Jeanne. Ils s'étendent sur le lit. Il la caresse méthodiquement partout. Comme il l'a fait tellement souvent. Il lui suce les mamelons, qui mettent un temps fou à s'ériger. Sa vulve reste sèche, et il la mouille de salive. « Viens », dit-elle. Il la pénètre doucement. Elle geint, mais René devine quelque chose de faux dans ses gémissements. Elle bouge maintenant le bassin, lui prend les fesses, et enfonce son pénis au fond d'elle. René sent le plaisir monter. Il voudrait que cela dure plus longtemps. Mais Cécile a décidé de le faire jouir vite. René se sent seul. Il ne ressent aucun plaisir partagé. Il ne se sent pas accepté dans le vagin de cette femme. Cécile a fermé les yeux et détourné la tête. Elle continue à gémir, et les sons sont de plus en plus apprêtés. Son nez s'est bouché. Son haleine devient fétide. René se laisse aller à jouir. Tout son plaisir s'est concentré dans la base de son sexe. Leur rencontre n'a duré que quelques minutes.

Cécile rouvre les yeux. Lui demande : « Tu es content ? » Sans attendre la réponse, elle éteint les lumières et se retourne. René a envie de pleurer. Quel gâchis ! S'il le pouvait, il s'enfuirait de cette chambre, prendrait le premier bateau, à l'aube, se précipiterait chez Jeanne, à Six-Fours. S'il le pouvait, il traverserait le bras de mer à la nage.

René se retourne de son côté du lit. Il se recroqueville en position fœtale.

Dix-huit ans plus tard. « C'est incroyable ! Vous vous rendez compte ? Je suis allé chez ma compagne hier soir. Nous avons fait l'amour, avec un plaisir fou. Elle a joui autant que moi. Nous avons passé la nuit, collés dans les bras l'un de l'autre. Nous nous sommes fait des câlins, pleins de tendresse. Nous avons refait l'amour ce matin ! Oublié, le Viagra ! Et j'ai soixante-seize ans ! »

Depuis quinze ans, René ne vient plus qu'épisodiquement à l'hôpital. Au début, il venait une fois par an, dans le cadre d'un suivi de cancer du côlon. Les examens étaient toujours normaux. Puis, de son propre chef, il avait espacé ses visites, qu'il commençait à trouver inutiles. Le temps aidant, et comme il n'avait plus jamais fait de polype dans son gros intestin, il n'y avait plus eu aucune justification médicale à le faire venir pour des évaluations devenues de pure routine.

Un an après la fameuse nuit à Porquerolles, il trouvait les relations sexuelles avec sa femme « acceptables ». Il en disait que « ce n'était pas le paradis, mais… ». Cela avait duré deux, trois ans, puis leur vie de couple était redevenue une vie de ménage asexuée.

Mais René ne pouvait plus tolérer le vide de vie que Cécile lui faisait subir. Il avait commencé à avoir une vie autonome. Il allait maintenant régulièrement marcher tout seul sur ses terres. Au lieu de l'interdépendance qu'il avait toujours connue dans le Service de police et à la maison, il commençait à se sentir autonome. Seul. Mais pas malheureux d'être seul. Pas du tout isolé. Au contraire, il se sentait de plus en plus ouvert. En harmonie grandissante avec son environnement.

Une année, il était même allé tout seul à Londres. Son fils et sa bru avaient eu une petite fille. Cécile, une fois de plus, était terrorisée à l'idée de prendre l'avion. Elle avait prétexté le risque d'un attentat terroriste, parce qu'un avion de la compagnie El Al venait d'être détourné. René, lui, n'avait pas hésité. Il avait tranché. Il était parti seul à Londres.

Puis, un jour, quelques années plus tard, il était entré dans mon bureau en disant : « Il n'y a qu'à vous que je puisse me confier. Vous n'êtes pas toujours d'accord avec moi. Vous m'ouvrez des pistes insoupçonnées. Parfois même, vous me choquez. Mais jamais je ne me suis senti jugé par vous. Vous savez, je songe vraiment à me séparer de ma femme. Elle et moi, nous n'avons jamais eu d'affinités. Après mon café et mon journal, le matin, je pars toute la journée. Tout le monde me demande pourquoi je suis toujours tout seul quand je sors. C'est pitoyable ! Cécile est aussi seule que moi ! Nous avons une seule activité ensemble : aller au restaurant le dimanche… Vous vous rendez compte ? »

Il repart sans reprendre de rendez-vous. Et revient un an plus tard. Rayonnant. « J'ai quitté ma femme, il y a un mois. Je n'ai jamais été aussi heureux de ma vie ! » René a maintenant soixante-douze ans. Il ne s'est pas encore posé de questions sur les raisons qui l'avaient poussé à épouser Cécile, qui, elle, n'avait pas vraiment envie de l'épouser et encore moins de faire l'amour avec lui. Il ne s'est pas non plus interrogé sur le plaisir qu'il éprouvait, avant de rencontrer Cécile, quand il faisait l'amour. Il est seulement fier de s'être tiré d'un mauvais pas. L'occasion ? Une veuve de soixante-quatre ans qui a perdu son mari trois ans plus tôt. Il s'apprête à partir avec elle au Pérou. Elle est passionnée par l'ésotérisme. Elle veut aller voir les chamanes d'Amazonie. Lui est réceptif. Il a envie de la suivre. Ils n'ont pas encore fait l'amour. Mais, d'ores et déjà, il dit que « c'est la meilleure décision que j'aie prise de ma vie ».

René divorce de Cécile avant de partir en voyage… et ne revient que quatre ans plus tard… Il n'est resté avec Clothilde que quelques mois, et n'a pas supporté son côté possessif et jaloux quand ils sont retournés en France. Elle n'arrêtait pas de le questionner, de l'épier, de l'interroger sur sa relation avec Cécile. René l'a quittée. Il est parti vivre à Avignon. Loin de Cécile. Loin de Clothilde.

Cette fois, il est revenu en consultation à la suite d'une conversation téléphonique. Il a vécu seul. Puis il a rencontré une autre femme. Elle a soixante-huit ans, lui en a maintenant soixante-seize. Ils vivent chacun dans son appartement. Avec Clothilde, qui ne cessait de lui faire des reproches, il avait des problèmes d'érection et s'était fait prescrire du Viagra par son médecin de famille. Mais avec Virginie… « Quand je suis allé chez elle pour la première fois, c'était un après-midi, à l'heure du thé. Elle m'a raconté sa vie, je lui ai raconté la mienne. Curieux, notre entente ! Elle est très religieuse et veuve… Et moi, je n'appartiens à aucune religion et je suis divorcé. Mais ces problèmes de cœur… »

Et de raconter qu'il est affligé de crises répétées de troubles du rythme cardiaque, de fibrillation auriculaire. Je le questionne longuement. Son cardiologue a beaucoup de difficulté à trouver la médication et la dose nécessaire pour contrôler ses troubles du rythme.

« Je n'ai jamais vécu comme cela ! Elle me fait des caresses au lit ! Vous vous rendez compte ? Ma femme ne faisait rien. Quand j'y repense, elle valait à peine mieux qu'une poupée gonflable. Je ne me comprends pas. Je commence à saisir cette différence, dont vous m'avez parlé si souvent, entre baiser et faire l'amour.

– Et quand avez-vous fait la première crise de fibrillation ? »

Après mûre réflexion et divers recoupements, René s'aperçoit que la fibrillation a débuté le lendemain de sa première rencontre avec Virginie ! Cette révélation ne suffit pas à le guérir, mais elle lui indique qu'un lien doit être défait. Ses médications sont changées et ajustées. Il découvre les techniques de relaxation basées sur la respiration et la méditation. Il commence à deviner les crises avant qu'elles ne débutent. Il apprend à les faire avorter. Son cœur cesse de se débattre quand il a du plaisir. S'apaise. René surprend son cardiologue…

« Nous avons fait l'amour hier soir et aussi ce matin. Deux fois ! Et sans Viagra… » Le canard n'est plus canard…

CHAPITRE III

Le secret de la sphinge

Elle est là, assise en face de moi, le front plissé de rides de souffrance, le regard suppliant, torturé par cette douleur qui la taraude au fond du ventre, la parole hoquetée d'une demande tremblante, les mots hachurés de détresse, le torse tendu dans sa supplication.

Elle est là, couchée sur la table d'examen. Nos regards sont plongés l'un dans l'autre. Je ne pense à rien. Je ne dis rien. Je la vois sans la regarder. Son regard est terrorisé. Elle n'a pas l'âge de son âge. Son frère vient de naître.

Et plus tard... Elle est là, debout, rayonnante. Majestueusement, magnifiquement enceinte. Le teint clair, le front adouci, sans aucun pli, lisse du bonheur, elle dit son plaisir et sa joie.

Extrait de courriel.

« Quant à moi, le chemin continue à se tracer... Parfois il est rocailleux, pénible à mes pieds... Je me sens plus enracinée que jamais. Ma peau sent les aspérités du sol avant que je ne me blesse. Cela fait moins mal qu'avant, même si certains pas sont plus désagréables... À d'autres moments, je marche sur du sable fin... Mon corps prend alors la chaleur du sol. Le sable épouse les contours de mes pieds. Je fais corps avec la terre... Parfois, mes jambes me portent au travers de l'herbe douce, couvrant des prairies qui embaument de leurs fleurs... La promenade reste sereine... Du moins, j'ai décidé de la considérer de la sorte... Peut-être faudra-t-il que je décide de ne plus rien décider, sinon de vivre intensément et sans aucun frein ma vie, et tout ce qu'elle apporte au quotidien... Vous souvenez-vous de ce rêve éveillé que vous faites faire et qui nous emmène loin dans notre inconscient ? Je crois que je suis entre le cœur de la fleur où je m'étais endormie en suivant le murmure de vos paroles, et le centre de moi-même. Certains y trouvent ce qu'ils appellent leur guide intérieur. D'autres s'y trouvent eux-mêmes, dénudés de la carapace que leur avaient imposée les aléas de l'existence. Moi, je sais que j'étais l'ombre de moi-même jusqu'à ce que je développe cette douleur intolérable. C'est grâce à elle que j'ai changé à ce point. Mon entourage en est sur le derrière... »

Sur le derrière... Quelle histoire ! Une histoire de derrière.

La première fois que je l'avais vue, elle se tortillait de douleur. Sur son derrière. J'accompagnais un ami parisien, professeur de chirurgie colorectale. Il m'avait proposé de participer à sa clinique. Il m'avait autorisé à être plus qu'un témoin silencieux et à intervenir quand bon me semblait.

Il connaissait Vanessa depuis deux ans. Il m'avait résumé son histoire avec tous les détails nécessaires. Elle avait des douleurs intolérables à l'anus depuis la naissance de son fils. Elles étaient exceptionnellement intenses. Tellement, qu'elles l'avaient rendue totalement invalide. Elle adorait pourtant son travail, dans une compagnie, qui œuvrait dans le domaine de la communication, au niveau international. Elle était chef de section. Un poste important. Une centaine de personnes étaient sous ses ordres. Vanessa n'était pas pusillanime ni souffreteuse. Travailler n'était pas pour elle une corvée. Elle n'était pas en train d'utiliser un problème chronique de santé afin de se donner une bonne excuse pour ne rien faire. Elle n'était pas non plus en *burn-out*, expression fourre-tout si souvent utilisée pour ne pas dire « dépression ». Vanessa était profondément mortifiée et malheureuse de ne plus pouvoir travailler, et de dépendre comme une enfant de son mari.

D'innombrables consultants de tout acabit, en médecine dure comme en médecine douce, avaient échoué à trouver une cause à son problème, et encore plus à l'aider. Parfois, les malades vont mieux sans qu'on sache trop pourquoi. Cela fait grimper aux rideaux certains praticiens qui préfèrent comprendre ce qui se passe, en bien ou en mal, au lieu de constater un progrès, ou, pire, une guérison, sans avoir la moindre idée de ce qui s'est passé. L'étiquette apposée au problème de Vanessa avait été « douleur pelvipérinéale idiopathique chronique », ou « anorectale » plutôt que « pelvipérinéale ». En tout cas, « ça » se passait « là », « dans ce coin-là », d'un geste vague désignant le dessous du bas du ventre, pas trop loin des organes génitaux. Pas étonnant que les Indiens d'Amérique du Sud parlent de l'anus comme de quelqu'un d'autre qui s'appelle Puito. Sujet sale et dégoûtant... Mais alors, quand la douleur s'y installe et y établit logement, quelle horreur dégoûtante ! Et quand on parle, de façon plus positive, de douleur « idiopathique », c'est que, tout simplement, de façon négative, on ne sait pas. Les douleurs périnéales dont on ne trouve pas une cause physique – et il y en a, bien sûr, comme les fissures et fistules anales, et tous les types de tumeurs –, c'est, littéralement, le pont aux ânes des chirurgiens du côlon.

Vanessa avait donc subi un véritable calvaire. Les douleurs avaient commencé tout de suite après l'accouchement de son fils, son unique enfant. La première station du chemin de croix avait débuté, de façon douce, par des onguents anesthésiques. Et des suppositoires, chose stupide s'il en est, puisque, une fois dans le rectum, les suppositoires n'y restent pas, mais remontent sous la rate et même sous le foie, pour la bonne raison que les muscles du gros intestin lui impriment des mouvements aussi bien vers le haut que vers le bas. Après les suppositoires vinrent les injections de produits anesthésiants et de cortisone. Sans succès.

Le calvaire avait continué. Un orthopédiste avait alors décrété que l'accouchement avait disloqué le coccyx de Vanessa, et que son articulation avec le sacrum s'était ankylosée. Elle avait de l'arthrite. Quand il avait fait un examen de Vanessa, en lui mettant un doigt dans le derrière, et en prenant le coccyx avec le pouce et ce doigt, elle avait hurlé de douleur. Cette façon de faire permet de déceler ce qu'il est convenu d'appeler, d'un mot à double sens, une douleur exquise. Confusion orale avec la souffrance. L'orthopédiste, en toute logique, avait dit qu'il avait trouvé le problème. Il avait proposé à Vanessa une coccygectomie, intervention qu'elle avait acceptée avec allégresse, certaine que la source de son problème avait été mise au jour. Exérèse du coccyx, ce petit os sous le sacrum, juste derrière le « derrière », l'anus… Nouvelle station du chemin de croix ! Nouvelle déception ! Et le calvaire, inchangé. Vanessa avait perdu son coccyx. Mais elle avait toujours aussi mal.

La profession médicale commençait à paniquer devant la persistance et la gravité de son problème. Les médecins sont souvent très mal à l'aise devant l'impuissance à guérir, surtout face aux problèmes chroniques. Passe encore quand il s'agit d'un cancer. Tout le monde sait qu'il est possible d'en mourir. Pire, lorsqu'il est généralisé, c'est souvent une question de temps, même si, à l'occasion, un sujet malade arrive à échapper à un pronostic de mort certaine, de façon qu'on dit « miraculeuse »… Qui a sûrement une explication plus rationnelle, fût-elle de nature spirituelle, qu'on trouvera un jour. Mais qu'une douleur persiste sans cause, une douleur « mystérieuse », qu'on ne peut pas mesurer, qu'on ne peut rapporter à rien, et tout le monde s'énerve. Les malades s'énervent. Ils accusent les médecins d'incompétence, de négligence, de manque d'intérêt. Ils les menacent même de poursuites, comme si ceux-ci avaient non seulement l'obligation de les soigner, mais également celle de les guérir. En face, les médecins s'énervent. Ils se sentent étranglés, acculés au pied du mur, incapables de répondre à une demande devenue exigence. Sans travail de deuil sur eux-mêmes, sans détachement de tout souci de performance, leur angoisse se lève et devient rapidement intolérable. Une première réponse, douce et polie, consiste à demander une consultation. De préférence à un grand spécialiste, clairement plus compétent qu'eux. Avec le ferme espoir que cette consultation se transforme en transfert définitif du malade au collègue. Bon débarras ! Finie l'angoisse de se sentir tenu à donner une réponse impossible. Commence alors un jeu de balle, de spécialiste en plus grand spécialiste, le malade se sentant, bien sûr, de plus en plus rejeté, ballotté, comme un objet qu'on se repasse sans le garder. Ce qui est le cas…

Vanessa n'avait pas échappé à ce cercle infernal. De douleur en douleur croissante, de médecin en spécialiste, elle avait abouti chez un neurochirurgien qui lui avait proposé de libérer les nerfs honteux de leur gaine, dans le fond de son bassin. Elle avait reculé, horrifiée, devant la gravité irréversible de l'acte. Pour la première fois, tout en continuant à vouloir trouver une solution à son problème, elle avait cessé de fuir en avant, dans une surenchère de soins mécaniques extérieurs, chimiques d'abord, chirurgicaux ensuite. Elle avait abouti dans le service de mon ami, qui avait une grande expérience de l'hypnose et de l'EMDR (*Eye Movement Desensitization and Reprogrammation*) dans le contrôle et le traitement de la douleur.

Extrait de courriel.

« Que serais-je devenue, si je ne vous avais rencontrés sur mon chemin ? Alors, merci à mon destin, et merci à vous deux de m'avoir guidé vers le chemin du bonheur et de la vie. »

Elle a écrit « guidé » et non pas « guidée ».

« Ma grand-mère m'a livré le secret de ma maman. Je connais maintenant le nom de mon géniteur.

» Elle était partie en vacances. Tu sais, ce joli coin de France, tout près de l'Espagne, côté Méditerranée. On y fabrique des vins liquoreux très particuliers, dans la région de Banyuls. Ma maman est tombée amoureuse du fils d'un vigneron. J'ai été conçue en pleine nature, dans les vignes, sous le soleil du Midi. Et mon "père" n'est pas mon père... Depuis que je sais cela, je suis guérie... Étrange, étrange. Cela continue depuis notre dernière rencontre. Je n'ai plus aucune douleur... Mon gynécologue n'en revient pas. Il me dit que l'examen qu'il fait de mon vagin et de mes organes génitaux s'est complètement normalisé. Comme si j'étais une autre femme... Il me dit que c'est totalement incompréhensible. Pourtant, il me connaît depuis si longtemps ! C'est lui qui se sentait tellement malheureux de ma souffrance horrible après mon accouchement. Il m'a si souvent examinée, quand j'avais mal ! C'est un homme qui ne croit pas que la psychosomatique soit un sujet digne d'intérêt. Mais il me dit qu'il se sent questionné, car il ne peut se donner aucune explication plausible ou scientifique au fait que j'ai guéri tout d'un coup quand j'ai découvert que mon père n'était pas l'homme qui m'avait conçue.

» Heureusement que je suis têtue ! Heureusement que ma grand-maman m'aime et n'a jamais mis de barrière ! Heureusement que ma mère a dit la vérité à mon médecin ! Heureusement que celui-ci m'a transmis le message qu'elle lui avait confié, la trahissant pour mon bien, et ainsi confirmé mes soupçons ! J'ai alors supplié ma maman de me dire toute la vérité. Je voulais savoir... Même si je n'avais plus mal, j'étais victime d'une angoisse qui déferlait sur moi comme un raz-de-marée. Je ne dormais plus. J'avais peur de faire du mal à notre nouveau bébé. Charlotte est tellement belle, tellement souriante ! Et je sais que les enfants sont comme des éponges qui absorbent les soucis de leurs parents, comme le buvard boit l'encre qui s'écoule.

» Ma grand-mère m'a dit que ma mère avait fait une erreur de jeunesse. Elle s'était mariée sur un coup de foudre et avait vite compris son erreur. Elle était déjà enceinte quand elle a divorcé, et son mari a refusé de s'occuper de moi. Sinistre individu irresponsable ! Parfois, j'ai des doutes. Mes parents habitent dans le seizième arrondissement de Paris. Ce milieu est tellement bourgeois, au mauvais sens du terme. Il y a plein de secrets de famille. Très souvent, j'ai dû apprendre à décoder, à traduire ce qui m'était présenté. Alors, je ne sais pas très bien si le récit de ma grand-mère est véridique. Maman a toujours refusé de me répondre, et a sûrement regretté de s'être précipitée chez mon médecin pour s'épancher. Elle a ouvert une boîte de Pandore qui ne se refermera plus. Je ne retournerai jamais en arrière. J'ai trop souffert de cet immense secret. J'aime ma maman, j'aime ma grand-maman, mais plus jamais, désormais, je ne ferai semblant. De toute façon, je sais que mon corps ne m'y autoriserait pas, et j'ai appris à écouter et respecter ses messages.

» J'avais terriblement mal au ventre, et ce, continuellement, durant la période où je suis allée voir ma grand-maman pour connaître la vérité. Toi et mon médecin, vous m'aviez bien expliqué tous les deux, le jour où je t'ai vu à Paris pour la première fois, ce qu'est la colopathie fonctionnelle, que vous appelez côlon irritable au Québec. J'étais devenue capable de faire le diagnostic. J'étais plus constipée quand j'avais mal. Comme si je retenais quelque chose. En plus, quand je devais aller aux toilettes, ça ne voulait pas sortir. Excuse ma timidité, j'ai encore du mal à dire le mot "selle" ou "étron" ou même "caca", plutôt que de mettre simplement "ça". Mais tu m'as dit que quand "ça" ne veut pas sortir, c'est que mon anus se ferme quand je veux aller aux toilettes. Comme si j'avais une double personnalité. Une qui voulait y aller, et une autre qui ne voulait pas y aller.

» Il faut que je te dise que, quand l'angoisse déferlait sur moi jour et nuit, mon autre moi-même ne me quittait plus. Étrange sensation de dédoublement ! Comme s'il y avait moi et moi. Qui suis-je en réalité ? Mais pourquoi se sont-ils ligués pour me cacher que mon père que j'adorais n'était pas l'homme qui m'a conçue ? Pourquoi n'ont-ils pas compris que je l'aurais aimé de la même manière, puisqu'il s'est comporté avec moi comme s'il avait vraiment été mon père ?

» Devant ma souffrance psychique, touchée et émue aux larmes, après de nombreuses et vaines tentatives auprès de ma mère, ma grand-mère s'est résignée à parler. Comme je te l'ai dit, je ne suis pas sûre qu'elle m'ait dit toute la vérité. Mais une chose est certaine et me donne confiance. J'ai suivi mon intuition. Tu sais qu'elle est grande.

» Le secret de ma conception est la répétition d'un secret ancestral. J'ai lu comme toi le livre d'Anne Ancelin Schützenberger, *Aïe, mes aïeux*, qui nous a ouvert, toi le médecin et moi la malade, à ce qui advient en raison de liens transgénérationnels. Je sais, tu me l'as si souvent dit, que ce qu'Anne Ancelin Schützenberger t'a appris sur le plan psychologique et du comportement, tu l'as rapidement reconnu dans le corps de plusieurs des malades qui venaient te voir. J'avais beaucoup aimé t'entendre paraphraser Françoise Dolto et dire que le corps de l'enfant tient lieu de parole de l'histoire de ses parents. Alors, mon nounours de petite fille, je l'avais appelé Dominique, sans savoir que c'était le prénom de la maman de ma grand-maman, morte en couches.

» Maudits secrets de famille ! On lui avait caché, durant de nombreuses années, que sa maman était morte, et que celle qu'elle croyait être sa maman était la seconde femme de son papa ! Et moi qui appelle Dominique mon nounours, du vrai prénom de mon arrière-grand-maman ! Ou plutôt, tu vois, je m'embrouille dans cette famille embrouillée, du prénom de ma véritable arrière-grand-mère !

» Donc, vive mon intuition ! Mais, dans la quête de

mes origines, pour retrouver qui je suis vraiment, quête dans laquelle je me suis lancée pour toujours depuis que je n'ai plus mal au derrière, je suis en train d'apprendre que mon inconscient sait des choses que je ne sais pas, et que mes rêves me parlent de moi de façon fiable.

» Ma grand-mère est stupéfaite quand je lui raconte ceux que je fais au sujet de ma conception. À l'époque où je suis allée la supplier de me dire la vérité, je rêvais constamment d'un petit village du Midi. Comme seul point de repère, il y avait, au loin, des montagnes. Mon rêve était répétitif. Je cherchais quelque chose, ou quelqu'un. Je me perdais constamment, et je me réveillais toujours en sueur, terriblement mal. J'en ai parlé avec grand-maman. Elle a été stupéfaite de m'entendre lui raconter les détails. Elle a reconnu le petit village, près de Banyuls, où mes parents m'ont conçue !

» Cela me donne confiance. Si je rêve de l'endroit où je suis venue au monde... Si le récit de ma grand-mère et mes rêves s'entrelacent sur fond de réalité, je crois que je peux raisonnablement me faire confiance... La réalité de ma conception... Près de Banyuls... Ma mère et ce vigneron... Le puzzle se reconstruit un peu plus chaque jour.

» Mon mari est un amour. Il me donne un soutien sans limites. Lui, il m'encourage à y aller voir ! Qu'en penses-tu ? J'ai peur. Charles me suggère de passer quelques jours, seule ou avec lui, dans la région de Banyuls. Ma grand-mère m'a donné le nom de la famille de mon géniteur et son prénom ! Et c'est moi qui ai trouvé le nom du domaine viticole qui lui appartient, en faisant une recherche intuitive dans Internet ! Tu te rends compte ? La puissance de l'inconscient ! C'est extraordinaire ! Tout est entre mes mains... Charles me suggère d'aller respirer et sentir l'atmosphère du domaine, ne serait-ce que pour voir à quoi cela ressemble et mieux ressentir d'où je viens. J'hésite. Tantôt oui. Tantôt non. Que dois-je faire ? Qu'en penses-tu ? As-tu un conseil à me donner ?

» Parfois, j'ai l'impression de porter un sac lourd de pierres. Je n'ai pas envie d'aller le poser sur une tombe le jour où je me déciderai enfin à aller au bout de ma quête. Mais, par ailleurs, n'y a-t-il pas un autre moyen de déposer ce sac sans avoir affaire à quelqu'un d'irresponsable ? J'enrage ! Après tout, ce type s'est contenté de fournir ses gènes et m'a abandonnée vilement, juste après, sans même tenter de me connaître ! Mes yeux se remplissent de larmes pendant que je t'écris ces dernières lignes... Ma gorge se serre... L'angoisse m'étreint... Je vous en prie, dites-moi toute la vérité ! M'a-t-il vraiment abandonnée, après s'être marié et avoir laissé ma mère enceinte de moi ? Je vous en supplie ! La vérité ! Toute la vérité ! Se sont-ils mariés vraiment ? Savait-il qu'elle m'attendait ?

» Malgré la confirmation que m'a apportée ma grand-mère, les rêves continuent de hanter presque toutes mes nuits. À tel point qu'il me tarde de voir le jour se lever pour penser à autre chose ! Et à chaque réveil, c'est la même peur, celle d'une petite fille qui court dans le noir ou à travers une forêt très sombre, à la recherche de quelque chose. Sans qu'il y ait personne pour l'y mener. La peur d'une petite fille perdue dans un village de terre glaise et qui n'y retrouve pas son chemin.

» Mes rêves manquent de logique. Je rêve d'une petite fille. Mais ma mère était adulte quand elle m'a conçue dans ce village ! Aujourd'hui, je comprends que je ne peux plus compter sur personne pour aller au bout de ma quête. Ma "maman", ma "grand-maman !", mon "papa", mon "bon papa", des mots d'enfants dans ma bouche de femme... Je suis seule au monde face à moi-même... J'ai enfin compris que je ne peux pas du tout compter sur ma mère pour me dire la vérité sur ma nature réelle. Il va falloir que j'y aille seule. Ou que je fasse le deuil de mes origines...

» Seule ! Je commence aussi à faire des rêves étranges sur mon enfance. Ils me parlent de sujets troublants. Tu m'as raconté le rêve répétitif que faisait ta patiente chaque fois que la tumeur récidivait dans son rectum.

Tu m'as dit qu'elle n'en faisait plus depuis le dernier rêve où c'est à toi qu'elle parlait, alors que tous les autres se passaient durant son enfance. Quand je pense à mon médecin, que je vois régulièrement à Paris, mon angoisse baisse significativement le lendemain si je prends mon téléphone pour lui parler. J'imagine que tu vas me dire que c'est cela, le transfert. Mais je pense qu'il a envers moi une attitude de véritable amour. Je ne vous ai vus ensemble que deux fois. J'ai rêvé de vous, hier. Étrange. Vous étiez tous les deux occupés à transformer des éléments métalliques ronds en cuillère en argent. Le mythe de l'alchimiste, sans doute. Puis, je m'envolais vers mes terres de Banyuls, munie de ces cuillères. Pourquoi ces cuillères ? Et puis soudain, le trou noir… et le réveil brutal… »

J'ai revu Vanessa, avec mon ami, lors d'un autre séjour parisien.

Elle est là, debout, rayonnante. Enceinte. Le teint clair. Une douceur ineffable sur son visage. Pas une ride. Elle dit son plaisir. Son bonheur. Sa joie.

Vanessa me raconte en détail ce qu'elle m'a écrit. La disparition définitive et totale de sa douleur. Sa féminité s'est épanouie. Elle n'est plus la jeune personne un peu coincée, issue du seizième arrondissement parisien, un peu « fausse » femme. Elle est clairement devenue une « vraie » femme. Elle éclate d'un beau rire de gorge en nous racontant comment, sitôt après avoir appris de la bouche de mon ami la véritable histoire de sa conception, elle s'était précipitée chez elle :

« Et, vous savez, pour la première fois de ma vie, j'ai pris l'initiative de faire l'amour à un homme.

– Et je parie que vous avez grimpé sur lui.

– Oui. Et pour la première fois aussi, j'ai eu un orgasme pendant la pénétration ! »

Je suis attendri. Mon ami est content, un peu gêné de la confidence.

« Et c'est de cette rencontre qu'est issu le bébé qui se développe dans mon ventre ! »

Extrait de courriel.
« Adieu, principes, raison, valeurs, croyances ! Vive nous ! Moi, mon mari, mon fils, ma fille. Nous avons décidé d'avoir un troisième enfant. Je ne sais pas encore si c'est un garçon ou une fille.
» Je me sens de mieux en mieux. La richesse des échanges avec mon mari est incroyable. Il n'a pas l'air menacé par toute cette saga. Il m'accompagne inconditionnellement. Je me sens totalement acceptée de lui. Étrange sensation, curieux sentiment, qui ne me renvoie à rien de ce que j'aurais déjà connu. Peut-être est-ce cela, l'amour ! Cette troisième grossesse se passe admirablement bien. J'en suis émerveillée. Aucune nausée. Aucun inconfort. Nous avons donc décidé de partir en vacances avec les enfants, au bord de la mer, en Corse. Nous prendrons le TGV jusqu'à Toulon, puis le bateau qui nous conduira à Ajaccio. J'ai déjà fait ce voyage, adolescente. Je me souviens comme si c'était hier du port de Toulon, la rade, les navires de guerre. J'espère bien voir le nouveau porte-avions Charles-de-Gaulle, qui vient de revenir de mission. Cette fois, je repasserai dans mes traces, mais avec l'homme que j'aime et les enfants que nous avons conçus.
» Le tout petit dans mon ventre sera du voyage. Nous lui parlons, tous les quatre, tous les jours, au travers de mon ventre. Tu connais certainement les travaux de ce Hollandais, un certain Veldman, qui parle de l'haptonomie. En France, Catherine Dolto a poussé les travaux de sa mère Françoise plus loin en s'intéressant au langage tenu avec le fœtus. Je connais aussi un psychanalyste, Joël Clerget, qui, rareté rarissime, pratique aussi l'haptonomie. Tu te rends compte ? Un analyste qui touche ! Quel sacrilège aux yeux de tous les psychanalystes qui ont tellement peur du sexe et du corps qu'ils maintiennent une dualité étanche entre le corps et

l'esprit des sujets qui viennent justement quêter leur aide pour dépasser cette profonde division ! Elle a raison. Il a raison. Pour devenir nous-mêmes, nous ne pouvons nous dispenser de l'analyse et du toucher. Ce que monsieur Clerget a fort bien explicité dans son livre, *La Main de l'autre*.

» L'Autre... Je dis "mon tout petit", parlant de ce bébé dans mon ventre, parce que, comme d'habitude, je me réfère au passé plutôt qu'au présent et que je pense à tout ce que la naissance de mon fils a révélé et mis au monde avec lui. Peut-être suis-je dans l'erreur... Peut-être est-ce une fille qui s'en vient. Te souviens-tu de nos discussions et de ce que tu m'as cité de Joyce McDougall ? Elle t'a dit que tous les êtres humains devraient faire un travail de deuil entre la bisexualité psychique et la monosexualité corporelle. Tu m'as exprimé ton profond désaccord, en tant que médecin au fait de l'embryologie, avec l'idée que tant que les organes génitaux n'apparaissent pas, le fœtus n'est qu'une chose, indifférenciée, ni masculin ni féminin. Tu m'as dit que la première cellule annonce la venue soit d'un garçon, soit d'une fille, et que c'est tellement vrai qu'on peut, par l'amniocentèse, tôt durant la grossesse, en piquant l'utérus et prélevant un peu de liquide dans l'utérus de la future maman, voir si le fœtus est de sexe mâle ou de sexe féminin. Sans rien savoir de son anatomie visible à l'échographie de l'abdomen. Et, bien sûr, sans aucune référence freudienne aux filles qui auraient « envie » d'avoir un pénis, réservé aux garçons, ou aux féministes antifreudiennes, pour qui les hommes envieraient aux femmes leur capacité à concevoir et créer un enfant dans leur être.

» Tout cela pour te dire : j'attends un enfant. Ce sera un garçon ou une fille, que j'aimerai comme étant de son sexe, un fils ou une fille. Peut-être ne suis-je pas encore assez lucide ou consciente pour savoir de quel sexe cet enfant sera. Mais nous sommes déjà quatre à l'aimer inconditionnellement.

» Tu vas rire. La maison de mes parents tombe en

ruine. Ils habitent dans la vallée de la Loire un très joli petit château vieux de plusieurs siècles. Les murs ont au moins cinquante centimètres d'épaisseur. Depuis que les secrets de famille sont éventés, et surtout depuis que les mensonges qui habillaient ma naissance se sont évanouis, les murs se lézardent de partout. Les portes ne se referment plus. Un peu comme ces maisons en bois, au Québec, dont les portes, hiver et été, se contractent ou, au contraire, prennent de l'expansion. Au début, mes parents vivaient ces déboires sans se poser de questions. Mais aujourd'hui, ils sont perplexes. Les charpentiers sont passés. Ils ont raboté les portes qui ne fermaient plus. Cela a recommencé. Mes parents ont fait venir plusieurs entrepreneurs, qui se sont gratté la tête. Même les architectes qu'ils ont consultés n'y comprennent rien. Jolie métaphore de cette demeure, qui a bravé le temps, forte de tous les secrets de famille qui tissaient la trame de sa structure. Depuis l'époque de ma grand-mère qui ignorait que sa mère était morte en la mettant au monde. Tu te rappelles ? J'avais appelé ma poupée favorite Dominique, du prénom de la morte, sans rien savoir de cette triste histoire. Et ma mère, qui ignorait que son père multipliait les aventures, au su de ma grand-mère ! Celle-ci allait chercher des pâtisseries quand les maîtresses venaient lui rendre visite et s'éclipsait obligeamment, tout l'après-midi, pour aller faire des courses en ville, le temps que mon grand-père fasse ses affaires...

» Pourtant, ma grand-mère était une femme intelligente. Une des premières diplômées de la Faculté du génie civil de sa génération. Comme quoi, on peut être brillante et surinstruite, mais sous-développée et sous-éduquée, sur le plan de la maturité affective et sexuelle ! Pas étonnant que mon grand-père ait eu mal au ventre toute sa vie... Il avait des débâcles diarrhéiques chaque fois qu'il allait se promener en voiture avec son meilleur ami, l'ambassadeur du Canada ! Nous en faisions des plaisanteries. Mais, maintenant que j'ai tant réfléchi, et tant évolué, je comprends à quel point il devait être mal dans sa peau d'homme, avoir la terreur de l'homosexualité. C'est toi qui m'as appris que ce genre d'angoisse existentielle pouvait être entièrement masquée par une colopathie fonctionnelle de type diarrhéique ! Qu'est-ce que cela devait le faire ch... ! Et à l'époque, pratiquement sans aucune chance de pouvoir en guérir, et mettre des mots sur sa souffrance !

» Et puis mon secret à moi ! Je me comporte dans cette famille à secrets et à tiroirs comme un chirurgien de l'âme, qui crève autant d'abcès enkystés. Plus rien ne m'arrêtera ! Les douleurs horribles que j'avais dans l'anus étaient tellement invalidantes que j'avais dû démissionner d'un travail que j'adorais, que j'étais incapable d'être une mère adéquate pour mon petit garçon, et que j'avais imposé à mon mari, mon amoureux, mon homme, l'homme de ma vie, une vie contre nature, asexuée, de femme frigide, rigidifiée dans toute la région sexuelle. Comme si j'étais morte depuis longtemps ! Morte de la mort de mes ancêtres morts-vivants, qui avaient toujours fait comme si ! Crûment, je te le dis, tout ce beau monde m'avait mis le feu au cul ! Tout était faux ! Tout était à décoder. Alors, ces lézardes sont bienvenues. Comme une métaphore, elles me rassurent que leurs constructions n'étaient que des constructions mentales, bâties sur du vent.

» Tu vas me dire, avec tout le poids de ta maîtrise en statistiques : "Coïncidences !" Oui, peut-être... Signes de jour ou accidents de la nature ! De toute façon, l'image de la maison pleine de faussetés qui se lézarde de toutes parts est une trop belle image pour que je ne m'y arrête pas, au moins comme s'il s'agissait d'un poteau indicateur, me soufflant à l'oreille de continuer ma quête... Après tout, il y a bien des gens sur la terre qui croient que nous faisons partie de l'univers, et non que nous sommes en dehors de celui-ci. Les arbres ne font pas de contre-transfert, m'as-tu dit de cette femme, violée toute sa jeunesse par son père, avec la complicité de sa mère, et qui allait hurler sa peine, seule, en forêt, en encerclant un arbre pendant qu'elle vociférait sa misère à la nature.

Mais ne peut-on concevoir que le matériel d'une maison résonne en vibrant avec l'immatériel des humains qui l'habitent ? J'ai lu un texte fascinant d'une psychanalyste marginale et créative qui raconte ses expériences de thérapie familiale dans la maison habitée par ces familles, où se passent des choses bizarres, celles qui rendent perplexes pompiers et policiers, menuisiers, entrepreneurs et architectes, comme dans la maison de mes parents. Lis *Parapsychologie et psychanalyse*, de Djohar Si Ahmed. Au minimum, tu te poseras des questions sur ces choses si peu scientifiques que ton premier réflexe serait de les rejeter comme folles... »

« Un jour viendra sans doute où j'irai à Banyuls... Je tiens encore à te dire à quel point ma quête de vérité auprès de ma maman est comparable au chemin de croix médico-technique que j'ai d'abord emprunté en vain. Ce fut un deuxième chemin de croix. En pire. Il a été dur, rocailleux. Il a déchiré mes entrailles durant des mois après mon premier accouchement. Des cauchemars incessants... le précipice... le trou qui se profilait sous moi à n'importe quel moment... Et ce sentiment de solitude face à la vie ! Ce sentiment que rien ne va plus et que personne ne veut m'expliquer pourquoi ! Une enfant perdue, à la recherche de son histoire contre la volonté de sa mère. Je pense que les douleurs de l'âme sont aussi terribles, voire plus démonstratives, pires, que certaines douleurs "physiques" qui en découlent. Je suis également sûre que, dans certains cas, la guérison est dans les mains, dans la tête, de la personne malade, et qu'il s'agit d'un processus, plutôt que d'un changement drastique induit par un médecin d'un coup de baguette magique. Le patient ne pourra guérir que s'il veut bien accepter cette baguette que le médecin lui tend... et en faire bon usage...

» Sur ce, je t'embrasse avec tendresse. Le taxi qui doit nous emmener à la gare est arrivé. Vive les vacances ! Et sans plus avoir le feu au cul ! »

Un courriel pour Pâques.

« Merci pour les jolies paroles que tu m'as envoyées.

» Le temps passe si vite... Je n'ai pas pu te dire combien je suis heureuse avec mes trois enfants. René est venu au monde le 20 décembre, presque comme un petit Jésus. Sans problème. "Dieu soit loué", il est né par césarienne, car il avait un nœud dans son cordon ombilical. Ce qui signifie qu'il serait mort si j'avais accouché par voie basse ! Comme quoi, mes hanches lui ont sauvé la vie... Décidément, rien n'arrive par hasard ! René ressemble très fort à son grand frère. Il a des yeux magnifiques. Il est déjà très expressif, et sourit beaucoup. C'est un bébé bonheur.

» Je suis si heureuse ! Je me sens complète ! Accomplie dans mon rôle de mère et d'épouse... Mon mari et moi vivons un grand bonheur, et je pense régulièrement à mes deux parrains spirituels ! Mes racines me font encore parfois souffrir... Elles hantent encore certaines de mes nuits... Puis, le calme revient, et je me dis qu'un jour, quand je serai moins accaparée par les miens, je prendrai le temps de me consacrer un peu de temps.

» De tout mon cœur.

Vanessa »

CHAPITRE IV

Fragments
d'une auto-analyse corporelle

« Je ne suis pas capable de vous le dire... Alors, je vous l'ai écrit... » Et de jeter sur mon bureau une liasse de feuilles.

Depuis la mort de sa mère, elle a développé une maladie de Crohn. Étrangement, elle se sent coupable de la mort de sa mère. Ni elle ni moi ne comprenons pourquoi.

Elle tourne les talons, sort de mon bureau. Me laisse seul avec ses écrits.

Elle y parle d'abord des désirs incestueux que son père a eus pour elle. Elle avait refusé ses avances avec indignation. Il ne l'avait pas touchée. Incestueux, mais pas abuseur... Un peu plus loin, elle raconte la mort de sa mère.

Ce jour-là, écrit-elle, elle s'était levée de « bonheur ». Non pas à une heure matinale, de « bonne heure », mais de « bonheur ». Impossible à dire, cela.

Ainsi de cet homme qui souffre depuis longtemps d'une douleur lancinante dans son ventre. Face à mon diagnostic présumé de colopathie fonctionnelle, il refuse catégoriquement toute forme d'examen. Il refuse aussi l'épreuve thérapeutique qu'aurait été pour lui la prise des rares médicaments vaguement utiles pour son problème, et disponibles sur le marché, malgré leur important effet placebo. Il ne veut même pas que je détermine le rythme des rendez-vous destinés à « l'amadouer » ou, comme le disent les médecins, le rendre plus « compliant ».

Mais il veut me revoir… À son rythme… C'est lui qui prend ses rendez-vous, sans me consulter, en fonction de mes disponibilités connues par le secrétariat… Bref, il m'empêche d'être médecin… Il est psychologue et travaille en entreprise.

Il écrit beaucoup, seul, chez lui… Il se contente d'écrire.

Et moi, de lire ses paroles écrites. Les voici, dans l'ordre, non d'écriture, mais d'arrivée ! J'ai choisi, pour raconter le récit du cheminement de Jacques, de reprendre ses textes en respectant la séquence où il me les a apportés, plutôt que de tenter, de façon futilement cérébrale, de reconstruire la chronologie cartésienne de ses réflexions et de sa pensée. Verbatim. Comme s'il s'agissait de libres associations, de type analytique. Je n'ai pas tenté de lui imposer de projet thérapeutique. Je n'ai pas tenté non plus de comprendre le cheminement de sa pensée qui, je le trouvais, partait parfois dans tous les sens. Même si chaque fragment de sa réflexion avait, en soi, une grande cohérence. J'ai seulement tenté, avec cet homme, de rester intensément présent à chacune de ses visites dont lui seul déterminait le rythme et le moment. Totalement à son écoute, dans la transparence et l'acceptation inconditionnelle.

Et… il a guéri… Même si je n'ai compris ni pourquoi ni comment…

L'histoire et le devenir de Jacques illustrent admirablement la pensée bouddhiste qui veut que le but soit le chemin. Si j'avais tenté de trouver un sens à ses écrits, j'aurais dû passer et repasser à travers eux. Probablement des années durant d'analyses, que certains décriraient comme interminables. Il m'a fallu, et il faudra peut-être à quiconque tentera de suivre le chemin de Jacques à travers ses écrits, une grande exigence pour marcher dans l'inconnu, seul avec son irrationalité. Quitte à parfois s'essouffler et avoir la tentation du découragement qui survient face à une impuissance incompréhensive. Mais avec, parfois, des pépites de lumière, de fulgurants apaisements de la douleur. Avec, sans avoir eu ni promesse préalable ni garantie de succès, une guérison qui, *a posteriori* seulement, a totalement justifié le cheminement de Jacques et mon *fiat* à son choix.

Que le lecteur ne se décourage donc pas, comme j'en ai eu plusieurs fois la tentation, faute de pouvoir faire un accompagnement inconditionnel sans balises, sans le garde-fou de la compréhension. Ces balises, en me maintenant, moi, dans mon cadre, l'auraient empêché, lui, de guérir. Nous verrons plus loin, dans la seconde partie du livre, que ce méli-mélo de réflexions sur son corps « pensé », que Jacques m'a jetées en pleine face, faisait profondément sens. De manière totalement cohérente.

Le temps passe

Je suis déjà passé par ce chemin.

Il y a bien longtemps.

Je me souviens à peine des détails, tellement le décor est transformé par la progression du fleuve. Qui ne cesse de gruger la rive à petit feu.

Nous suivons un chemin.

Je ne suis pas seul. Nous sommes plusieurs en file. Dans l'eau. Dans la boue. Un vrai désastre. Le temps a permis à quelques roches et terrains glaiseux de retenir certaines demeures. Une vieille église a subsisté sur une roche. Un villageois, devenu riverain malgré lui, s'est fait une rampe pour accéder à la route. Un magasin s'est retrouvé isolé au milieu de l'eau, qui a fini par l'entourer, les enseignes toujours vivantes. On y voit aussi des maisons abandonnées. Ses occupants ont tenté de résister jusqu'à la dernière minute. On sent même qu'ils entretiennent encore le secret espoir d'y retourner, sans même y demeurer.

La même folie m'a poussé à demeurer dans ma ville

natale aussi longtemps. Opprimé. Battu. Abusé. Je continuais à prendre ce même chemin, alors que les flots envahissaient et empoisonnaient de plus en plus ma vie. Un seul espoir. Profiter au maximum de ses atouts pour partir loin. Et ne plus y revenir, puisque la vie y serait impossible.

Pourquoi, cette nuit, ce détour sous forme d'un rêve ? Regarde aujourd'hui ce que tu as construit loin de ces rives fragilisées par les marées... Je me sens comme cette vieille église perchée sur son rocher. Ceux qui l'ont construite avaient choisi le terrain avec expérience. Certains de leurs prédictions. Contrairement à ces voisins, qui s'étaient fiés aux apparences lointaines et rassurantes du son de l'eau frappant sur la rive éloignée. Ce même son avait suscité en moi la crainte de ne pouvoir m'édifier. Symbole de la résistance humaine. Je suis parti. Lorsque je retourne là-bas, à l'occasion, je vois bien que le processus empire et que la situation se dégrade, d'une visite à l'autre. Suicides, toxicomanie, pauvreté, désespoir, amertume sont tangibles là d'où je viens.

(24 mai 2003)

Une averse insensée

Cet autre rêve commence au milieu d'un chantier particulièrement délabré. Des roches sont parsemées au milieu de la rue et des trottoirs. Il s'agit des restes de bâtiments en ruine. On peut imaginer le début d'une construction inachevée. Des gens errent dans les rues. Ils se sont improvisé un abri. Une de ces personnes, une jeune fille, secoue ses couvertures étalées sur le sol et fait tomber des fioles de verre. Elle est avec un garçon qui semble, lui aussi, chercher des fioles encore utilisables. Mais ils ne trouvent rien. Quelques instants plus tard, je me vois en train de discuter avec la jeune fille. Elle me demande si je sais où elle pourrait trouver de ces fioles. Ou si j'en ai. Je lui réponds que j'en possède, contenant un liquide blanc. Elle répond qu'elle n'en veut pas, qu'elle cherche des fioles d'héroïne, pleines de liquide transparent.

En écrivant ces lignes, je m'aperçois évidemment que j'offre à cette fille un liquide qui a l'apparence du sperme. Elle refuse de satisfaire mon besoin d'affection, comme ma mère a toujours su le faire. Et je ne m'attendais pas à autre chose. Je ne m'attendais pas à mieux que ça. La fille ne m'attirait même pas. Mais je devais me faire rejeter. Par besoin de l'être, comme bien des gens se font aimer par conditionnement intérieur.

J'entends, par la suite, un grondement. Je sens le sol vibrer. Je lève la tête pour tenter de comprendre ce qui se passe. À ma droite, je perçois le dessus d'un énorme silo qui est, en fait, une bouilloire. Elle vibre, craque, prête à exploser. Je cours dans la direction opposée, en criant à tout le monde de se sauver : « Ça va exploser, protégez-vous ! » Mais je sais que je n'aurai pas moi-même le temps de m'éloigner suffisamment. Je trouve alors la cour arrière d'une usine d'assemblage de pièces de métal. D'énormes pièces inachevées traînent un peu partout. J'en choisis une et me glisse sous elle. J'ai à peine le temps de me mettre à l'abri que l'explosion se produit. Quelques instants plus tard, c'est une pluie d'objets qui s'abat sur le sol. Des bouts de tuyaux, des morceaux de roches, des fragments de métal. Une chance que je sois sous cette pièce, assez solide pour supporter cet impact, même si elle ploie un peu sous le poids des débris. La largeur insuffisante de la pièce me force à me recroqueviller, mais je crois bien être tout de même à l'abri. J'aperçois soudain des gens, un peu plus loin, en imperméable, qui se dirigent vers moi. Oui c'est ça, ils viennent me sortir de cette impasse ! Mais eux sont bel et bien protégés de la pluie, et aucun objet ne les frappe. Je me réveille.

En y réfléchissant bien, j'ai offert à une toxicomane une relation sexuelle. Elle l'a bien refusée, et avait raison de le faire. Mais elle m'a transmis son *bad trip*, son mauvais « voyage ». Encore le conditionnement d'une relation misérable où je me fais mal, par amour. Une véritable révélation multiple. Comme s'il y avait plusieurs façons de se planter en amour, quand on ne sait pas corriger la base de notre malheur. Ça me dit tout haut : « Tu n'as rien corrigé à ce niveau, Jacques, ce n'est pas parce que tes choix sont différents que tu changeras la destinée de ton avenir. »

(14 septembre 2003)

Mon amie « Ma »

Un jour d'avril, je trouve dans ma boîte vocale, au courrier du bonheur, le message d'une dénommée Marlène. Elle se décrit brièvement. Et me laisse son numéro de téléphone. C'est le début d'un épisode de ma vie que je n'oublierai jamais ! J'ai encore grandi. Je constate à nouveau à quel point nous répétons sans cesse nos conditionnements. Comme si la gestion de nos sentiments était une roue sans fin.

Au fur et à mesure que la relation évolue, elle me répète des choses que j'ai déjà entendues. Comme lorsqu'elle me dit que je suis un personnage patient, téméraire et tendre. Elle ajoute cependant que ma conduite est démesurément « élevée » et que cela frise le masochisme. Je réponds à ma façon. « Ça ne m'a même pas fait mal. Tu dis que tu m'as agressé. » « Ah oui ? Où ça ? Quand ça ? Je ne suis pas masochiste. Je suis aveugle. Le senseur de ma personnalité est défectueux. »

Et elle, que pouvais-je en dire à ce même stade ? Je savais qu'elle avait été abusée sexuellement par son père. Ce « petit manège », ces vilaines « manières », comme on peut les lire dans le compte rendu de certains procès à sensation, avait commencé, dans sa mémoire, quand elle avait quatre ans. Et cela avait duré jusqu'à ce qu'elle atteigne l'âge de dix-sept ans ! Lors de nos rapports sexuels, je réactivais quelquefois ses souvenirs par mes caresses. Elle n'avait, bien sûr, jamais trouvé de plaisir à se faire tripoter par son père. Je la sentais alors se contracter. La suite des événements, ces jours-là, nous amenait, plus souvent qu'autrement, dans un cul-de-sac.

Ses cauchemars devenaient plus fréquents et plus intenses. L'émotion qui s'ensuivait ressemblait à de la haine. Qui ne m'était pas destinée. Mais qu'elle m'adressait. À ces moments-là, nous pouvions rester plusieurs jours sans nous voir. À sa demande.

La fuite devenait une réponse à cette peur engendrée par son lourd traumatisme. Peur de l'engagement. Peur d'aimer. Peur d'être abandonnée. Peur de domination abusive. Peur de perdre cette solitude si reconstructive. Peur d'avoir mal. Bref, je n'étais, finalement, pas si aveugle que cela... Mon « senseur » était plutôt bien habitué à comprendre. Mais il est, je crois, étouffé par la rationalité. Par l'objectivité. La perception approfondie. C'est une forme d'hypersensibilité. Un héritage, je crois, particulier à l'expérimentation de la confrontation et de la souffrance.

Je crois que le jour où elle m'a traité de masochiste, c'est de cela qu'elle parlait. Y a-t-il quelqu'un qui écoute ? Eh oui, j'avais tenté de la comprendre. J'avais élaboré une explication qui rendait ma tolérance anormale à ses yeux. Ai-je raison de « croire » tant de choses ? Un jour, elle m'apprend que j'ai tendance à être un « dépendant affectif ». Suis-je « affectueux » ou « dépendant affectif » ? Ces nombreuses ruptures qu'elle m'avait imposées, au cours de seulement quatre mois et demi de relation amoureuse, commençaient à me rendre triste. Elle savait si bien caricaturer mon allure que c'en était drôle, même dans les pires moments. Je crois que c'était encore une façon de me dire que c'était agressant d'être aimé. Il y en a même qui « tombent » malades quand, enfin, tout va bien. « Victimes » du bonheur, qui rend malade. Il est cependant important que j'approfondisse cette critique, compte tenu du passé dont moi-même j'ai hérité.

Jusqu'où est-il démesuré d'exprimer mon affection ? Le labyrinthe des sentiments est une usine à répétitions !

(22 novembre 2001)

Le confrontalisme est contagieux

Si Simone de Beauvoir et Jean-Paul Sartre furent des grand adeptes de l'existentialisme et qu'Edgar Morin adhère à un mode de vie qu'il appelle lui-même le jovialisme, eh bien moi, je suis un « confrontaliste ». Mon modèle, c'est la confrontation. Grâce à elle, je m'épanouis, je gagne en maturité. L'autodiscipline, la critique, la gestion d'une condition médicale, l'épreuve imposée ou recherchée, et bien d'autres moteurs émotionnels sont pour moi des outils qui me permettent de me découvrir.

Sans confrontation, je mourrais. Mais contrairement aux existentialistes et aux jovialistes, je n'ai à convaincre personne d'adhérer à ma façon de vivre. Je n'ai qu'à me confronter à eux. Et à les forcer à me reconnaître par la suite...

(7 juin 2003)

La prostvictimisation

On a, jusqu'à maintenant, bien défini la prostitution. Mais sommes-nous sensibilisés au fait que perdre pour donner de l'affection, cela devrait aussi porter un nom ? La victimologie englobe un trop grand nombre de sujets. Je l'appelle donc la « prostvictimisation ». La perte de moi-même n'est que ma motivation. Sa récompense transite par le même procédé que chez une putain. Il confirme un conditionnement antérieur. De la même façon que la prostitution.

J'ai, en effet, tendance à m'associer à des femmes, qui me volent une partie de moi-même. Et ce n'est pas le prix à payer ! C'est une condition recherchée inconsciemment. Je m'efforce donc de travailler cette facette de ma personnalité et je déplace progressivement des pions. Par expérience, je gagne à jouer aux « échecs ».

(3 mars 2003)

Échec par effet miroir

Vous est-il déjà arrivé, en jouant aux échecs, de décider de bloquer systématiquement votre adversaire sur tous les fronts plutôt que de chercher à éliminer ses pièces ? Mathématiquement parlant, il vous sera impossible d'éliminer la dernière possibilité qui lui restera. Mais s'il ne lui reste qu'une seule possibilité, il vous sera possible d'enclencher votre victoire automatiquement. Cet exercice exige d'utiliser notre empathie pour nous défendre. Notre capacité à comprendre l'autre nous permet d'anticiper sa réaction. Cette faculté, qui nous rend sociable, attirant, respectueux, devient tout à coup une arme. Il faut de plus jouer à se protéger pour ne pas se faire manger ses pièces. En outre, il ne faut pas dire à l'autre que nous jouons de cette façon. Le silence est de mise. N'oublions jamais de demeurer dans notre peau en nous glissant dans celle de l'autre.

Les deux dernières femmes que j'ai fréquentées, Luce et Marlène, sans se connaître m'ont dit la même phrase : « Personne ne m'a jamais mise autant que toi dans la confrontation. » Pourtant, je ne me suis jamais mis en colère contre elles. Je ne les ai jamais harcelées. Elles rajoutaient en plus que j'étais « un bon gars »… Après réflexion, et une réflexion qui m'a pris beaucoup de temps, j'en suis venu à la conclusion que j'avais été le reflet de leur image, par mon côté positif, ma compréhension et mon empathie. C'est pourquoi elles me disaient toutes les deux que j'étais « un bon gars ». Quant à Madeleine, j'ai fait la même chose avec elle. Elle semblait complètement déboussolée lorsque je l'ai quittée. Six mois après la rupture, elle était mise en arrêt de travail pour dépression. Luce, un an après notre rupture, vient aussi de tomber en arrêt de travail, également pour dépression. C'est seulement alors qu'elle m'a dit cette phrase. Quant à Marlène, à la voir aller, elle semble déroutée, une vraie crise dans son existence.

Il s'agit en fait, chez moi, d'un mécanisme de défense bien subtil. Je change les règles de base des relations humaines sans le dire. D'où me vient cette façon de m'attaquer à l'autre ? Je crois que la réponse se trouve dans mon enfance, dans ma famille. Comment pouvais-je alors me défendre contre plus grand et plus fort que moi ? Comment pouvais-je interroger qui que ce soit, étant donné l'abus de pouvoir, la cruauté mentale, l'hypocrisie qui régnaient dans ma famille ? Je serai le miroir de ton visage ; lorsque tu t'y verras, l'effet de surprise te déconcertera ! Et...

(15 janvier 2002)

Mon deuil affectif

Je me suis aperçu, en bavardant avec mon amie « Ma », qu'elle avait répondu par la négative à un ami qui lui recommandait de se teindre les cheveux.

Dans sa famille, en effet, on commence à avoir des cheveux blancs à un très jeune âge. Elle a seulement trente ans et elle commence déjà à en avoir. Lorsque je la fréquentais, je la trouvais très bien comme elle était. Mais son nouvel ami, Marc, semble d'un autre avis. Il conditionne son amour à ce petit changement. Réponse de « Ma » : « Prends-moi comme je suis ! Ou fais ton deuil de moi ! » Étant donné les mauvais traitements qu'elle a subis dans son passé, elle n'en a pas fait le deuil. Elle exige donc qu'on ne lui impose pas de conditions pour les choses dont il aurait été légitime et naturel de bénéficier durant son enfance. Elle est bloquée. Là. Loin dans le passé. Cela, je l'ai bien compris, pendant que je la fréquentais.

Mais pourtant, dans ce cas-ci, ce n'est pas son père qui lui demande de teindre ses cheveux. C'est une personne externe à sa cellule familiale. Il veut l'aimer, mais lui impose une concession. Une simple et petite concession. Une première ! Et la réponse est non. La porte nécessaire pour que je puisse débuter mon deuil affectif vient de s'ouvrir.

Comme une révélation ! Je me trompe peut-être, mais j'ose essayer tout de même. Si je prends un miroir et quelques photos de moi... En me regardant attentivement, comme un étranger que je croise dans la rue... Quelle est ma première critique ? C'est ma calvitie qui me frappe de plein fouet. Je me dégarnis de chaque côté en « V ». Avec un centre touffu qui n'améliore pas l'attrait que je dois pouvoir dégager si je veux devenir un homme séduisant.

J'ai donc débarqué dans une clinique esthétique et j'y ai acheté mille deux cents greffons ! L'opération a eu lieu le 19 décembre. Je ne l'ai cachée à personne. Tous les gens m'ont soutenu dans ma démarche, sauf une personne qui m'a demandé si j'étais une « tapette ». Je ne peux faire le deuil de mon passé sans briser la mécanique actuelle de blocage qui y est associée.

Ai-je bien fait ? L'avenir me le dira ! J'aurais pu payer comptant l'opération de trois mille trois cents dollars, mais j'ai pris un prêt. J'ai horreur des prêts. Ça me coûte deux cent soixante-quinze dollars tous les mois. Et cela pendant un an ! Et tout cela, pour me rappeler que je valais ça ! Mon estime de moi-même vaut bien ces montants. Je les mérite !

(15 janvier 2002, encore)

Le délire de l'amour
On n'appartient à personne
Tant pis même si ça étonne
Nous y sommes tous tombés un jour
L'éternel rêve d'un impossible amour
Il n'émettra qu'un seul cri
Lors de son agonie
L'amour se cache pour mourir
Comme l'envol d'un souvenir
Nous voyons mais refusons d'y croire
Ce sera pourtant son dernier espoir
Personne ne s'étonne qu'un jour
L'amour crie son agonie, car mourir
Sans souvenir, c'est croire sans espoir
Et nul ne s'en souvient !!!
La diversité en amour de toute façon, c'est pareil !

(Sans date)

Je cherche

Puisque vous m'avez demandé de chercher dans ma vie la cause des crampes que j'ai dans le ventre, je cherche. Je cherche. En vain. Une nuit, je me réveille avec cette fameuse crampe. Tellement douloureuse ! Je ne trouve aucun lien avec quoi que ce soit. Je me rendors. Tout ce qui me vient à l'esprit et peut avoir été stressant, c'est l'histoire de la secrétaire qui m'a crié dessus.

Par la suite, je fais un rêve. Je rêve de chats. Des dizaines et des dizaines de chats. Ils me sautent au visage, à chacune de mes sautes d'humeur, ou à chaque fois que je veux sortir de la maison familiale. Dans mon rêve, je ne peux donc pas sortir de la maison. Et je ne peux pas être moi-même. Il est clair que mes deux frères aînés représentent pour mes parents leur continuité. J'étais le petit dernier, non désiré, qui avait dérangé leurs plans. Qui, tantôt devait mourir en ayant l'air d'être mort naturellement, tantôt devait payer le prix de ne pas être mort.

J'étais, je crois, le témoin dérangeant de ma mère et le stabilisateur d'émotions de mon père en déroute. Lorsque j'étais petit, je disais à mon père que je serais conducteur de locomotive. Il me répondait qu'il faut être ingénieur pour faire ce métier. Un peu plus tard, je lui ai dit que je voulais devenir monteur de lignes à Hydro-Québec. Et là, selon mon père, je devais être technicien diplômé en électronique. Je n'en sortais jamais, c'était un collège ou un diplôme universitaire.

Mes parents m'aidaient à payer mes études, mais ils ne me permettaient aucun superflu. Quant au petit revenu que je pouvais obtenir avec un boulot d'été, il était impératif que je l'investisse dans mes études uniquement. De cette façon, ça réduisait leur contribution. La rationalité étouffait ma vie. Une vraie torture ! Deux paires de jeans et des T-shirts usés... Et je devais me battre pour changer mon manteau d'hiver... On l'achetait toujours au rabais. En spécial, comme ma mère disait. Ces vêtements n'étaient pas isolés contre le froid. Je gelais toujours.

Mais que s'est-il passé ? D'abord, ils ne voulaient pas de moi ! Ensuite, ils ne voulaient plus que je les quitte ! C'est un véritable paradoxe ! Et comme tous les paradoxes, ça cache quelque chose.

Dans la suite de mon rêve, je vois un couple d'Asiatiques assis dans une espèce de chaise pivotante, côte à côte, tantôt la tête en bas, tantôt la tête en haut. Ils se balancent ensemble et roulent sur tout ce qui pousse dans un beau jardin. Je leur demande pourquoi ils font ça. Calmement. Ils se justifient d'un sourire. Je les suis en parlant. À la fin du rêve, ils sont sur un buisson carré, qui ne bronche pas sous leurs poids. Ils ont alors chaviré avec leur chaise, en riant aux éclats avec un évident plaisir.

(9 avril 2002)

Les zones noires

Il y a dans ma vie de longues périodes durant lesquelles je n'ai rien à dire. Un véritable silence s'installe dans ces moments. Il peut durer des semaines. Je me sens alors insécure, en l'absence de cette dynamique qui m'a tant servi à survivre. Seul, au milieu d'un désert. Mais je sais aussi qu'elle ne s'est qu'assoupie en moi. De qui est-ce que je parle comme ça ? Voilà la meilleure façon pour moi de la décrire. En son absence, je sens une pauvreté en moi. Je me sens délaissé. Elle n'assume plus une partie de moi-même. J'ai peur de commettre l'erreur de l'incohérence, de celle qui exprime notre complicité. Je me tais. Je ne peux manifester mon existence que par les acquis, les chemins déjà tracés. Je me conforme. Je cesse créativité et exploration… Je meurs sans elles… C'est alors le test ultime, où elle comprendra que l'éducation transmise à ma conscience aura porté ses fruits. Le procès de l'incohérence, qui me guette, demeure une menace pour ma conscience. Privée de son énergie, elle n'investira plus dans un corps corrompu, où elle ne trouve plus de place pour s'épanouir. Son siège est vide, mais doit demeurer propre... Son expérience m'est chère et essentielle. Elle a l'âge de la terre et ne connaît pas de limites. Elle me semble avoir traversé toutes les formes de vie et en avoir exploré leurs sens. En sa présence, je suis au milieu d'une odyssée. Dans la nature, je la sens vibrer. Au fond du lac, en apnée, c'est l'extase en elle. Elle se sert de mon corps pour revivre elle-même.

(Sans date)

Torture

Si j'ignore ses maux, qui sont ses mots, je forcerai mon corps à parler plus fort...

(Sans date)

Introduction

Nos échanges, docteur Devroede... Nos échanges, entre vous et moi, en fait, sont une réflexion sur la douleur et sur le processus de la guérison. Depuis que l'être humain existe, nous construisons et détruisons, pour ne garder que ce qui reste valable d'une époque à une autre. Mais les guerres, les croyances fanatiques et les caprices de la nature ont cicatrisé notre passé. D'une certaine épopée de la race humaine, il ne subsiste que quelques mots, quelques mystères. Il n'existe pas de mémoires et d'index précis sur le passé de cette grosse roche en suspension dans l'espace qu'est la terre. L'émotion caractérise bien l'existence animale et végétale, qui s'y est implantée avec le temps.

Nous devons réinventer, quelquefois, ce qui semble avoir déjà existé. Mais les traces laissées par une langue, un fossile, une roche, une œuvre, un document, une culture, un mythe, nous permettent de reconstruire.

Comment peut-on expliquer que dans la langue française, le vocabulaire qui permet d'exprimer la douleur (les maux) a la même consonance que celui qui désigne une expression pour communiquer (les mots) ?

À l'origine, ces symboles phonétiques ne se seraient-ils pas croisés dans la pensée de nos ancêtres ? Se pourrait-il qu'ils aient, eux aussi, constaté que le corps parlait de par sa souffrance, quelquefois ? Et l'analyse de ce langage, qui a osé l'oublier, qui a provoqué son oubli ? La science ne s'est-elle pas développée par l'obligation d'une preuve ? En effet, elle devait faire son propre procès pour être entendue et survivre à sa condamnation ! Le ridicule, la persécution dogmatique et l'ignorance sociale n'ont permis à la science de n'exploiter que ce qui était prouvable. Un sentier s'est alors tracé, où tous marchent sans trop oser l'élargir.

Eh bien, moi, je me sens au milieu d'une forêt, ne sachant où marcher. Permettez-moi de vous faire faire une randonnée avec ma seule et simple boussole comme guide. Allez ! Osez me suivre et vous perdre à l'écart de votre chemin...

(Sans date)

Essai de psychosomatique

À mon avis, cette psychosomatisation est plus qu'un symptôme bête, c'est une science. J'expliquerais ses premières oppositions, dans ma vie, durant mon enfance. En effet, j'étais anorexique et la faim faisait partie d'une souffrance quotidienne. Je ne mangeais presque pas, mais je tenais debout. J'explique la présence de cette vigueur par la maîtrise de l'énergie générée par la souffrance de la faim. Je crois que la faim est la première chose de la psychosomatisation. Dans ce cas, elle est bénéfique.

Mais on la remarque surtout lorsqu'elle est néfaste parce que nous ignorons cette facette de notre organisme. C'est un peu comme oublier un outil en marche. Dangereux !

(9 avril 2003)

La banquise

Voilà. Mon deuil affectif est commencé. Pareil à une révélation, il m'est apparu dans une relation qui tente de démarrer. Où est rendue cette carence affective qui animait toutes mes émotions ? Et qui permettait à ce petit enfant en moi de trouver un refuge d'amour à travers celle qui ouvrait ma porte ? Je la vois au milieu de l'océan, pareille à une banquise à la dérive. Je suis de glace. La fille se plaint de ma froideur, et je suis impassible. Je lui réponds que le temps sera le remède à ses attentes, mais ça ne la rassure pas du tout.

Mais où échouera ce module de ma pensée qui a si longtemps dominé ma vie ? Voilà la seule inquiétude qui me reste...

(9 avril 2003, encore)

Je cherche encore

J'en viens à la conclusion que je n'ai pas un problème, mais des problèmes.

S'il est vrai que mon gros intestin est irritable à cause de mon passé difficile... Mais la dernière crampe que j'ai ressentie m'a convaincu que le problème pouvait être mécanique aussi. À trois heures du matin, une nuit durant, mon gros intestin s'est mis à me faire mal. C'était épouvantablement douloureux. J'ai bien essayé de masser mon ventre pour améliorer la circulation intestinale, mais rien ne fonctionnait. J'ai alors posé la main au niveau de de mon gros intestin. Tandis que je tentais de résister à la douleur, j'ai senti avec ma main une bosse passer subitement. Comme un boyau qui se gonfle et se dégonfle. Un boyau collé qui se décolle subitement pour laisser échapper son contenu pressurisé.

Quel examen pourrait vous convaincre de me rassurer ? Est-ce normal ? Vous me demandez de chercher une cause mentale à mon stress. Mais cette bosse que j'ai sentie, elle était dans mon ventre ! Pas dans ma tête ! Si la constipation et l'irritation étaient toujours la cause de ma douleur, la libération de la pression se ferait progressivement et sans présence d'un vide suffisant pour contenir le reflux de son contenu. Je crois que mon intestin n'est pas plié mais tordu. Cette situation favorise le collement en période de moins grande abondance de contenu. Lorsque la digestion se fait, elle accumule le produit à l'arrière du collement pour deux raisons, soit que je sois constipé, soit que j'aie jeûné. Si j'ai jeûné, un vide se forme dans l'autre partie de l'intestin. Ce qui explique le reflux que j'ai ressenti.

Allez-vous cesser de penser que je souffre d'un mal imaginaire ?

(9 avril 2003, encore et toujours)

Note d'évolution

Le patient reste symptomatique cliniquement, mais la fréquence de ses épisodes douloureux a clairement diminué. En outre, il lui est devenu évident que, dans des moments de bref répit, il est devenu asymptomatique. Il n'a pas encore réussi à mettre en évidence une corrélation entre les périodes de douleur abdominale, les périodes de grâce et les événements qui jalonnent sa vie au quotidien.

J'ai trouvé ce que je cherchais

Ce souvenir est très vague et lointain dans ma tête, mais la souffrance est réelle. C'est l'époque où je ne savais que pleurer pour communiquer. J'étais encore bébé. Ma vision était floue. Je ne voyais que des ombrages. J'avais l'habitude de percevoir l'arrivée de quelqu'un par la réduction de la lumière au-dessus de moi, lorsque j'étais couché sur le dos. Mon réflexe alors était de joie, car je savais que j'aurais de l'attention. Cette référence fait partie du souvenir qui m'a révélé un événement grave.

Quelque part dans le temps, le jour ou la nuit, je ne sais trop. Je crois que je dormais couché sur le ventre.

Mais c'est trop vague pour que je confirme ce détail. J'ai senti une douleur vive à l'endroit précis de ma présente crampe dans mon ventre, du côté droit en bas des côtes. Je me souviens de ce pleur retenu par mon souffle coupé. Ça faisait mal dans mon ventre même après cet événement. Mon souffle coupé me fait comprendre que cette douleur avait été précédée d'un premier bousculement. Un bousculement étouffant, mais sans douleur insoutenable comme le deuxième geste.

Ma mémoire me parle. Elle me dit aussi que je redoutais la position assise. En effet, bien des moments plus tard, lorsque ma mère m'asseyait pour me changer, je sentais cette douleur sous la tension occasionnée par les replis de mon ventre en position assise. Il manquait ces morceaux à mon casse-tête pour comprendre. Ma mère avait un autre bon motif pour demander à sa propre mère de prendre soin de moi. C'est ma grand-mère qui s'est occupée de moi durant les six premiers mois de ma vie. Ma mère prétendait s'être « crevé » le ventre et avoir subi une opération pour cette hernie. Si ces faits sont véridiques, ils n'expliquent pourtant pas ce long séjour chez mes grands-parents. Selon la perception de ma grand-mère, elle avait dû s'imposer à mes parents en débarquant à l'improviste chez eux. Elle est repartie avec moi. En plus, ma mère refusait de me voir, selon les dires de ma grand-mère. Je crois que c'était encore une mauvaise perception. Il est vrai qu'elle voulait une fille et que la nature lui avait fait la bonté de lui donner un fils. Moi ! De plus, il est vrai que j'étais un accident mais là encore, ça sonne faux… Il est encore vrai qu'elle a souffert d'hémorragie et qu'elle a failli me perdre, et ça aussi c'est faux… Je me perds un peu dans mes pensées… Elle a de plus accouché de moi, à l'improviste dans la maison familiale. Une femme qui a eu deux autres enfants sait très bien reconnaître les signes d'un accouchement imminent, tout de même ! La vérité se trouve peut-être dans le comportement de mon père. Aussi loin que je me souvienne, il n'a jamais toléré mes pleurs. Il a fait comme si je n'existais pas, jusqu'à ce que j'aie dix-sept ans. Après mon opération du cœur, j'ai senti de sa part les premiers gestes de compassion. Seulement alors ! Et j'avais déjà dix-sept ans ! Ma mère me protégeait de lui à sa façon. Il l'a probablement battue, lorsqu'elle était enceinte. Il mettait ainsi ma vie en péril. Elle avait compris que ça ne se passerait pas comme avec les deux premiers. Mon père avait changé. Il lui avait montré qu'il avait un côté dangereux. Elle a donc décidé de me cacher chez sa mère. Elle n'osait pas expliquer à sa propre mère que son mari était devenu dangereux.

Je ne crois pas qu'elle m'aimait. Mais elle me tolérait beaucoup plus que mon père. Elle voulait surtout que je ne devienne pas le motif de sa perte, par le geste fou que mon père menaçait de commettre sur moi. J'étais né et vivant. Elle n'avait pu éviter la présence d'un médecin avant ma naissance. Le médecin de famille avait dû être appelé et m'avait mis au monde. Je ne pouvais être mort-né et si je devais mourir, ça questionnerait suffisamment les autorités pour qu'une autopsie révèle des doutes à mon sujet.

Ma grand-mère a fait le geste d'affronter ma mère en me rapportant chez elle. Elle devait maintenant être la complice silencieuse de mon supplice.

Un jour, j'ai écrit un texte : « Papa, bobo, bague. » Il relate un souvenir, qui remonte à l'époque où j'avais à peine neuf mois. Ma mère en est devenue toute pâle lorsque je le lui ai lu. Elle m'a dit : « Impossible ! Tu ne peux pas te souvenir de ça avec autant de détails ! » Comme si le souvenir d'autres événements eût été encore plus troublant ! Mais à quels événements pensait-elle, m'étais-je demandé en la voyant sursauter. Elle cachait quelque chose. Non pas plusieurs événements, mais seulement celui que ma mémoire vient de me révéler. Un événement grave, qui aurait pu inculper mon père.

Durant ce que je crois être une nuit, j'ai été frappé par mon père avec un objet pointu. Je crois que j'ai reçu deux coups. L'un traversa ma poitrine, autour du cœur, possiblement par le dos. Aussitôt, ce premier coup donné, je me suis replié de côté en positon fœtale pour me protéger, le deuxième coup atteignit mon côté droit et transperça mon ventre de côté. De là, la douleur insoutenable et mon souvenir.

Le poème que je vous ai confié parle de mon état d'âme. Il parle de cri de détresse et d'agonie, de délire, qui était probablement celui d'un amour fou entre deux êtres. Mon dernier texte en est un, qui oriente le dossier que nous pilotons ensemble depuis un an et demi au milieu des nombreux examens que vous me faites passer. Je sentais que ça me dérangeait. Je vous ai dit que je retournais à la case départ. Eh bien non, c'était le signe que mon inconscient avait décidé d'enfin révéler son secret.

Comment peut-on laisser un enfant de dix-sept ans agoniser à l'hôpital après une opération du cœur ? Mes parents connaissaient l'origine de ma supposée malformation. Ils n'étaient pas indifférents. Ils avaient peur que le chirurgien ne découvre les traces de mon agression. Ils ont donc attendu, cachés chez eux. Mon père était très nerveux. Pas parce que son fils allait subir une intervention chirurgicale majeure ! Non, il avait peur de la vérité et se culpabilisait en même temps ! Il a été témoin de la bataille que j'ai menée pour survivre. Il s'est découvert de la compassion à mon égard.

Je ne crois pas que ce soit la rationalisation qui me pousse à vous écrire cette lettre. Ce souvenir m'explique bien des choses et des comportements. Ma mère m'a confirmé le souvenir de ce qui s'est passé quand j'avais neuf mois. Quand mon père m'a frappé ct que je disais : « Papa, bobo, bague. » Ces trois mots sonnent dans ma tête avec trop de vérité pour être faux. Ils m'ont poussé à vérifier mes souvenirs auprès de ma mère. J'ai moi-même été surpris d'apprendre l'âge que j'avais lors de l'agression. Je lui ai donné tous les détails parce que j'étais réveillé ce coup-ci. Mais là, ce n'est qu'un souvenir d'événements flous et douloureux.

Que s'est-il passé cette fois-là, si ce n'est ma déduction, même si elle est rationnelle ? Après tout, la vie est composée d'événements rationnels et irrationnels. Comme mon texte.

(21 avril 2003)

La pile émotionnelle

Je vais de l'avant, ce coup-ci, avec un essai sur une partie de notre organisme que personne n'a jamais identifiée comme je vais tenter de le faire aujourd'hui. Se pourrait-il que notre organisme soit muni d'une batterie, un peu comme une voiture ? Si le besoin en est, moi je dis que la nature a trouvé un moyen de l'inventer. Tout est une question d'adaptation.

Eh bien, moi, je crois qu'elle existe. Et qu'on l'utilise sans le savoir. Le mode le plus simple est de se souvenir d'un bon moment pour nous aider à surmonter une période difficile. Cette pile trouve sa complexité dans un transfert massif d'énergie, à partir d'une période difficile ou d'une souffrance extrême, pour survivre à une épreuve mortelle, ou atteindre un objectif lourd à supporter.

Notre inconscient, une mémoire à événements, et la maîtrise consciente ou inconsciente du principe de transmission, sont des facteurs primordiaux à contrôler.

La faim, présente partout où on lutte pour la vie, est la première classe de l'utilisation de la souffrance pour rester debout et survivre. Tout mouvement cyclique entretenant la vie ou le mouvement a un processus de conservation d'énergie. Je vais vous le prouver par une hypothèse.

(30 avril 2003)

Le développement fœtal

Le premier contact de notre pile émotionnelle avec les émotions (son énergie) se produit lors de notre développement. Une alternance entre la souffrance occasionnée par le grossissement et le développement de nos organes, et le bien-être d'un répit. Si la sensation du confort n'est que le fruit de l'absence de souffrance, il est régulier et stable. Cette situation crée un équilibre tout de même rassurant. Le moindre soubresaut irrégulier peut éveiller la peur, l'inquiétude, la curiosité, la sensualité, la défensive, l'éveil. Autant de mécanismes que nous aurons besoin de gérer pour survivre. Le développement du fœtus se produit à l'écart de l'environnement dans un œuf, dans la poche du kangourou ou dans le ventre du mammifère. Il demeure donc une étape de l'existence animale rentrée sur soi-même.

C'est aussi dans cette alternance entre la pile émotionnelle et le développement du corps que la conscience s'éveille. Celle-ci ne peut prendre normalement que la place qui lui est laissée et lui reste. C'est en n'occupant que ces restes et en négociant une interaction que notre développement s'effectue. Il ne peut en être autrement. Chacun de ces mécanismes existe d'abord et avant tout indépendamment. Survivre et assumer son autonomie demeure un élément de base pour lui, sauf pour la pile émotionnelle. Elle, elle est passive, se nourrit d'énergie (d'émotions), une vraie éponge qui absorbe tout. Sa soif est insatiable, elle ne peut être assouvie, elle n'existe que pour enregistrer l'émotion. Cette pile émotionnelle a même inventé le principe de l'énergie sans fin. Lorsqu'elle libère un souvenir, macabre ou pas, elle ne s'attend en retour qu'à une forme d'énergie renouvelée par la réaction de notre conscience.

Elle joue de notre vie et s'en dissocie sans scrupules ni regrets. Comme si elle savait où aller après la mort...

(5 avril 2004)

Entrevue avec ma mère

J'ai commencé la discussion avec elle, en tête à tête. « Papa était-il violent avec moi, quand j'étais petit ? » Réponse : « Non ! » Un non très convaincant. Elle répond en considérant ses trois fils au lieu de moi. Pas moyen de ramener la réponse à moi. Je lui rappelle l'événement de l'égratignure avec sa bague sous mon œil droit. Elle dit ne pas s'en souvenir. J'insiste. Elle ne me regarde plus. Elle détourne la tête. Et voici qu'elle s'en souvient finalement. Je rétorque : « Ce n'est pas violent, ça ? » Réponse : « C'est la seule fois qu'il t'a touché. » Il nous a tous fessés une fois chacun comme ça. Je me fais une réflexion personnelle. Bien paraître, c'est savoir bien tout répartir entre ses enfants, même la violence ! Elle dit qu'elle n'aurait pas toléré ça. Et qu'elle serait partie. Elle répond droit dans les yeux. Elle a l'air très sincère et convaincante. De plus, dit-elle, j'avais deux ans et demi ou trois ans lorsque cet incident est arrivé. Moi, je me souviens qu'il y a eu deux raisons pour lesquelles je m'accrochais au pantalon des gens en marchant. La première, c'était lorsque j'apprenais à marcher. Et un peu plus tard, lorsque je voulais qu'on me prenne dans les bras.

Elle a toujours dit que nous avions tous les trois parlé couramment dès l'âge de deux ans. Mon vocabulaire était plus évolué, entre deux ans et trois ans, que celui qui aurait consisté à dire : « Papa, bobo, bague. » De plus, sous le couvert de l'émotion et de la surprise qu'elle avait vécue, face à la clarté de mon souvenir, elle m'avait confirmé que j'avais seulement neuf mois lors de l'agression.

On continue tout de même l'entrevue. « Lorsque j'étais petit, a-t-il attenté à ma vie ? » « Non, non, non ! » En faisant signe de la tête. « Tu es certaine ? » « Oui ! » À l'âge de trois ans, il avait tenté de me frapper avec son véhicule. J'étais en bicyclette. J'avais évité de justesse l'impact. Ce sont mes amis qui m'avaient informé que c'était mon père qui était au volant. Et qu'il m'avait pourtant vu ! J'étais arrivé à la maison, choqué et criant après lui. Ma mère avait dû intervenir pour calmer la situation. « Pourquoi ai-je été passer six mois chez ta mère à ma naissance ? » « Pas six mois. Seulement quelques semaines. » Je m'obstine. Rien à faire, elle ne change pas d'idée. Réflexion : quand j'avais quatorze ans, ma grand-mère m'avait dit qu'elle avait dû insister pour que ma mère me reprenne après six mois de garde. Celle-ci ne voulait pas me voir. Je n'étais pas une fille. J'étais arrivé à la maison en questionnant ma mère. Elle avait l'air embêtée à ce moment et n'avait pas répondu. Elle n'avait pas contredit le six mois. Pas plus que mon père, mais lui m'avait expliqué que c'étaient des choses du passé. Il m'avait dit de laisser ma mère tranquille avec ça.

Je lui explique que j'ai la sensation d'avoir été agressé à l'âge de sept mois dans ma couchette. « Il n'est rien arrivé de spécial ! » » « Non ! » En faisant signe de la tête.

Et le bain du bébé avec le sang ne lui dit rien non plus. Elle a l'air très convaincante, calme et pas du tout émue. « Pourquoi n'êtes-vous pas venus vous occuper de moi après mon opération à l'Institut de cardiologie, quand j'avais dix-sept ans ? » « On y a été, le vendredi soir de l'opération. J'y suis allée avec Marc, ton frère, et son épouse Marina. » Ça, je le savais, je m'en souviens. « Mais les autres jours où j'agonisais ! » « Moi et ton père, nous y sommes allés le samedi soir, une demi-heure. » Cela aussi, je m'en souviens. Elle pensait que je dormais. Et je les entendais parler.

On ne parle pas de la même chose. « Pourquoi ne vous êtes-vous pas occupés de moi ? » « On est allés te voir deux fois. » Pour elle et lui, c'était s'occuper de moi. C'est ça, s'occuper suffisamment d'un agonisant ! Elle se sent bien à l'aise avec ça.

J'arrête l'entrevue. C'est assez ! Je n'ai pas besoin d'elle pour me dire ce qui aurait dû être fait ou ce qui paraît avoir été bien fait !

(Répétition infinie)

Conclusion

Je crois finalement que cette histoire d'attaque avec des tournevis dans la couchette n'est pas vraie. Mais si l'on place le crime au centre de mon tableau, on explique bien des choses. Le crime de mon père, à ses propres yeux, c'était de m'avoir mis au monde. Son antidote, c'était de me voir disparaître. Il ne s'est donc jamais occupé de moi et a fait comme si je n'existais pas. Il disait souvent, lorsque j'étais malade : « S'il peut crever, on va en être débarrassé », ou : « Il est de trop, celui-là ! » Le crime de mon père, aux yeux de ma mère, c'était de lui avoir donné un troisième fils. Elle aurait voulu une fille. Son antidote, c'était de faire comme si j'étais une fille. Jusqu'au moment où il serait trop évident que j'étais un gars. Après, on ne s'en occupera pas trop, à moins qu'on arrive à s'illusionner que c'est toujours une fille.

Ils ont tous deux voulu effacer ce crime en espérant que je disparaisse de leur histoire.

Peu importe lequel des crimes est plus vrai que l'autre. J'ai été foudroyé par une décharge émotionnelle. J'ai été dupé et agressé par mon inconscience. Même si l'information transmise est véridique, ce qui est important de comprendre aujourd'hui, c'est la dynamique qui m'a construit. Pas la cause principale.

Et que dire de l'histoire de l'enfant dans le bassin d'eau en train de se faire laver ? L'eau était rouge de sang et j'avais mal partout, une vraie torture. La crise de larmes était affreuse, je pleurais à m'époumoner. C'était la fin du monde. J'avais les nerfs à fleur de peau et mon pleur le reflétait. Il s'agit peut-être de mon premier bain à ma naissance. J'étais né à la maison. J'avais l'impression que ma mère pleurait. Elle devait essuyer son chagrin d'avoir enfanté un troisième garçon.

C'était peut-être mon père, ou le médecin, qui me lavait.

Je ne sais trop où j'en suis.

Une chose est certaine, ce n'est pas de tout repos de brasser ces choses-là.

Tu m'as mis au monde, papa, et je souffre, c'est un vrai crime !

(Sans date)

Conscient et inconscient

L'inconscient ne rattrapera jamais le conscient, pas plus que la conscience n'égalera l'inconscience.

C'est comme espérer que deux personnes différentes finiront un jour par se ressembler. Cette scission est là pour perdurer et s'entretenir. Elle est, elle-même, le fruit d'une évolution effectuée sous le choc de la mort. C'est comme espérer qu'une cicatrice disparaisse un jour. Elle finira par s'atténuer, mais elle ne sera jamais effacée. D'ailleurs, pourquoi le futur devrait-il ressembler au passé ? La magie de l'autodiscipline, que cette différence crée, marginalise l'individu. Elle lui donne une allure de dysfonctionnement. C'est pourquoi on a l'impression qu'il est malade. Qu'il devra guérir ! C'est comme dire que tout ce qui est anormal est malade. Ça agace l'esprit de voir tant de différences exister dans une même personne. Mais cette personne ne sera jamais un ensemble, elle sera à jamais un ensemble de différences... Et si la mort frappait à notre porte plusieurs fois au cours de notre vie ? Elle remet à distance l'inconscience et la conscience, telle une surcharge d'émotions fortes. Elle les force à nouveau à négocier leur rapprochement par une métamorphose de la personnalité chez l'individu qui la subit. Il faut voir le rapprochement comme un processus, une tendance, pas comme une guérison. – Je répète mentalement après lui : « Le rapprochement de l'inconscience à la conscience est un processus... Une tendance... Ce n'est pas une guérison... Mais ne se place-t-il pas là dans son instinct de mort, plutôt que son instinct de vie ? Face à son verre seulement à moitié plein, ne voit-il que sa moitié vide ? »

Je ne crois pas qu'ils finissent par se ressembler un jour. D'ailleurs, inconscient et conscient, peuvent-ils se ressembler sans la mort ? Ils se complètent, tels les morceaux d'un puzzle, d'un casse-tête. C'est là que la tendance veut les amener. C'est une contrainte. Ils cherchent à se mouler, pas à se ressembler. Ils sont trop différents pour se ressembler un jour. Ils doivent entretenir cette différence, ou ces différences, pour garder l'individu fonctionnel.

L'autisme, qui enfonce la conscience dans l'inconscience, par la présence d'une négociation trop faible de la conscience, entraîne un dysfonctionnement.

Et la schizophrénie, c'est l'inverse, c'est la conscience qui prend le dessus sur l'inconscience. Et c'est au tour de l'inconscient de ressembler trop au conscient... C'est une perturbation de l'être lui-même, par rapport à la société qui l'entoure.

Quant à la paranoïa, ne serait-elle pas issue d'un refus, d'un blocage de la conscience ? Quand la conscience tente de bomber le moule pour créer un espace, même s'il est inacceptable aux yeux de l'inconscient. Celui-ci le surcharge d'émotions, qui veut alors prendre allure d'hallucinations. Quand l'énergie n'est qu'émotion, le dérapage est source de fragilité.

L'inconscient traite la conscience comme une inutilité nécessaire. Voilà la base de leur négociation. Cette inégalité au départ rend la conscience inconfortable. Elle perçoit. Elle n'émet rien, alors que l'inconscient utilise son arme, les émotions. La conscience déverse alors son flot de paroles dans l'inconscience, qui emmagasine l'émotion pour la réutiliser à l'insu, et au détriment de la conscience. L'espoir de la conscience, c'est d'être en demande au moment de l'émission. Elle espère peut-être contrôler l'inconscient par l'harmonisation des frontières, car n'est-ce pas là l'espoir de l'inconscient et de son altruisme ? C'est pourquoi je ne peux parler de l'inconscient que comme antithèse de la conscience. Il s'agit d'un module, d'un périphérique complémentaire. C'est la pile émotionnelle. Je reformule et réitère mon explication.

Ils sont comme deux amoureux, ils se complètent l'un l'autre. Ils sont solidaires dans les temps difficiles. Par contre, dans les temps de paix et d'opulence, ils se disputent le partage du corps, qu'ils doivent habiter tous les deux. Un vrai duo nous constitue en une seule et même personne. De la dissociation à la syntonie.

(25 juin 2004)

Le poids de mon corps

Pareil à une enclume, je sens quelquefois mon corps au bout d'une chaîne comme un boulet. Il impose sa cadence, ses besoins, ses caprices. Ma pensée s'en libère, mais au prix d'un effort qui passe souvent par le sommeil. Je dors seulement trois, quatre heures par nuit, pas bien plus. Un sommeil tellement profond que je perds contact avec mon environnement immédiat. Je ne suis tout simplement plus là. Mais où suis-je ? Si j'ignore ses maux, forcerai-je mon corps à me torturer et me faire parler plus fort ?

(22 juillet 2003)

Poupée de chiffon

Ce soir-là, je me suis endormi profondément.

Il était bien cinq heures du matin lorsque je me suis réveillé pour la première fois.

Dans mon rêve, j'étais devenu une poupée de chiffon, abandonnée parmi tant d'autres, au milieu d'un grenier poussiéreux, et noir d'oubli. Faute d'être intéressantes, pour le propriétaire des lieux, il s'était installé une hiérarchie parmi les poupées de chiffon, et parmi celles qui savaient s'imposer, il y en avait trois qui menaient le spectacle. Elles étaient trois poupées féminines. J'étais, moi aussi, une poupée féminine. L'une des trois autres était dotée d'un corps proportionnel à sa grandeur, un peu chétive et vieillotte. Elle criait pour se faire entendre et respecter. Lorsqu'elle ouvrait la bouche, on en avait toutes peur. Son sadisme avait bien prouvé son autorité. L'autre poupée maîtresse était grassouillette. Elle parlait calmement, mais son assurance et sa voix grave avaient prouvé son autorité. Elle n'avait qu'à menacer pour être respectée, et c'était suffisant pour effrayer tout le grenier. La troisième poupée était jeune, belle, jolie, propre, respectueuse. Son autorité par rapport aux deux autres était moins importante. Elle devait donc s'expliquer plus longuement pour être entendue des autres. À coup d'arguments massifs, elle arrivait cependant à écraser, d'un seul coup, les deux autres.

Un jour, je me suis transformée, et j'ai affronté, devant toutes les autres, les deux poupées méchantes. J'ai donc décidé de détruire de ma main la partie de leur corps qui ne servait à rien pour fonctionner. De celle qui était vieillotte et sadique, j'ai écrasé la tête avec ma main. Elle n'en finissait plus de dire à haute voix d'un son strident que j'étais folle d'avoir fait ça, que c'était inutile et que ça n'allait rien changer... Quant à la poupée grassouillette, je lui ai percé un trou au niveau du cœur. Devant tout le monde, elle continuait à parler comme si rien n'était arrivé. On voyait au travers d'elle, et elle préférait ignorer ce qui venait de se produire.

Pour ce qui était de la troisième poupée, son intelligence et son écoute ne m'obligeaient pas à passer à l'acte. Je lui dis tout simplement : « Toi, même si je détruisais tes yeux, ça ne changerait rien à ton comportement... » Je terminai mon rêve d'une réflexion. Eh oui, demandons-nous ce que nous devrions détruire de nous, pour que notre comportement n'en soit pas altéré... Quant à moi, si on ne devait m'enlever que les yeux, ce serait un grand compliment...

(27 août 2003)

Tu as été élevé dans la honte

Un rêve, un autre secret nié, livré durant la nuit, par mon inconscient.

Un ski-doo bondit sur le gazon de la cour arrière chez mes parents. Il est conduit par un écervelé qui prétend tondre le gazon avec cet engin. On est en été. La terrasse est littéralement massacrée par le mauvais traitement que la chenille lui fait subir. L'homme tourne en rond à plusieurs reprises et disparaît. Il a les cheveux longs, et ne semble pas importuné par son comportement. Je suis choqué, et je le cherche.

Je le retrouve enfin chez le voisin d'en face, avec une tondeuse à gazon. Il tond le gazon n'importe comment. Il tourne et zigzague. Il fait virer les roues en tournant. Il ne sourit pas, au contraire des Asiatiques qui massacraient le beau jardin dans le rêve que j'ai fait, il y a quelque temps. Il a l'air très sérieux. Très fier de lui. Un autre massacre pour la terrasse du voisin d'en face. Je n'en peux plus ! Je m'exprime en criant ! Son comportement est inacceptable ! Il me répond : « On sait bien, tu peux bien parler, tu as été élevé dans la honte. » Une vraie gifle, je me réveille. Je crois bien qu'il avait autre chose à ajouter, mais je n'ai pas compris ce qu'il disait, tellement j'étais sous le choc de sa réponse.

(27 août 2003, aussi)

Jeanne, la rebelle

La délinquance ne s'exprimerait-elle pas différemment chez la femme que chez l'homme ? Ne serait-elle pas l'expression de frustrations accumulées, qui résultent, par la désobéissance, à un quelconque contrat social stéréotypé ! Eh bien, si, chez l'homme, la perte de contrôle de son agressivité, physique et verbale, en est le résultat, je crois comprendre que le charme serait le pendant féminin de cette expression incontrôlée ou incontrôlable. Mon amie Jeanne est passée maître dans cet art. Elle ne dupe que des hommes dans son filet, ce qui signifie que la relation avec son père en serait la source. Je n'ai pas encore mordu à l'hameçon, et c'est bien ce qui l'agace.

Elle est là, charmeuse, jolie, stratégique. Elle parsème le silence spontané et la nouvelle relation improvisée pour me faire regretter. Regretter quoi ? Une manipulation à laquelle je ne réponds pas. Je reste passif. Lorsqu'elle me force à réagir, je réponds qu'elle se fait du mal à elle-même, pas à moi...

(3 janvier 2004)

En massothérapie

Elle s'appelle Véronique. Vous ne la connaissez pas. Vous ne vous êtes jamais rencontrés. Tout comme vous, elle travaille en partie avec une technique qui fait appel aux sentiments. Difficile à prouver, mais ses critiques et résultats sont impressionnants. Elle a peut-être vingt-six ans. Je la surprends souvent, les yeux fermés, à palper sur mon corps une zone de tension musculaire. Mes douleurs corporelles guident ses déductions. La psyché y est pour quelque chose, selon elle aussi.

Diagnostic impressionnant. Contraction musculaire au niveau du ventre, sous les dernières côtes flottantes. Son opinion, après discussion, c'est que je lui ai permis de comprendre ce qu'elle cherchait.

Sa première question : « Est-ce que tu as été couvé par tes parents ? » « Non, au contraire, ils ne se sont jamais beaucoup souciés de moi ! » Par contre, le mot « couvé » prend pour moi un tout autre sens. Il devient synonyme de « étouffé. » En effet, mes parents m'ont demandé d'être leurs parents. J'ai dû quitter ma région natale pour enfin comprendre qu'ils m'empêchaient de vivre ma vie. J'ai un exercice quotidien à faire de gonflement des poumons, et de rétention de cette ceinture pulmonaire, pendant que mes poumons restent gonflés. Je crois que ça a un effet sur la douleur dont je me plains. Dans le texte initial, j'avais écrit « plaît ». Eh oui, il faut croire que je me « plais » de me « plaindre », car, ainsi, on s'occupe de moi. Vous m'avez un jour parlé des « avantages » à souffrir, à être malade. Je crois que les mots que vous aviez utilisés étaient : « le bénéfice secondaire de la maladie ». Déduction : se pourrait-il que cette ceinture musculaire empêche à l'occasion le bon fonctionnement de ma vésicule biliaire ? À vous de répondre. Mais je n'ai pas que cette tension musculaire dans mon corps. J'en ai une autre très significative à l'épaule droite, et une autre au centre du dos. Celle de mon épaule droite, Véronique l'attribue au fardeau de mes responsabilités. Parent de mes parents. Enfant adulte de parents immatures. Parentifié. Marqué au fer rouge de l'adultisme… Un trait de ma personnalité, entretenu depuis mon enfance. Ce désir d'être aimé et accepté de mes parents, qui m'a mené à mon problème d'identité. Qui m'a aussi conduit à toujours m'occuper des autres. Comme tout adulte véritable le fait. Mais à mon détriment. Vidé de ma substance. Sacrifiant mon être. Pour me faire aimer. Je n'avais pourtant rien dit à Véronique. Elle avait tout deviné avec ses doigts. Et malgré sa formation. Quant à la tension au milieu du dos, du côté droit, il s'agit d'un problème affectif, dit-elle. Eh bien, bingo, Véronique, en plein dans le mille encore ! Elle me disait : « Si tu as une tension à l'épaule gauche, tu as un problème d'estime de soi et de culpabilité. » J'ai déjà eu un problème d'estime de soi, mais il est résorbé. Je ne me souviens pas si, à cette époque, mon épaule gauche était souffrante.

Je sens dans ses yeux et son regard une telle pureté ! Elle a quelque chose de magique qui en fait une personne exceptionnelle. Tout comme vous !

(27 août 2003, encore)

L'accident

J'avais dix-neuf ans, je crois. Je revenais du collège en faisant de l'auto-stop. J'avais de la difficulté à trouver quelqu'un qui puisse me ramener chez moi. En marchant, j'ai remarqué la présence d'un véhicule renversé dans le champ. Il était trop loin et le champ beaucoup trop boueux pour que je puisse me rendre jusque-là. Une inquiétude s'empara de moi. Si le même dégoût de s'y rendre pour vérifier avait habité tous les gens qui avaient remarqué cet accident… De plus, comment se fait-il que je ne remarque pas de traces de pas dans la boue ? Il devait bien y avoir un conducteur ou une conductrice ! Cette observation, qui prenait l'allure d'une certitude, me poussa à observer la scène durant de longues minutes.

Les véhicules circulaient à côté de moi, sans que je m'en occupe. Mon hypersensibilité motivait ma conscience sociale, au point que cette détresse humaine que j'imaginais me permettait d'ignorer mon propre besoin, à savoir celui de rentrer chez moi le plus tôt possible.

Soudain, une main de femme se souleva et un petit cri de femme expira. Eh oui, près de cinq à dix minutes s'étaient écoulées avant que je ne confirme mon doute. J'ai donc laissé mon gros sac d'école dans le fossé pour courir sur ma gauche rejoindre la maison la plus proche. Un couple de gens âgés y habitait. Je leur parlai à travers la fenêtre de leur porte. Ils étaient trop effrayés pour m'ouvrir. J'explique au monsieur qu'une femme était prise sous le véhicule dans le champ là-bas. Il s'exclame alors : « Mon Dieu, ça fait bien deux jours que l'automobile est là ! » Il court appeler la police, et moi je retourne sur les lieux. En revenant au pas de course, je rencontrai le véhicule de la patrouille routière.

L'autobus passa quelques minutes plus tard. J'étais fatigué. J'en avais marre. Je le pris sans connaître la suite… Elle a probablement été sauvée par ma déduction, mon intuition, ma curiosité et le hasard qui m'a fait croiser sa vie… Vous m'avez parlé de la résilience, tissée à partir de blessures, sur ces rencontres au hasard de la vie…

(27 août 2003, encore et toujours)

L'animal blessé

On a menacé ma vie, on a ébranlé mes besoins physiologiques, on a sacrifié mon existence. Je suis mort. Et j'ai survécu.

Au profond de moi-même, on a réveillé l'animal. Les fonctions les plus primaires de mon être ont été appelées à entrer en action. Il n'en fallait pas plus pour me forcer à explorer les spirales de la subsistance. Un labyrinthe de conditionnements, prêt à bondir à tout moment. Une vraie bombe, mais ce n'était pas suffisant. Il me fallait faire encore plus pour trouver la clef de la survie. Combien de fois suis-je mort au cours de ma vie ! Ce n'était pas suffisant, me disait mon environnement. Et j'ai plongé pour ne plus jamais revenir comme avant. Une cicatrice, une marque s'est forgée en moi. Elle demeure l'empreinte et une preuve de cette épreuve. Voilà, monsieur Devroede, ce que je ressens de commun entre nous deux.

(3 novembre 2003)

Le réflexe de la détresse ultime

Voici le récit de mon observation personnelle d'un conditionnement animal inscrit dans notre cerveau.

J'étais à l'Institut de cardiologie. J'avais dix-sept ans. Je sortais de salle d'opération. On venait de m'amener dans ma chambre, aux soins intensifs. Ma vision était brouillée. Au point de ne pas pouvoir distinguer mon environnement. J'agitais ma tête de gauche à droite, en tentant d'émettre un son qui n'était qu'une lamentation continue. Quant à mes mains, elles étaient soulevées de mon corps. Toute cette posture suivait le contre-balancement de ma tête. Et je ne voulais qu'une seule chose. J'espérais que quelqu'un me prenne la main. Pour que je sache identifier la présence d'un être humain à un endroit précis dans ce brouillard. Une personne qui s'occupe et se préoccupe de moi. Malgré la présence d'un respirateur artificiel qui m'empêchait d'articuler, j'ai fini par me faire comprendre, lorsque l'infirmière m'a demandé ce que je voulais après avoir arrêté mon balancement de tête. Ça empêchait tout le monde, en effet, de faire son travail. « Prends ma main ! » lui ai-je dit. Elle m'a pris la main et je me suis aussitôt calmé. C'était plus fort que moi, aussi bien le calme que l'agitation. Je n'étais pas maître de moi-même.

Un jour, je suis arrivé sur la scène d'un accident. Il y avait une fille que les ambulanciers tentaient de calmer. Elle était exactement dans la même posture que je l'avais été moi-même. Couchée sur le dos, une blessure à la tête qui l'empêchait de voir. Sa tête se balançait de gauche à droite, et ses mains étaient soulevées du corps.

Je pris donc l'une de ses mains dans la mienne, et ce fut le calme. Les deux ambulanciers m'ont regardé. Ils m'ont demandé comment je savais ce qu'elle voulait. J'ai répondu : « J'ai déjà été dans le même situation. » Je continuai à tenir la main de cette personne pendant un bon bout de temps, jusqu'à ce qu'elle soit dans l'ambulance.

(3 novembre 2003)

Familiarité

Vous est-il déjà arrivé d'entrer en relation amoureuse avec une personne, et constater, après un court délai, une impression de familiarité anormale ? Nous disons alors : « J'ai l'impression que je la connais depuis longtemps. » D'autres, dans certains milieux ésotériques, vous diront même : « On a sûrement dû se rencontrer dans une vie antérieure ! » Mais moi, je sais que c'est ici et maintenant que ça se passe... Comme les morceaux d'un puzzle, en peu de temps, nous formons une seule et même entité. Moi, ça m'est arrivé deux fois au cours de ma vie. À mon avis, c'est de la duperie, la plus vieille de la terre. Elle met en confiance la victime et anéantit les mécanismes de défense. Tout comme l'escroc, qui veut voler ou faire une entourloupe à sa victime, il cache sa malhonnêteté, jusqu'au bout, et à l'extrême. Dans le cas de mes relations amoureuses, l'homosexualité, l'infidélité, la maladie honteuse se cachaient derrière ce rideau de rire...

(15 septembre 2002)

Sans titre

Il n'y a pas, au milieu de ces rêves et de ces poèmes, qu'un art qui s'exprime. Il y a bien plus, l'œuvre n'est pas que la création de la conscience. Il y existe un transfert d'émotions. Une partie de ses idées échappe à la personne qui les écrit. Elle est guidée par une partie d'elle-même qui lui échappe. Un peu comme la naissance d'un mauvais souvenir oublié, elle en est victime.

N'y a-t-il pas moyen alors d'en faire quelque chose de bien, de bon, de constructif et de partageable ?

(15 septembre 2002, encore)

Le chemin de la vérité

Un rêve. Et une autre révélation sur moi-même.

Je suis sur une île. Confronté à une difficulté assez loufoque. Pour une raison, qui a l'allure d'un prétexte, je dois longer la côte d'un point à l'autre. Ce chemin est habité, et représente un parcours, où je devrai entrer en contact avec les insulaires pour pouvoir trouver ma route. Étrangement, il arrive à l'occasion que la route aboutisse dans les maisons. C'est une période de la journée, où je dérange les gens dans leurs activités quotidiennes. Un peu surpris, mais très accueillants et coopératifs, ils m'indiquent alors le point de transition dans leur demeure pour me permettre de continuer mon chemin. Je m'excuse, à chaque fois, un peu mal à l'aise. Ils m'ont tous répondu, sans être embarrassés de ma présence, que ce n'était pas un problème. Une chaleureuse collaboration, et un accueil, que seule une île peut offrir.

Je traîne avec moi deux gros sacs. L'un est plein de bouteilles vides. L'autre, de biens essentiels. Celui qui contient les bouteilles vides est à ma droite, l'autre, à ma gauche. J'ai peine à circuler dans les couloirs des maisons avec ceux-ci. Ils s'accrochent un peu partout. J'arrive à un endroit par le sous-sol, et entre à nouveau au milieu de l'intimité d'une famille. C'est l'heure du souper. Je n'ai pas mangé de la journée, mais l'objectif de ma journée étouffe ma faim. Je dois traverser la grève de cette île, le plus rapidement possible. Ils me disent que c'est au deuxième étage. Deux membres de la famille me suivent. Comme s'il s'agissait d'une occasion pour eux, de me parler de quelque chose. Je suis leurs indications. Il s'agit d'une dame âgée, et d'un jeune homme dans la vingtaine. Au dernier étage, la dame me dit soudainement : « Se pourrait-il que vous soyez un peu maigrelet ? » Je trouve étrange cette question, parce qu'à me regarder, elle avait sa réponse. Je réponds alors : « Que voulez-vous dire ? » Elle rétorque que ma façon un peu sèche et nerveuse de répondre lui laisse comprendre que j'étouffe mes désirs émotionnels pour des objectifs rationnels.

Étrangement, en écrivant ce texte, j'ai vérifié dans le dictionnaire si le mot « maigrelet » existait. Eh oui, et il a le sens qu'on a tendance à lui donner. Mais il est précédé du mot maigre, comme on pouvait s'y attendre. Et juste après, c'est le terme « maïeutique ». Dans la philosophie socratique, la maïeutique, c'est l'art de faire découvrir à l'interlocuteur, par une série de questions, les vérités qu'il a en lui. Maigrelet anorexique ! Au moment où elle m'explique sa réponse, je lui dis tout bonnement que c'est vrai, que je n'ai pas mangé de la journée, mais que je n'ai même pas faim. Je laisse tomber le sac contenant les bouteilles vides et je m'aperçois alors que je suis à l'extérieur. Il tombe d'une falaise de roches, avec grand fracas. Le jeune homme, toujours serviable et dévoué, tente de récupérer le sac et cherche, en vain, une bouteille encore bonne, mais c'est peine perdue. Elles sont toutes cassées. Sans rancœur, ni même chagrin, je regarde la scène. Je me tourne vers la dame âgée, un peu plus haut que moi, qui m'a guidé dans cette réflexion. Elle est, étrangement, devenue un vieil homme, et il sourit. Le jeune, au bas de la falaise, est choqué et regrette de m'avoir suivi.

Je suis entre les deux, comme au milieu de ma vie, et au cœur d'un message bien clair. Je n'ai même plus le goût d'atteindre l'autre extrémité de l'île. L'objectif s'est étouffé subitement. Il était trop rationnel pour subsister. Seules les émotions ne s'éteignent pas avec le temps. Et dans le dictionnaire, le deuxième mot qui succède, et non précède, le mot « temps » est le mot « tenace »… Le regret qui accompagne l'émotion est tenace et génère une insatisfaction insatiable. C'est pourquoi son sourire m'invite à la résiliation.

(8 octobre 2003)

La découverte

L'amour est sous tes yeux
Tu n'as qu'à les ouvrir
Pour le découvrir
Il est merveilleux
Et n'attend que ton désir... La chasse au trésor
L'amour est merveilleux
Il est sous tes yeux
Tu n'as qu'à les ouvrir
Pour le découvrir
Il n'attend que ton désir...
La merveille
L'amour est merveilleux
Il est sous tes yeux
Tu n'as qu'à les ouvrir
Il n'attend que ton désir
Pour se découvrir...

(Sans date)

Le statut de la liberté

Nous sommes en bordure d'une rivière. Je dis « nous », car je suis accompagné d'un guide et d'un groupe de touristes. Nous circulons dans un petit boisé. La rivière a la particularité d'être jonchée, ici et là, de blocs de béton brisés. Une trace qui nous montre jusqu'à quel point cette eau qui ruisselle a déjà été un torrent, d'une force inouïe. Notre interprète nous raconte l'histoire de cette forêt. Il parle d'horticulture, d'ornithologie, une vraie bible. Mais jamais il ne nous explique la présence des débris de béton qui affleurent un peu partout à la surface de la rivière. Puis, à moment donné, il nous dit : « Regardez au fond de la rivière, juste ici, en pointant du doigt un amoncellement de roches. Je me penche, alors, et regarde à travers cette eau plus limpide que jamais. Étrangement, c'est bien elle ! Je distingue sa tête et les extrémités pointues de sa couronne, ainsi qu'une partie de son bras. Celle que vous imaginez ! Ce sont les tonnes de débris qui s'étendent sur des kilomètres au fond de cette rivière.

Incroyable ! Quel ouragan, quelle force de la nature a bien pu les traîner ici à des milliers de kilomètres de New York ? Mais aussi, quelle révélation ce rêve me permet-il de faire sur moi-même ! Je suis libéré de quelque chose. Je suis guéri, sûrement pas de tous mes maux (mots), mais suffisamment pour en rêver. La liberté vient de sonner à ma porte. Merci à Véronique et la fasciathérapie.

(26 mars 2004)

La castration

Si la relation malsaine du père et de son amour à l'égard de sa fille se traduit quelquefois par l'inceste, se pourrait-il que celle de la mère à l'égard de son fils se traduise par la castration ?

(30 mars 2004)

La menace

Juste avant d'écrire le texte « Le statut de la liberté », j'avais pris la décision de ne plus vous rencontrer. Sous prétexte que j'étais guéri.

En fin de semaine, j'ai eu une crampe. Ça faisait longtemps que je n'en avais pas eu. Peu après cette décision, j'ai écrit le texte en question. Par la suite, je vous ai rencontré, en urgence, en larmes. Je venais de décoder mon poème « Le délire de l'amour ». « On n'appartient à personne. » Mais mon père disait que ses enfants lui appartenaient et qu'il pouvait en faire ce qu'il voulait, y compris les frapper pour les dompter. C'était son délire ! « Personne ne s'étonne qu'un jour l'amour crie son agonie, car mourir sans souvenir, c'est croire sans espoir. » Je veux que la vérité soit connue. « Et nul ne s'en souvient », le crime étant parfait.

Ma conscience a menacé mon inconscient de ne plus communiquer avec vous et de ne plus chercher. Mon inconscient a réagi à cette menace et a procédé. Si telle est ta décision, Jacques, je vais donc te forcer à voir la vérité avant que tu mettes à exécution cette menace, car après il sera trop tard...

(2 avril 2004)

La projection

Véronique, ma massothérapeute, c'est le reflet de ma mère qui prend soin de moi après l'agression. Voilà pourquoi ça ne pouvait pas être n'importe qui. Elle est rousse, naturellement. De la même couleur de cheveux que ceux de ma mère, qui s'est toujours teinte ainsi. Elle caresse mon cœur en touchant mon corps, et me donne de l'affection comme j'aurais aimé que ma mère continue à le faire plus longtemps après l'agression qu'a représentée pour moi l'intervention chirurgicale que j'ai subie, et les violences physiques que mon père m'a infligées. Elle est son image... Voilà pourquoi je vais la voir toutes les semaines depuis deux ans.

(3 avril 2004)

La vérité, c'est la liberté

Je sais maintenant, à propos de la liberté, dont il était question dans mon texte, qu'en fait c'était de la vérité qu'il s'agissait. Regardez au fond de l'eau ! Il y avait une partie du visage, de la couronne, et du bras de la statue de la liberté. Couché au fond de l'eau, caché au fond de moi-même, mon inconscient me disait, pour une dernière fois : « Tu verras la vérité, que tu le veuilles ou non. Ce coup-ci, tu ne te replieras pas dans le déni... »

(Sans date)

Merci

Je n'ai plus mal au ventre. Et cela dure depuis des mois.

Je ne sais pas si je vous ai tout dit. Ou plutôt, si je me suis tout dit à moi. Ma pensée a été sinueuse, fluctuante. Ou plutôt encore, je suis certain que je n'ai pas tout dit. Tout nommé ce qui était innommable.

Quand je vous ai croisé l'autre jour au supermarché, occupé comme moi à faire vos courses, je vous ai dit que j'étais en train de vous écrire un texte sur la fin de cette aventure intérieure.

Je ne comprends pas ce qui s'est passé, ni pourquoi je suis guéri. Mais qu'importe, puisque je ne souffre plus, n'est-ce pas ? Je crois que j'ai mis une distance infinie entre ma famille de sang et moi. Un peu comme si j'avais enfin coupé le cordon ombilical, et rompu avec mes parents, mes géniteurs, en équilibre de qualités, tout en explorant, sans faire semblant, leurs défauts.

Vous m'avez dit que les innombrables tests et examens, radiologiques et biochimiques, toutes ces mesures de pression et d'activités électriques dans mon corps, étaient revenus, sans exception, avec des valeurs « normales ». Heureusement que vous m'avez bien expliqué que je ne souffrais pas d'un mal imaginaire, et que vous avez pris le temps de bien me l'expliquer, le jour où j'avais senti une boule se déplacer dans mon ventre, de droite à gauche. J'ai compris, peu après, que j'avais mal au ventre quand je me fâchais. La colère n'est pas une maladie. Je vous remercie de ne pas m'avoir écouté quand je voulais une pilule ou une opération. Et j'ai bien compris aussi le plaidoyer que vous m'avez rapporté d'un psychanalyste pour une certaine « anormalité » pas du tout « normopathe ». Je suis certain maintenant que ce n'est pas parce que tout le monde le « fait » que c'est nécessairement « normal ». Laissons donc cette description aux épidémiologistes et aux sociologues, et partons en quête de nous-mêmes ! Pleinement réalisés… Mais alors… Puisque je ne souffre plus... Puisque l'évaluation médicale sophistiquée que vous m'avez fait passer n'a pas montré d'anomalies... Puisque vous ne m'avez pas ouvert le ventre... Puisque vous ne m'avez prescrit aucun médicament... Sauf le léger antidépresseur, quand j'étais en crise d'angoisse panique, mais que je n'ai jamais pris... Alors... C'était dans ma tête, n'est-ce pas ?

(14 mai 2004)

Conclusion

Pour moi, ces textes ne valent plus rien. Une fois que ces mots ont permis de libérer l'émotion qu'ils emprisonnèrent, ils m'ont rémunéré.

(6 mars 2003)

Résumé du dossier de Jacques

Date de naissance : 2 novembre 1961

Ce malade a été vu pour la première fois le 2 novembre 2001, jour de ses quarante ans. Il était envoyé par une collègue chirurgienne, le docteur S.M. pour un problème de constipation chronique, persistante malgré la prise de fibres, et pour des douleurs aiguës intermittentes à l'hypochondre droit, dans la région du foie. Celles-ci étaient tellement intenses qu'elles lui causaient souvent un réflexe vagal, culminant parfois en syncope. L'évaluation radiologique du côlon et du rectum par lavement baryté, et celle des tissus mous du ventre par ultrasons étaient complètement normale.

Il est noté qu'il a été opéré pour une coarctation de l'aorte à l'âge de dix-sept ans, sans séquelle hémodynamique. Il souffre d'une hypertension artérielle bien contrôlée par des bêtabloquants. Il a également une histoire de pyrosis. Les brûlures d'estomac ont été attribuées à du reflux gastro-œsophagien, et sont bien soulagées par la prise de Maalox. Il a longtemps souffert de douleurs au testicule droit, pour lesquelles aucune cause n'a été trouvée et qui, faute de mieux, ont été attribuées à une épididymite récidivante. Longtemps aussi, il a fait de l'asthme quand il avait une infection des voies respiratoires. Ces deux derniers problèmes ont conduit à de nombreuses visites à l'urgence, et à des examens annuels de contrôle. Tout est rentré dans l'ordre à partir du moment où débutent les douleurs abdominales, dix ans avant la consultation.

À sa première entrevue, un diagnostic de colopathie fonctionnelle, de type constipation, a été posé. Tous les critères médicaux classiques de Rome II étaient remplis pour poser ce diagnostic.

Le patient a refusé tout examen ce jour-là. Étant donné le fait qu'il avait eu un lavement baryté et un écho de l'abdomen qui étaient normaux, et que toutes les prises de sang avaient conduit à des rapports normaux aussi, son choix a été respecté. Le patient s'est alors mis à pleurer abondamment. Ses mains étaient très froides. Une brève évaluation a permis d'apprendre qu'il ne se souvenait que très rarement de ses rêves, et que sa vie amoureuse avait toujours été profondément insatisfaisante.

À partir de cette première visite, le suivi a consisté essentiellement à lire les textes qu'il avait composés, et à les discuter dans un contexte d'égalité, étant donné que son métier est dans le domaine de la communication et des relations humaines au niveau du personnel.

Lors d'une rencontre, il a décrit remarquablement bien une expérience vécue dans un lac, en apnée, sous l'eau, puis répétée expérimentalement dans sa baignoire. Avec un luxe de détails hors du commun, il semblait avoir vécu une renaissance. Dans le fond relativement proche de la surface du lac, il s'était senti bien, comme dans un utérus maternel, dont il était sorti en douceur, et en reprenant son souffle, à la surface, sans aucune violence. Stupéfait de sa découverte fortuite, il avait décidé de la pratiquer chez lui, dans sa baignoire, relativement large et profonde. Vérification faite, il s'est avéré qu'il ignorait que certains ateliers de respiration holotropique se font en piscine à la température du corps. Il est à noter que certains de ses textes étaient glissés dans une enveloppe fermée hermétiquement, avec du ruban adhésif collé sur toutes ses tranches, comme j'ai pu le constater à de nombreuses reprises chez les sujets constipés.

La constipation a disparu rapidement après sa prise en charge.

En cours de suivi, il s'est posé des questions sur une cause organique à ses douleurs abdominales et a mis en doute avec une certaine colère mon jugement clinique. Il a exigé de subir toute la série d'examens qu'il avait refusés au début. Une colonoscopie transverse a été faite. Le côlon était normal sur soixante-dix centimètres, mais plein de selles. Il y avait peu de spasmes. L'examen devait être répété après nettoyage adéquat, mais le patient a annulé le rendez-vous, et ne s'est pas présenté aux autres rendez-vous diagnostiques, sauf pour un repas baryté, normal.

Les douleurs abdominales ont disparu, et le patient a pris congé.

Aucune récidive ne l'a amené à consulter durant les cinq années qui ont suivi. En tout cas, il n'a vu aucun médecin dans le centre hospitalier où il avait fait son cheminement analytique en se laissant guider par sa problématique de colopathie fonctionnelle, et en explorant en profondeur tous les pans de sa vie mis au jour par ses souffrances physiques.

DEUXIÈME PARTIE

Guérison ou rémission ?

CHAPITRE V

Le processus de guérison

Les quatre sujets dont j'ai raconté l'histoire en termes à peine romancés ont une caractéristique commune. Leur plainte initiale, lors de la première consultation, a disparu pendant qu'ils cheminaient, de façon unique et autonome, au long de leur propre processus de guérison. À savoir : une obstruction intestinale par maladie de Crohn, un cancer du côlon, une douleur anorectale invalidante de nature totalement inconnue, et une douleur abdominale sévère due à une colopathie fonctionnelle. Mais ce qui caractérise ces sujets, bien au-delà de cette « simple » guérison, si l'on s'en tient aux standards classiques de la médecine, c'est que leur vie s'est aussi trouvée totalement transformée au décours de leur plainte. Et cela, au cours d'un processus empreint d'une très grande autonomie. Qui dépasse la traditionnelle relation malade-médecin, profondément marquée par une immense dépendance entretenue par la profession médicale elle-même.

La maladie, ce n'est pas le début de la mort, c'est au contraire le début d'une guérison. Le corps doit certes guérir, mais l'esprit aussi.

Violences sexuelles
et souffrances corporelles

Aucun de ces hommes et femmes n'avait par ailleurs subi de violence sexuelle. Je crois important de le souligner, car dans mes précédents livres j'ai beaucoup parlé, au point de susciter quelques malentendus, des conséquences médico-chirurgicales des abus sexuels. La société en général, et la profession médicale en particulier, ont longtemps failli à protéger les enfants des prédateurs sexuels, mal dans leur peau, mal identifiés à leur sexe, incestueux ou non. Mais cette société n'est faite que de descendants d'une époque où, selon toute vraisemblance, la problématique était pire. L'interdit de l'inceste est un tabou de civilisation. Et l'interdit de l'inceste n'est qu'une variante de l'apprentissage de la relation à l'autre. Michel Foucault a montré que de l'éthique grecque à l'éthique chrétienne, il y avait eu un changement majeur de l'ordre d'une mutation, à savoir que l'objet de désir sexuel et érotique, femme, enfant ou esclave, indifféremment, était en fait un autre sujet, un égal. Et cette mutation a été particulièrement difficile à s'implanter tant que les comportements sexuels étaient réglementés par des clercs prétendant parler au nom de leur dieu et alliés aux princes séculiers. L'histoire de la sorcellerie, au Moyen Âge, montre à quel point les sorcières étaient pourchassées par les grands inquisiteurs, issus d'une Église terrifiée par la sexualité et, plus particulièrement, par les femmes. Sorcières probablement hystériques, beaucoup plus proches de leur corps et de la nature. À l'époque, c'était cette Église qui gérait une médecine pas encore scientifique, par purges, clystères et autres instrumentations digestives, ou par le fer et par le feu. L'histoire de la sorcellerie est très superposable à celle de l'hystérie, des abus sexuels, et de leurs interdits, au long d'une civilisation des mœurs. Mais l'histoire des abus sexuels et du tabou de l'inceste n'est certainement que la pointe d'un iceberg beaucoup plus profond, existentiel, inconscient. Après tout, n'oublions pas que, aujourd'hui, la prévalence des abus sexuels n'est « que » de 20 %.

Souffrances corporelles et troubles d'identité sexuelle

Dans mes autres livres, j'avais esquissé l'idée que la problématique des abus sexuels n'était probablement que la surface des choses, un peu comme le couvercle hermétiquement fermé d'une Cocotte-Minute. N'est pas abusé n'importe qui. N'abuse pas n'importe qui. Jumeaux aussi mal identifiés l'un que l'autre, abuseur et abusé se ressemblent dans leur mal-être, l'un imposant à l'autre son sexe, dans un rapport de pouvoir totalement hors désir, non pas pour jouir, mais pour tenter d'exister sans même arriver au plaisir, au bonheur, en dehors de toute forme de joie. « Je bande, donc je suis », me disait un philosophe argentin, exilé à Paris, loin des militaires mal baisés de son pays d'origine, marié à une femme russe, aussi loin que faire se peut de ses ancêtres, et courant de femme en femme, dans une tentative désespérée et futile d'être. Mieux que Descartes et son « Je pense, donc je suis ». Mais encore très éloigné d'un Verbe qui se serait fait Chair. À quoi répond Annette Messager qui écrit : « Je suce, donc je suis. »

Sous-jacente à la question des abus sexuels se retrouve donc une question d'identité. J'adhère totalement à l'idée de Joyce McDougall, pour qui tous les êtres humains ont un travail de deuil à faire entre la bisexualité psychique, héritée de nos parents et leurs ancêtres, et la monosexualité corporelle. Quand une femme enceinte subit une amniocentèse, tôt durant sa grossesse, pour tenter de détecter les malformations congénitales de façon précoce, le liquide prélevé par l'aiguille plantée à travers son ventre et son utérus contient les débris cellulaires de la peau du fœtus. Nonobstant tout diagnostic de présence ou non à l'échographie de l'abdomen d'un phallus, la simple analyse chromosomique de ces cellules de peau permet de diagnostiquer la venue d'un petit garçon ou d'une petite fille. Souvent, les médias véhiculent une idée vaguement freudienne, selon laquelle tant que les organes génitaux – pénis et scrotum chez le garçon, vagin et utérus chez la fille – ne sont pas apparus, le fœtus est de sexe indifférencié. Cette idée est fausse et folle. Elle nie la réalité. En effet, tout est joué dès la conception de la première cellule : garçon ou fille sera ce fœtus en attente de devenir bébé.

En choisissant délibérément dans ce livre de parler de sujets qui n'avaient jamais été abusés sexuellement, j'ai donc voulu situer ma réflexion sur le processus de guérison à un niveau nettement antérieur à toute forme de traumatisme génital, si évidemment horrible qu'il peut servir de souvenir-écran à un traumatisme plus primitif. On pourrait ainsi, pour reprendre le titre d'un livre d'Anny Duperey, parler d'un « voile noir » jeté sur des choses encore plus pénibles que l'horreur d'un abus sexuel.

Il me semble aujourd'hui que le traumatisme le plus archaïque, le plus primitif, est celui qui résulte d'une conception non aimante. Et cela dans cette vie-ci, nonobstant tout traumatisme transgénérationnel.

Retour aux origines

Nous savons déterminer avec précision quand un enfant vivant est né. Et nous savons, avec un peu moins de précision, faire un constat de décès. Mais la guérison ? Quand la « rémission » d'une maladie physique « chronique » comme la maladie de Crohn ou le cancer du côlon peut-elle être proclamée « guérison » ? Combien d'années faut-il attendre avant d'être autorisé à le dire ? Ne sommes-nous pas tous et toutes des « morts en sursis » ? Faut-il pour cela être mû par un instinct de mort plutôt que par notre instinct de vie ? À partir de quand un être humain globalement en bonne santé n'a-t-il plus besoin d'être intégré à un système médicalisé, où il est abonné comme le sont les abonnés du gaz, et peut-il « prendre sa santé en main » (ainsi s'appelle un Comité de Santé Canada), bref devenir autonome ?

Deux sujets de ce livre avaient une maladie organique, physique, bien réelle, tout sauf imaginaire, ni même fonctionnelle, et fortement médicalisée dans nos sociétés occidentales axées quasi exclusivement sur le plan scientifique. Fut un temps, les malades souffrant de la maladie de Crohn étaient envoyés chez les psychiatres. Or, ce serait un crime de ne pas opérer une femme chez qui la maladie a créé un obstacle mécanique insurmontable, même si nous savons parfaitement bien, en raison du haut taux de récidives postopératoires, que ce serait à la fois illusoire et malhonnête de promettre la guérison d'un coup de bistouri à une malade qui souffre de la maladie de Crohn. De même, ce serait criminel de traiter un patient qui souffre d'un cancer du côlon par n'importe quel type de médecine alternative, ce que beaucoup confondent avec les médecines complémentaires que sont, par exemple, l'hypnose, le biofeedback, la méditation et les massages. La science émergente de la psychoneuroimmunologie est à peine sortie des fonts baptismaux de l'obscurantisme. Le modèle biopsychosociospirituel de la genèse des maladies est appelé à remplacer le modèle biomédical, aussi simpliste, de façon navrante, que celui qui en médecine faussement douce fait, à grands raccourcis, une équation primaire et courte entre une plainte corporelle et une sorte d'équivalence de problématique psychique. Comme, par exemple, dans les raccourcis primaires proposés par les tenants purs et durs de la biologie dite « totale ». Nous en sommes encore à l'âge de pierre en ce qui concerne l'approche intégrée, globale, holistique, des maladies physiques organiques bien palpables.

L'augmentation exponentielle des coûts de la santé ne reflète pas seulement le vieillissement et l'augmentation de l'espérance de vie des populations occidentales, mais aussi leur refus opiniâtre – ou leur quasi incapacité – de prendre leur santé en main. De ce point de vue, administrateurs et administrés partagent la même folie du modèle biomédical, à savoir qu'on tombe malade par un malheureux hasard. Cette évaluation critique de l'état actuel des choses médicales a été faite dans un livre qui tente magistralement de jeter un pont entre toutes les approches de la santé et de la maladie : *La Solution intérieure*, de Thierry Janssen. Il s'agit d'une révision extensive de la littérature scientifique et autre, faite par un chirurgien urologue, qui tente de nous ouvrir l'esprit de façon à ne plus tronquer notre évaluation globale de la réalité pour une science simpliste, où le nombre infini de variables a été réduit à un minimum gérable, et évaluable de manière objective. Il y a des « purs » en médecine scientifique qui « croient » que tout sera un jour prouvé, même s'ils se ferment aujourd'hui les yeux et se bouchent les oreilles face à la complexité des choses dans ce monde avec lequel ils tentent de communiquer. Dans une première étape, c'est-à-dire celle qui consiste à seulement l'appréhender, sans nécessairement arriver à dialoguer. C'est mon amie Sylvie qui parle alors de « ces médecins blindés qu'on rencontre d'habitude », quand ils ne couplent pas leur « professionnalisme » à leur sensibilité.

Quant aux deux autres malades, l'homme qui souffrait d'une colopathie fonctionnelle et la femme qui souffrait d'une douleur anale intolérable, ils avaient un problème qui s'est avéré, rétrospectivement, après guérison, de nature fonctionnelle. Non pas imaginaire, comme le pensent beaucoup de soignants et de soignés. Mais de l'ordre de la somatisation.

C'est le corps qui parle, et il n'a que des maux pour s'exprimer. À nous d'apprendre à décoder ce langage archaïque.

CHAPITRE VI

Peut-on guérir
d'une maladie incurable ?

Tous les médecins bien formés savent que la maladie de Crohn dont a souffert Danielle ne peut être guérie par une intervention chirurgicale. La chirurgie doit être réservée aux complications graves et irréversibles. L'obstruction intestinale persistante, par exemple, peut survenir à cause d'une fibrose et d'un durcissement des tissus. Ce qui était le cas pour Danielle. Mais parfois, il s'agit plus simplement d'un œdème, un gonflement des tissus potentiellement réversible, car provoqué par l'inflammation inhérente à la maladie. Autre complication possible : une infection grave, comme un abcès, une perforation avec péritonite, une fistulisation, où l'intestin atteint communique avec un autre viscère. Ou une hémorragie massive, incontrôlable, quand l'arrêter devient une question de vie ou de mort. Parfois aussi, et plus rarement, la maladie peut handicaper de façon grave et potentiellement permanente la croissance d'un enfant atteint de maladie de Crohn. Ou, plus rarement, le gros intestin se dilate au risque de perforer. Ou est ravagé par les ulcérations qui sont là de longue date. Un piège, alors, pas toujours facile à éviter est de décider d'opérer « pour non-réponse au traitement médical », même si celui-ci est optimal. Il y a quelques années, à l'occasion d'une revue de dossiers, j'avais noté que pour l'ensemble des malades souffrant de maladie de Crohn et suivis dans mon institution, seulement seize avaient été opérés en désespoir de cause, mais hors toute complication. Chiffre très raisonnable, si on considérait que la cohorte globale comportait plus de six cents malades. Oui, mais... sur les seize malades, quinze étaient des femmes, et à l'époque tous les chirurgiens étaient des hommes. Ce qui fait réfléchir au devenir de la maladie et aux indications de la chirurgie en fonction de l'identité des intervenants.

Reste une complication rarissime : le cancer. Ce que nous en savons, c'est qu'il se développe à l'occasion dans le gros intestin, et aussi dans certains segments du petit intestin, malades, mais mis hors circuit du bol alimentaire, dérivé chirurgicalement au-delà de la partie malade.

Pourquoi disons-nous que la maladie de Crohn ne peut pas être guérie par une intervention chirurgicale et qu'il serait incorrect de faire une telle promesse ? Parce que nous avons maintenant un recul historique important sur cette maladie depuis sa description par le docteur Burril Crohn en 1931. Quand un chirurgien de Liverpool du nom de Wells décrivit dans les années 1950 la « colite de Crohn », une maladie de Crohn du côlon, et non de l'intestin grêle, l'Amérique entière se gaussa : « Vous savez bien que cette maladie est une maladie du petit intestin ! » Nous savons pourtant aujourd'hui, grâce à une série de rapports de « cas », que la maladie de Crohn peut survenir dans la bouche, dans l'œsophage, dans l'estomac, dans le duodénum, ou dans l'anus. J'ai publié l'étude d'une série de malades qui avaient une maladie de Crohn au clitoris ou à la vulve, sans aucune autre lésion au niveau du périnée. Et un de mes collègues a publié l'histoire d'un homme qui avait une maladie de Crohn au mollet ! Bref, d'une maladie initialement bien ciblée sur la partie la plus basse de l'intestin grêle, nous sommes passés aujourd'hui à une maladie de la personne, même si les lésions sont à prédominance digestive.

Si j'ai survolé ainsi très brièvement l'histoire de la

maladie de Crohn, c'est pour pouvoir insister sur les lenteurs que nous avons eues, nous, médecins, à la reconnaître et surtout à reconnaître son spectre. C'est aussi pour insister sur le fait que les lésions, bio-organiques, bien visibles à l'œil nu, radiologiquement, histologiquement ne sont pas une « chose » mentale, imaginaire, mais bien réelle. Mais qu'elles ne sont pas non plus limitées à une zone corporelle d'où on pourrait facilement les extirper.

Nous n'avons toujours pas de traitement spécifique de cette maladie, près d'un siècle après sa description. Et malgré l'intérêt de beaucoup de chercheurs et de cliniciens, nous n'en connaissons toujours pas la cause. Nous avons couru après d'innombrables bactéries et virus sans qu'un seul agent infectieux puisse être incriminé.

Quelques psychologues et psychiatres se sont obstinés – à juste titre, selon moi – à tenter de mettre en évidence des facteurs psychologiques qui sont associés à la maladie de Crohn. Ils ont démontré la présence de beaucoup de psychopathologie chez près de cinquante pour cent des malades, les plus évidentes étaient une dépression chez près d'un tiers, et l'existence d'un caractère obsessionnel chez un grand nombre de sujets. Qui veulent que tout soit en ordre, sous contrôle, vérifié et revérifié. Au Québec, l'immense majorité des malades sont des femmes.

J'ai participé, il y a longtemps, à une étude internationale où les critères diagnostiques étaient établis, non pas suivant l'avis du clinicien, du radiologiste ou du pathologiste, avec toutes les variantes possibles d'un pays à l'autre, mais par un programme informatisé assisté de l'ordinateur. Nous nous sommes situés à un extrême du spectre avec neuf malades porteurs de maladie de Crohn pour un avec une rectocolite hémorragique. À l'extrême opposé se situait la Tchécoslovaquie avec un rapport inverse de un pour six. La caricature de quelqu'un qui souffre de maladie de Crohn, et que j'accueille dans ma pratique, est d'être

« femme, jeune, jolie, intelligente, contrôlée et contrô-
lante »...

Bien entendu, quand je fais ce commentaire, je me
situe comme partant d'une « science molle », basée non
sur l'« observation clinique » rigoureuse d'un certain
nombre de variables, mais sur l'« art de la médecine »,
où toutes les données subjectives – de part et d'autre –
sont présentes au cours des « expériences cliniques ».
Quand les « croyants » sceptiques et matérialistes ont
pris connaissance des rapports publiés démontrant la
présence de psychopathologie dans la maladie de
Crohn, ils se sont tout de suite écriés que, bien entendu,
c'était normal, la maladie étant d'un tel poids pour
l'individu, entraînant une telle morbidité, qu'elle reten-
tissait inévitablement sur la psyché des malades. Un cas
typique de « charrette et de cheval », où il faut savoir qui
entraîne qui !

Fort heureusement, une étude britannique a
démontré, sans doute possible, qu'il y avait encore plus
de psychopathologie avant que le diagnostic de la
maladie ne soit posé, démontrant donc que là, comme
dans toutes les maladies, la psyché est à l'œuvre, et qu'il
n'existe donc pas de maladies psychosomatiques *per se*,
dans une catégorie à part. Une étude fascinante, faite
par un psychologue du nom de McMahon, a comparé
des patients souffrant de maladie de Crohn à un
membre de leur fratrie n'en souffrant pas. Lui aussi a
retrouvé la présence de psychopathologie chez les
malades. Mais il a fait une analyse beaucoup plus fine
que celle qui consistait à simplement faire passer des
tests chiffrés. Et il a aussi conclu que le malade n'avait
pas... fait sa crise d'adolescence. Vivait encore chez ses
parents, à un âge avancé comme dans le film *Tanguy*...
Ou alors, était dans une relation que je qualifierais plus
de « ménage » que de « couple », dans une totale dépendance fusionnelle.

J'ai ri, un jour, en salle d'urgence, où s'était présenté
un homme d'une trentaine d'années en poussée aiguë de
maladie de Crohn, quand j'ai vu sa femme tendre la

main pour prendre la prescription que je venais de faire. Pourtant, son état général ne justifiait pas un tel infantilisme. Je partage donc entièrement l'hypothèse de mon collègue, le professeur Jean-François Corbin, psychiatre et psychanalyste, que les malades souffrant de la maladie de Crohn ont vécu des problèmes d'attachement graves tôt dans leur vie. Mais je doute que cela soit spécifique à la maladie, puisque beaucoup de gens ont mal vécu leur prime enfance sans pour cela avoir une maladie de Crohn. Encore une fois, nous revenons à la nécessité de fonctionner avec un modèle multifonctionnel.

Dans la recherche d'une cause à la maladie de Crohn, un troisième domaine fait l'unanimité des médecins, à savoir la présence, dans cette maladie, de désordres du système immunitaire. Beaucoup de recherches se font dans ce sens, et c'est un champ d'activités qui est loin d'avoir livré tous ses secrets. Une observation fascinante a été faite par le docteur Adrian Greenstein, de l'hôpital Mount Sinaï, à New York. Il nous a appris qu'il y avait deux familles de malades. Ceux et celles qui fistulisent, et récidivent rapidement. Et ceux qui sténosent – comme Danielle – et récidivent plus lentement. Il a présenté des données suggérant que les sujets, en général, continuaient à faire partie de la même « famille ». Et aussi, il nous a montré une différence du système immunitaire dans les deux cas.

En bout de piste, nous restons avec une grande ignorance de ce qui se trame au niveau corporel chez les sujets qui souffrent de maladie de Crohn.

Et alors ? me direz-vous. Et Danielle, qui guérit après deux interventions chirurgicales ? La vie a souvent été douce avec moi, même si elle m'a forcé à me remettre en question totalement à l'âge de vingt-sept ans quand je me suis découvert un cancer de la thyroïde, qui, essentiellement, m'a dit : « Change ou meurs ! » Sur le plan personnel et sur le plan professionnel, cette douceur de vivre s'est manifestée au long terme, en m'offrant une série de boucles qui se sont complétées, la fermeture de celles-ci m'éclairant sur ce que j'avais d'abord subi dans une ignorance totale du sens profond de l'expérience.

En l'occurrence, les lettres échangées entre François, qui était mon père, et Danielle m'ont profondément bouleversé. J'y ai vu « le dessous des cartes » sur lesquelles surfent l'immense majorité des médecins et des malades, trop empêtrés dans le savoir et le savoir-faire pour explorer le savoir-être. En général, quand la vie me fait ainsi un clin d'œil et un appel du pied, je réponds au quart de tour. En appliquant à la vie et à l'amour le dicton très chirurgical qui pousse à agir d'abord et à réfléchir ensuite. Au moins, on apprend par l'expérience... J'ai donc, en l'occurrence, fait de gros efforts pour retracer cette femme, Danielle, qui, apparemment, avait « guéri » après deux interventions chirurgicales pour la maladie de Crohn. Et dont le discours et les échanges avec mon père m'avaient interrogé sur le sens de cette maladie.

Je voyage beaucoup. Je connais de nombreux soignants dans des hôpitaux un peu partout. Et j'avais en main ces lettres ! J'ai donc réussi à retrouver Danielle ! Nous avons correspondu. Nous nous sommes rencontrés. Nous sommes devenus des amis.

Danielle qui « guérit » après deux interventions chirurgicales. Et, de fait, les lettres que mon père et elle ont échangées reflétaient fort bien son devenir. Elle avait, dans un premier temps, subi la résection de cent dix centimètres d'intestin grêle jusqu'à son abouchement au côlon. Sept ans plus tard, elle avait eu une autre résection intestinale, *a minima* cette fois, puisque seuls douze centimètres d'intestin grêle avaient été enlevés, le restant de l'intervention ayant consisté en quelques stricturoplasties, c'est-à-dire des élargissements de la lumière intestinale rétrécie par la fibrose du processus de guérison. Progrès donc lors de cette seconde étape. Progrès suivi de quinze ans de bonheur abdominal, où elle avait appris à vivre d'une manière radicalement différente. Danielle avait noté une « coïncidence » qui m'a fait penser au syndrome d'anniversaire que Anne Ancelin

Schützenberger a illuminé de son intelligence, en se fondant, entre autres, sur les travaux d'une Américaine, Josephine Hilgaard. Danielle m'avait dit qu'elle avait été opérée, à chaque fois, juste avant son anniversaire de naissance !

J'avais pensé à cette autre histoire d'une malade qu'un confrère me demande de voir en consultation. Il pense qu'elle a une diverticulite du côlon, inflammation, qui, si elle survient trop souvent, nécessite une intervention chirurgicale. Je ne suis pas de son avis, mais pour une raison administrative, il ne voit pas le rapport de ma consultation et n'en prend connaissance que lorsqu'il s'apprête à l'opérer. Il me demande de l'accompagner pour annoncer l'erreur et dire à la malade qu'il la congédie de l'hôpital au lieu de l'opérer. Je note au passage que la chirurgie était prévue... le jour de son anniversaire, et je dis à la malade et à son mari que ce sera plus agréable pour tous les deux de faire la fête à la maison plutôt que sur une table d'opération... Et la malade de s'exclamer : « Ah, ça oui, docteur ! D'autant plus que la première opération que j'ai subie, c'était aussi le jour de mon anniversaire ! »

Mais, lorsque j'ai réussi à contacter Danielle, elle... s'apprêtait à être opérée une nouvelle fois, seize ans plus tard. Maladie de Crohn ? Non ! Cancer de l'intestin grêle ! Après quinze ans où elle était restée parfaitement asymptomatique, et avait repris un poids tout à fait normal, elle avait été brièvement hospitalisée pour des douleurs abdominales. Une radiographie de l'intestin grêle avait montré que dans le milieu de celui-ci, il y avait un segment qui était rétréci et ulcéré. Le radiologiste avait conclu à un retour de la maladie de Crohn. Les symptômes empirant, elle avait été opérée. Le chirurgien n'avait pas soupçonné, en ouvrant son ventre, qu'en fait, elle avait un cancer de l'intestin ! Non visible de l'extérieur, mais étendu sur quinze centimètres de long ! Le cancer n'avait pas envahi les ganglions voisins. Fait absolument remarquable, étant donné ce que l'on sait de la maladie, le pathologiste qui avait examiné la pièce opératoire avait noté l'absence totale de la moindre évidence de maladie de Crohn.

Nous nous sommes souvent parlé depuis. Nous avons correspondu. Je lui ai rendu visite quelquefois. Nous en avons acquis aujourd'hui une vision existentielle des causes de la maladie de Crohn, chez elle.

Voici...

20 septembre

Bonjour, Ghislain, j'espère que tout va bien pour toi. Pour ma part, je me remets tranquillement de la chirurgie. Sur tes conseils, je suis en train de lire le livre d'Alice Miller, *Notre corps ne ment jamais*, qui me ramène encore à mon enfance. Je me suis rendu compte que j'avais travaillé sur ce qui m'était arrivé, et sur ce que j'avais vécu.

Mais les causes profondes de la maladie de Crohn, comme la domination, l'obéissance, le droit au réconfort ou à l'approbation, n'avaient peut-être pas été conscientisées complètement. D'où le cancer, comme message lourdement insistant d'un travail inachevé...

Pour la domination, c'est certainement la partie qui avait pris toute la place dans ma vie. Étant donné que j'étais passée de ma mère à mon mari... Ils apaisaient leur insécurité en dominant ceux qui les entouraient. Donc, dans mon travail avec ton père, au tout début, la domination a été conscientisée.

Mais pour l'obéissance, je me suis rendu compte que j'avais continué à vivre dans ce pattern, lorsque j'étais en présence d'une figure parentale, et que je m'y trouvais encore quand j'ai développé ce cancer. Et crois-moi, j'en ai rencontré plusieurs autres, des figures maternelles... Surtout les six derniers mois... Je me suis aperçu que, lorsqu'une figure d'autorité me demandait de faire quelque chose, sans hésiter, sans la ou me questionner, je faisais le travail, souvent à mon détriment. Je donnais plus que mes forces ne me le permettaient. Et cela m'a amenée à l'épuisement physique maintes fois.

Pourquoi est-ce que j'agis ainsi ? Pour deux raisons.

La première, c'est que, lorsque j'étais petite, si je ne faisais pas ce que l'on attendait de moi, j'étais battue. Ce créneau est encore présent. C'est un carcan inconscient. Ou plutôt il était totalement inconscient. Donc, mes cellules et ma mémoire me branchaient sur un mode automatique : obéissance sous peine de représailles. Beaucoup de peur ici.

La deuxième, lorsque j'étais petite, le seul moment où je recevais quelques encouragements était après le travail accompli. Avec succès il va sans dire ! Si tout n'était pas accompli à la perfection, c'était une catastrophe. On s'organisait pour que je me sente coupable.

Je suis encore dans ce schéma. Ce créneau n'a pas été remplacé. Mais je suis en train de me conscientiser à ces deux motifs ! Voilà où j'en suis, avec ma lecture.

Lors de ton appel, ta première question a été : « Comment as-tu fait pour passer du Crohn au cancer ? » Je t'ai répondu que je n'en savais rien. Pourtant, dans mon for intérieur, j'avais ma petite idée. Pour moi, qui ne connais pas grand-chose à la médecine, je me représente ou, plutôt, je vois le cancer comme quelque chose qui te bouffe. Et le mal me dévore, parce que je vis dans mon corps ce qui se passe à l'extérieur de celui-ci, je vis quelque chose qui est intensifié par ma sensibilité.

Je sais de quoi il s'agit.

Au bureau, j'étais responsable d'une équipe de cinq vendeurs pour le continent. Je faisais partie de la Direction de l'usine. J'étais responsable du Département des ventes, dont le chiffre d'affaires se situe autour de cinquante millions de dollars annuellement. J'étais aussi responsable du Service à la clientèle, et de celui de l'Expédition. Charge lourde pour une femme, qui fait face à une dizaine d'hommes qui veulent sa place, et qui n'ont pas le mot « perfection » dans leur vocabulaire.

J'étais constamment aux prises avec la production pour répondre aux besoins de mes clients. C'était quotidien. Cela a eu pour effet de m'user physiquement. Et de m'écœurer de la race humaine… C'était l'état dans lequel j'étais lorsque j'ai été hospitalisée avec ce que mon médecin croyait être une rechute de la maladie. Je ne voulais plus rien faire, ni rien entendre de qui que ce soit ! Je voulais et veux toujours débarquer du cirque. Je ne veux qu'être, et c'est cela que je m'applique à faire.

Donc, je fais le ménage dans ma vie professionnelle. Pour ton information, depuis mon départ, tous mes clients m'ont téléphoné, ou écrit, ou fait parvenir des fleurs. Le président de la compagnie, lui-même, m'a téléphoné trois fois pour me demander si je pouvais donner un coup de pouce. Ils sont dans de mauvais draps depuis mon départ, apparemment. J'ai dit : « Non ! » J'ai à prendre soin de moi ! De toute façon, je vais démarrer ma petite affaire plus tard ! Ils n'ont qu'à se trouver une autre mère…

Dans ma vie personnelle, ce n'est pas le Pérou. Ma maison est à vendre. La relation avec mon compagnon arrive à son terme, et lorsque la vente sera faite, nos chemins vont se séparer.

Voilà les deux choses qui me bouffent depuis quelque temps.

Tu sais, je suis encore sous le choc du mot cancer. Honnêtement, j'ai beaucoup de difficultés à me représenter ayant eu un cancer. Je me sens tellement détachée. Je suis vide d'émotions.

J'essaie d'être, c'est tout. Je ne sais pas et je n'essaie pas de diriger. Je fais confiance à la Vie, et je suis…

À bientôt, je t'embrasse.

Danielle

Le travail et les obligations qui en découlent… Où Danielle se sent clairement comme une marionnette, dont les ficelles sont téléguidées par la façon dont elle a vécu son enfance. Son conflit avec l'autorité, elle le relie de façon lumineuse à la domination maternelle. Mais comme elle le dit avec beaucoup de lucidité, elle associe aussi cette domination maternelle à celle exercée par son ex-mari. Dans un raccourci tout à fait cohérent avec les idées de Danièle Flaumenbaum qui écrit, dans *Femme désirée, femme désirante*, qu'une femme qui traite son conjoint comme un enfant, en réalité, a épousé sa mère à elle. Et de rajouter la compulsion de répétition pathogène, où toutes les figures d'autorité et d'exigences de productivité dans son lieu de travail ne font que renforcer les séquelles de la domination maternelle. À faire rêver à propos des arcanes inconscients des jeux de pouvoir dans la plupart des organisations sociales ! Et des jeux de rôles qui s'y trament au masculin ou au féminin... À gauche ou à droite...

Danielle se voit comme un animal, bien dressée à répondre comme ceux de Pavlov. On appelle cela le surmoi... Souvent présenté comme le fruit d'une excellente éducation... À la maison d'abord... Puis l'école renchérit... Pour finir par aboutir à une société de moutons...

Danielle n'a pas eu besoin de beaucoup se questionner sur la raison d'être de ce cancer, survenu après une longue période de sa vie, où elle avait été en parfaite santé, en totale contradiction avec ce que nous connaissons scientifiquement de la maladie de Crohn. Elle le dit clairement : « En mon for intérieur, j'avais ma petite idée. » Non seulement, elle avait guéri de la maladie, puisqu'elle était sans récidive depuis quinze ans, et que le pathologiste avait clairement indiqué qu'il n'y en avait pas dans le spécimen, mais, en plus, elle « savait » qu'il lui restait une tâche inachevée, une problématique enfouie plus profondément dans son inconscient, plus archaïque que simplement les jeux de contrôle, de pouvoir et de domination.

Mais elle ne fait qu'effleurer un questionnement existentiel beaucoup plus profond, quand elle nomme son seul souhait, à savoir qu'elle « ne veut que être », et qu'elle ajoute que la relation avec son compagnon est dans ses derniers moments, alors qu'elle est avec lui depuis près de dix ans.

10 octobre

Bonjour, Ghislain, voici quelques notes pour continuer notre conversation. Tout est bien tranquille en ce moment. Depuis ton dernier appel téléphonique, il ne s'est pas passé grand-chose.

Je travaille avec le lâcher-prise comme tu me l'as suggéré. De toute façon, cela rejoint l'état d'esprit dans lequel je suis. Sauf que moi, j'appelle cela l'abandon. Cela, je connais bien ! L'abandon est présent dans ma vie depuis que j'ai commencé mon travail intérieur. Dès que je maîtrise quelque chose dans ma vie, celle-ci s'acharne tant que je n'abandonne pas pour passer à autre chose. Alors, en ce moment, qu'est-ce qui m'a laissé ? Ou qu'est-ce que je dois abandonner ? Je sens seulement une réponse : ma manière de vivre ! Je comprends à travers mes larmes et ma sensibilité que les rêves et les illusions que j'avais ont tous été détruits les uns après les autres ! Qu'attendre de la vie maintenant ! Doit-on attendre quelque chose ! Je pense que non maintenant ! L'amour ! On s'aperçoit finalement que ce n'est qu'une émotion. Par contre, elle est tellement différente des autres ! Parce que celle-là, on se la souhaite avant de réaliser tout le bagage qu'elle apporte, heureux et malheureux. Personnellement, j'ai vécu l'état de l'amour, ce qui n'a rien à voir avec l'autre. On me l'a donné durant quelques jours, deux ou trois, mais, depuis, je sais qu'il y a autre chose. L'amour « conventionnel » ne répond plus à ce que j'aimerais vivre. Ce genre d'amour appartenait probablement à la jeune fille ! Mais pour la femme... Je l'ignore... Je préfère ce que j'appelle « l'état de l'amour ». C'est bien dire là ce qu'on exprime au Québec quand on parle de « tomber en amour ». C'est aussi pour cela que je préfère, quand j'éprouve de la compassion pour quelqu'un, lui demander : « Comment te sens-tu ? », plutôt que dire « Comment vas-tu ? », beaucoup trop dans l'action plutôt que dans un état d'être. Si je disais : « Ça va ! », ce serait pour me rassurer moi...

Le travail ! J'ai longtemps cru que c'était la réponse à

tout. Pour réaliser, finalement, que cela ne me comblait pas comme je l'avais espéré. Aujourd'hui, c'est de plus en plus difficile de faire sa place avec toutes les exigences et la perfection. J'ai fait ma place à mon travail, mais cela ne me comblait pas. Donc j'abandonne ! Mes enfants ! On ne vit pas pour ses enfants ! Au contraire, on vit avec eux, et il faut les laisser aller. Il y a tant d'enfants, pourtant, qui sont élevés comme futurs bâtons de vieillesse, et sont transformés en parents de leurs parents...

Tu vois, j'ai couvert le cœur et le corps. Il me reste l'âme. J'ai acquis beaucoup de connaissances. J'ai vécu beaucoup pour la spiritualité. Et finalement, je me rends compte que nous sommes tous à la recherche de quelque chose que nous ne connaissons pas, mais auquel nous aspirons de tout notre être. Mais nous ne l'avons pas, cela nous est donné.

Par contre, en cours de route, les découvertes sont fascinantes. Et je pense que la plus belle pour moi à ce jour, est celle qui concerne l'être humain. Nous sommes tous dans la même situation, façonnés par notre enfance ! Cette découverte nous permet de mieux comprendre et d'accepter le comportement de ceux qui nous entourent ! Tu vois, j'ai l'impression d'être vide à l'intérieur ! Il y a cependant quelque chose pour moi qui se dessine et prend forme de plus en plus.

L'instinct. Depuis janvier 2006, je savais que je vivrais quelque chose cette année. Maintenant que j'y repense, tout le chemin qui menait à la chirurgie a été fait de circonstances incroyables. Et peut-être, Ghislain, ai-je été chanceuse ! Ou protégée dans ma malchance. Et j'ai l'impression que j'ai encore autre chose à vivre, mais sur d'autres plans que la santé. Mon instinct, encore une fois.

Penses-tu qu'il soit possible que mon instinct devienne de plus en plus fort et présent dans ma vie ? C'est peut-être pour cela que je me sens « entre-deux ». Quitter le monde du mental, ou, si tu veux, abandonner le mental pour accéder à quelque chose qui n'est pas très bien défini. C'est très insécurisant. Mais en même temps, puisque l'on s'occupe de moi, je vais me laisser porter ! Je te laisse sur cette réflexion.

Je t'embrasse, mon ami !

À bientôt,

Danielle

Le travail et ses impositions. L'amour et les relations aux autres. L'instinct et le sens de l'existence.

Danielle s'est lancée dans la peinture et s'apprête à faire deux expositions. Elle voudrait aussi écrire.

De son évolution amoureuse, elle me raconte que après avoir divorcé de son mari, elle a eu une liaison avec le frère d'une de ses amies. Homme très intelligent, mais qu'elle a trouvé trop cérébral. De plus, son amie n'a pas supporté qu'elle rompe avec lui et l'a rejetée totalement, comme si elle-même était affectée par cette rupture. Dans un spectaculaire passage à l'acte au cours d'une relation pseudo-parentale de triangulation. Puis, elle a vécu pendant dix ans avec un homme très sensuel. Elle dit qu'au départ elle a pu, avec lui, explorer la sexualité au maximum. Qu'elle a connu l'extase. Ils ont voyagé. Mais cette relation n'était pas imprégnée d'amour véritable. L'intervention chirurgicale fut pour elle l'occasion de la rupture. De toute façon, avant le cancer, ils ne faisaient plus l'amour depuis plus d'un an. Il était souvent absent, parti en voyage, seul. Ils ne faisaient plus que cohabiter.

J'ai tellement lu et relu les lettres échangées entre Danielle et mon père que je les connais presque par cœur. Je sais depuis longtemps qu'un homme peut prédire grossièrement la nature de la relation qu'il va développer avec une femme, et savoir quelles difficultés l'attendent pour rester en couple avec elle, en évitant de sombrer dans la fusion des ménages. Tout en sachant aussi, bien entendu, que ces liens, où tout est mis en jeu, tête, cœur, corps, sexe, âme, se jouent à deux, et qu'il a, lui aussi, à faire un apprentissage et un travail de deuil de ses carences affectives passées, réveillées par le présent. Que cette femme qu'il aborde soit plus proche de son père que de sa mère, et elle sera plus femme, plus sexuée, plus désirante. Mais elle ne sait pas qu'en faisant l'amour avec ce nouvel homme, elle reprendra conscience des insuffisances maternelles. Nous rejoignons là une idée de Danièle Flaumenbaum que je crois profondément exacte, à savoir qu'une femme peut épouser sa mère, tout en croyant marier un homme, sans pour cela être homosexuelle. Mais sitôt pénétrée par le pénis de son amant, cette illusion vole en éclats et les carences affectives du passé remontent et handicapent la vie du couple. Et pour que le couple issu de la rencontre ne s'étiole pas, cette femme doit faire le deuil, comme processus de guérison, des qualités « féminines » de son amant, qui, en fait, reflètent sa quête d'une bonne mère en lui. Un temps, l'illusion peut persister et l'inconscient rester coi. Danielle a connu l'extase en explorant la sexualité au maximum avec son dernier compagnon, après avoir cheminé au décours d'un mari maternel, et d'un amant aussi intelligent qu'elle mais « marié » inconsciemment dans une relation incestueuse avec sa sœur, qui, alors qu'elle était son amie très proche, l'a rejetée violemment quand elle a rompu avec son frère. Pour un temps, celui de l'exploration intense de la sexualité, Danielle et son amant ont donc vécu une sexualité « opératoire », comme l'a décrit Joyce McDougall. Ou, pour parler comme le nomme clairement cette autre thérapeute, Paule Salomon, ils ont été capables de « faire le sexe », dans l'inconscience la plus totale de ce qui se tramait et se réveillait lentement au cours de leurs ébats amoureux. Pas encore capables de « faire l'amour », corps et âme dans le lâcher prise absolu. Danielle n'était évidemment pas cet autre type de femmes, de celles qui préfèrent de loin leur mère à leur père, et ont donc une grande peur viscérale d'aborder le sexe de l'homme et ce qu'il représente d'altérité, au lieu du même. Ses lettres à mon père étaient éloquentes à cet égard. Et tout cela était pertinent par rapport au devenir du corps de Danielle.

Sous-jacente aux élaborations que je viens d'ébaucher sur les relations entre les femmes et les hommes, il y a toute la question des projections et de l'identification du petit enfant à un de ses parents. Préférant son papa à sa maman, clairement, Danielle s'y était identifiée, dans une triangulation parentale œdipienne précurseur de son devenir, par un effort futile de plaire et d'être vraiment aimée de sa matrone génitrice. Et quelle lucidité, alors, vingt ans avant les faits, quand je relis ses mots quand elle rencontre mon père : « Mon père est mort du cancer du côlon récemment. S'en est suivi un tas de problèmes qui m'ont rendue très nerveuse. Et puis, j'ai peur de suivre son chemin, et de, moi aussi, attraper le cancer. Cette nervosité affecte mes intestins. J'ai toujours mal au ventre… » Quel instinct ! Quelle lucidité ! Quel sens de la prémonition ! Et aussi, quelle sagesse, quand, se sachant rattrapée par son cancer « espéré », elle rompt avec cet amant, beaucoup plus viril que le premier, qui l'a tant fait jouir ! Danielle guérie ! Le pathologiste qui a évalué le spécimen de résection intestinale pour le cancer a dit explicitement qu'il n'y avait retrouvé aucune évidence de maladie de Crohn. Médicalement, donc, quinze ans plus tard, Danielle est « guérie » de cette maladie. Mais elle a troqué un problème, majeur en termes de morbidité mais relativement peu porteur de mort, pour un cancer, potentiellement plus dangereux. Et qui ne répond pas aux « normes » : le cancer n'était pas localisé au niveau du côlon, et il n'était pas dans une zone d'intestin mise hors circuit. Au contraire, la nourriture qu'elle absorbait passait à travers la zone où allait finalement se développer la tumeur maligne.

Quel avenir pour Danielle ? C'est là toute la question quand on parle de « guérison » plutôt que de « rémission ». Elle est devenue une femme rayonnante de féminité. Elle a réorganisé sa vie professionnelle en accédant à un travail beaucoup plus autonome. Après avoir exploré son intelligence avec un homme, et sa sexualité avec un autre, elle vit seule, présentement.

Intensément vivante.

Mais sous la menace d'une récidive potentielle du cancer. Qui lui fait faire un nouveau bond en avant dans sa vie ! C'est Jung qui dit que tout ce qui n'accède pas à la conscience fait retour sous forme de destin. Et cela, Danielle, toujours aussi autonome que du temps où elle rencontrait mon père, l'a bien compris. Socialement, au niveau de son travail et ses amours. Et antérieurement, quand elle me parle de son devenir, de ses peurs. « Tu sais, dit-elle, le mental est toujours projeté dans l'avenir, dans ce qui va nous arriver, dans ce que nous devons faire pour prévenir les coups durs. Et le corps souffrant, lui, il parle, avec son langage, du passé. Il est toujours associé à des émotions. Et quand nous exprimons celles-ci, nous pouvons advenir enfin au temps présent. J'ai profondément pris conscience, grâce à ce cancer, de ce qui sépare mon idée de moi, de mon être véritable ! »

En bout de piste, elle n'a plus aucune évidence de maladie de Crohn, quinze ans après la dernière intervention chirurgicale pour celle-ci. Foi du rapport du pathologiste à l'appui. Quinze ans, ce n'est pourtant pas une vie. Nous ne pouvons pas encore parler de guérison, puisque les pires statistiques de récidives nous parlent d'un taux de quatre-vingt-dix pour cent de récidives de la maladie dans l'intestin grêle – comme c'est le cas chez Danielle – après trente ans. Mais dire que la maladie revient « toujours » fait preuve d'une très mauvaise compétence scientifique, puisque quatre-vingt-dix pour cent, ce n'est pas cent pour cent ! Qui plus est, prédire la récidive à tous les coups, c'est mettre en branle un mécanisme psychologique particulièrement pervers qui s'appelle nourrir la réalisation automatique des prédictions. Notre pouvoir de docteur est tellement immense, et supposément toujours profondément ancré dans la certitude de la vérité scientifique, que nous pouvons influencer des malades fragiles – à l'opposé de Danielle ou de Jacques, classés comme hautement « non compliants ». Nous jouons alors, à notre insu, à la cartomancienne ou à la voyante, ce qui a fait dire qu'un chirurgien qui referme le ventre d'un patient parce qu'il est bourré de cancer, et qui dit à celui-ci qu'il en a pour six mois, commet un meurtre par hypnose si le patient meurt à six mois... Prudence donc au niveau des mots « proférés » à l'occasion de n'importe quel « acte » technique : quoi qu'il en pense ou qu'il en sache, le docteur fait partie du traitement...

L'histoire de Danielle, guérie en principe de la maladie de Crohn, et défiant les statistiques, nous interroge pourtant beaucoup sur l'essence de ce que c'est que « guérir ». Elle est, en effet, passée de Charybde en Scylla, en troquant une maladie inflammatoire de l'intestin pour un cancer rare.

Pourquoi ? Battante, et portée par son puissant instinct de vie, elle découvre une nouvelle voie dans un lâcher prise existentiel fondamental.

Danielle m'interroge quand elle nomme du nom « abandon » ce que moi j'appelle « lâcher prise ». Jusqu'à ce qu'elle m'en parle, j'avais évoqué comme processus essentiel au cœur de la guérison la nature d'un lâcher prise absolu et inconditionnel à ce qui nous habite, non pas « à » quelqu'un – ce qui serait pure névrose de transfert, dans un effort futile pour se voiler les yeux face au passé –, mais « en présence de » quelqu'un, en qui nous avons une confiance absolue qu'il – ou elle – ne profitera pas de notre vulnérabilité archaïque, le temps qu'elle accède à notre conscience. Et nous rende libre du passé. Hélène Lucas me dit qu'il nous faut laisser filer toutes nos attentes, qui sont toujours le reflet de carences vécues dans le passé, et que, donc, elle est d'accord avec Danielle sur le remplacement du mot « lâcher prise » par le mot « abandon ». Prendre conscience d'avoir été abandonné par les parents que nous aimions nous en libère, et nous permet d'aborder d'autres êtres humains qui ne seront plus du tout des figures parentales vicariantes, des « bouche-trous »... Mais accéder à cet état d'être, c'est passer par d'immenses souffrances qui feront dire à Danielle qu'elle est « détachée. Vide d'émotions. » Un peu zombie. Encore qu'on peut soutenir que ce type de détachement n'est pas du tout un détachement, mais soutenir au contraire, l'anti-conscience et une persistance de l'attachement. Pas encore dans l'état d'être.

Danielle, avec son cancer du jéjunum, dont elle va guérir selon toute probabilité, rejoint alors René, qui est devenu cet « autre » et n'est pas mort de son cancer du côlon. Et cette attitude se reflète dans le fil de l'évolution du genre humain. Danielle qui écrit qu'il faut laisser aller ses enfants, dans une jolie paraphrase de Khalil Gibran qui nous disait que nos enfants ne sont pas nos enfants, mais ne font que passer à travers nous.

Exister ou Être ! La quête de la perfection, que Danielle a longtemps suivie, est mortifère. Elle rigidifie. Elle est paralysante. Elle répond toujours à des diktats extérieurs à l'individu. Alors que, diamétralement opposée à cette quête de perfection, se situe la quête d'un idéal, endogène, issu de cet individu.

Se pourrait-il que le nouveau bout de chemin sur lequel vient de s'engager Danielle soit celui qui va lui permettre de devenir, enfin, elle-même ? Ah ! Devenir soi-même… C'est Sandra Friedrich qui écrit, dans le cadre d'un doctorat en anthropologie médicale, qu'il nous faut « accepter de naître incomplet. De naître d'une double incomplétude. De naître dans une double violence. De parents aveuglés par leur propre incertitude, vide, insuffisance aliénante ». Et de rajouter ce à quoi arrive, sur son chemin, mais seulement face à sa mère, Danielle : « Vous savez, les familles, c'est en ce qui me concerne une belle foutaise… Je crois plus opportun et vrai de dire que la famille, c'est celle que vous créez, pas celle dans laquelle vous tombez par inadvertance. » C'est cela qui me fait nommer « matrones » ces génitrices qui se pensent mères alors qu'elles ne sont pas encore femmes… Tout en étant parfaitement conscient que père et mère sont *ex aequo* dans leur incomplétude, et les blessures infligées par leurs carences. Tout en étant aussi parfaitement conscient que le travail de guérison est aussi un travail de pardon. Pardon impitoyable parce que tissé de détachement, de respect, et d'amour qui n'a rien à voir ni avec un déni ou un refoulement pathogène, ni une quelconque abnégation religieuse. Même mère Teresa, si bonne ait-elle été pour les autres, a subi des pontages aorto-coronariens... Pères et mères sont en devenir. Comme Danielle est en devenir. Comme je le suis. Comme vous l'êtes aussi, amis lecteurs, qui faites partie d'une humanité encore en chrysalide, mais en évolution. Le Verbe ne s'est pas encore fait Chair. Vous pouvez aussi, si vous le préférez, chercher à transmuer la Chair en Verbe. Ou écouter Joël Clerget, psychanalyste qui n'a pas peur de toucher puisqu'il pratique l'haptonomie, toucher de nature fœtale, et qui dit que le corps entier est esprit. Je préfère, quant à moi, la première version. Chirurgien, homme, j'ai acquis par expérience la notion que le corps ne ment jamais, alors que nous pouvons nous raconter bien des histoires avec nos théories, principes et autres valeurs... Corps et esprit sont indissociables. Maintenir leur dualité, c'est nourrir le mal-être, la maladie, la mort, et non l'amour.

Il faut alors parler de la violence, comme le fait Sandra Friedrich, qui se réclame souvent de Michel Wieviorka. Celle, archaïque, qui se situe en amont de l'agressivité et de toutes les formes de violences banales, si cruelles et terribles soient-elles. Celle qui est mue par l'instinct de vie, plutôt que par celui de mort, et qui s'appelle la violence primordiale. Question essentielle quand la vie du sujet est mise en danger par un autre : « L'autre ou moi ! », « Lui ou moi ! », « Vivre ou mourir ! ». Cette violence primordiale enfante toutes les autres formes de violence. Y compris celle contre soi-même que représente toute forme de maladie, surtout, comme chez Danielle, le cancer qui, potentiellement, pourrait mettre sa vie en danger. Mais violence primordiale qui, intrinsèquement, peut aussi protéger le sujet. Sans avoir toutefois l'intention première et spécifique de détruire l'autre. Et qui donc, *in fine*, accouche de l'humain dans l'humain.

Ce questionnement de Danielle, « Exister ou Être », nous le portons tous en nous. « Exister » dépend de la reconnaissance de l'autre. « Être » est en communion avec soi.

CHAPITRE VII
La folie du corps

Que pouvons-nous apprendre de l'expérience des trois autres malades, qui ont vécu une transformation de leur vie en guérissant de ce qui les faisait souffrir ? Bien entendu, nous ne parlons pas ici d'aborder le sujet de manière scientifique, puisqu'il ne s'agit, dans les trois cas, que d'expériences uniques. Mais il existe une technique statistique qu'on appelle « étude avec un seul sujet », qui montre bien à quel point les statisticiens qu'on croit très souvent froids, cérébraux et déconnectés de la réalité ont compris le problème. Ce qu'ils peuvent d'ailleurs être froids et connectés, quand les mathématiques leur servent de mécanisme de défense contre leurs émotions. Telle cette directrice du Service de comptabilité d'un des gros hôpitaux de la ville, abusée sexuellement durant sa toute petite enfance, dotée d'un père extrêmement violent qui battait toute la famille et les menaçait régulièrement d'un fusil, et dotée en plus d'un mari aussi adepte du fusil... Elle me disait faire du calcul mental tout au long du chemin entre le moment où elle sortait de chez elle, et celui où elle rentrait dans son bureau à l'hôpital... Mais nous pouvons nous inspirer d'histoires individuelles pour émettre des hypothèses. À vérifier sur le plan scientifique. Avec une vision d'une science complexe, qui tienne compte du maximum de variables, autant physiques, mesurables, que psychiques, plus difficiles à intégrer.

Cancer, psyché et espérance de vie

S'il est évident que René s'est transformé en parallèle à son cheminement déclenché par l'intervention chirurgicale visant à faire l'exérèse du cancer du côlon dont il souffrait, il est tout aussi évident que le récit de son devenir n'est pas, en soi, un argument probant sur le fait que des éléments psychologiques sont aussi à l'œuvre dans la genèse et le devenir d'une pathologie aussi organique que le cancer du côlon. L'histoire de René relève d'une narration médicale, ce que certains départements médicaux universitaires ont reconnu sous le vocable de « narrative medicine ». Les sceptiques auraient tout à fait raison de décréter que l'histoire de René ne prouve rien. Il avait, de fait, un très « bon » cancer du côlon, dont la survie pouvait prévisiblement se chiffrer à quatre-vingts pour cent, à deux ans déjà, et à cinq ans, après l'intervention chirurgicale. En effet, son cancer, qui avait pénétré le muscle du côlon, ne l'avait pas traversé. Et les ganglions de drainage lymphatique du cancer étaient exempts de tumeur. Et les sceptiques pourraient rajouter que René a eu bien de la « chance » d'avoir une bien meilleure vie après le cancer qu'avant, sans qu'il soit possible d'argumenter avec eux de manière raisonnable et non émotionnelle que ce n'est pas le fruit du hasard. Hasard qui n'existe probablement quasi jamais... Nonobstant les tables de nombres « au hasard »... Quand on tient compte aussi de l'existence de l'inconscient et de la façon dont il agit sur les humains à leur insu.

Il n'y a donc pas matière ici à s'interroger, comme l'ont fait d'autres auteurs, sur les facteurs bio-psycho-socio-spirituels, qui peuvent précéder la survenue d'un cancer du côlon, ni sur ceux qui pourraient influencer son devenir une fois la lésion établie. Tout ce que j'ai donc tenté de dire dans ce récit, c'est de montrer que, dans une optique plus humaniste que technique, un cancer peut être, pour l'individu, une occasion de mieux vivre. « Un cancer pour vivre » serait alors une étiquette tout à fait appropriée pour décrire ce qui est arrivé à René. Mais nous sommes loin ici d'une quelconque science, et il ne s'agit chez moi que d'exposer une vision philosophique d'un sens à donner à l'existence, à la santé, et à la maladie.

Personnellement, je n'ai pas encore accompagné de sujet porteur de cancer généralisé, condamné par la science médicale au nom de nos connaissances actuelles et qui en guérisse contre toute attente. Encore que nous sachions que cela existe. Une rareté puisqu'on n'en a dénombré que quatre cents, bien documentés, de manière irréfutable sur le plan scientifique, ce qui équivaut à, au mieux, un patient sur cent mille. Mais au moins, nous devons savoir que cela existe. Et qu'il est peu probable que cela relève du destin. Il s'agit d'un domaine où nous avons encore beaucoup à découvrir, si nous nous obstinons à chercher avec toute la prudence nécessaire avant de conclure que des facteurs psychologiques sont aussi à l'œuvre. Et en fuyant comme la peste toute opinion qui aurait pour conséquence de culpabiliser ces infortunés malheureux qui n'ont pas la chance d'en réchapper. Que ce soit leur destinée, ou faute de conscience.

Mais je ne peux m'empêcher d'être profondément questionné, malgré tous mes doutes, quand croise mon chemin un homme qui clame avoir guéri d'un cancer intraitable, depuis plusieurs années. Je sais qu'il me faudrait obtenir son dossier, vérifier le diagnostic posé par les pathologistes, et faire un bilan extensif de santé avant de pouvoir conclure raisonnablement que cet homme a réussi à guérir de son cancer. Mais je suis tout de même interloqué par la profondeur de sa réflexion, et ce qu'en relate sa compagne.

Le 17 avril 2007

M. Ghislain Devroede. Je tiens à vous remercier de la confiance que vous me donnez en me demandant un mot au sujet de l'amour, du pardon et de la mort. Si vous me permettez, je rajouterai, après le pardon, la foi. La foi est indispensable au pardon. J'aimerais ajouter qu'un médecin de votre qualité est très précieux et ne se rencontre pas tous les jours.

Mon mari et moi avons expérimenté dans nos vies passées le pardon et l'amour, et avons une grande foi. En plus, en 2003, d'après le diagnostic de son oncologue, il restait à mon mari seulement une semaine à vivre. Le matin de Pâques, il le renvoyait à la maison pour y finir ses jours. Des amis chrétiens sont venus prier sur lui et quinze jours plus tard, il pouvait commencer ses traitements de chimiothérapie. Depuis, il est en rémission. Suite à cet événement, il a témoigné comme membre bénévole de la société Albatros, laquelle dispense des visites bénévoles et gratuites aux personnes qui ont reçu un verdict médical majeur.

J'emprunterai quelques paragraphes de son témoignage. « Il existe à l'intérieur de chacun d'entre nous un désir insatiable d'aimer et d'être aimé. L'amour est aussi le sentiment de paix et de tranquillité d'esprit qui découle d'un rapprochement intime avec un autre être humain. En côtoyant la mort, j'ai rencontré la vie. Je vous assure qu'un moribond ne pense pas à ses biens personnels, à ses réussites professionnelles, ou à sa notoriété : il n'a besoin que d'aimer et d'être aimé. Dans mon cheminement, j'ai pardonné et je me suis pardonné. J'ai éprouvé le besoin intense de faire le ménage de ma vie intérieure, c'est-à-dire de mon moi intérieur. J'ai bénéficié grandement du recours à la prière. Celle-ci s'avère un instrument très efficace pour accompagner la souffrance et favoriser même les dépassements. La prière possède toute la puissance qui rejoint nos besoins. Depuis ces événements, je suis persuadé que les trois valeurs principales résident dans l'amour, le pardon et la foi. Dieu a donné aux hommes les deux grandes missions que sont de s'aimer les uns les autres, et savoir pardonner. Et d'autre part, achever l'œuvre de la création.

Pour ma part, l'amour est le carburant qui conduit au pardon. L'être humain peut influencer lui-même son destin par son mental. On a prouvé que le mental est associé à la maladie. De plus en plus, le pardon fait partie du processus de guérison. Quand on a une bonne perception de soi, on peut atteindre le pardon. Lorsque l'humain utilise mal son pouvoir mental, il produit haine, rancune, cruauté et toutes sortes d'erreurs, lesquelles se manifestent à leur tour sous forme de guerres, de maladies, de pauvreté, etc. Le seul moyen d'abolir ces fâcheuses conditions, c'est de changer la mentalité du genre humain en le débarrassant des pensées négatives qui en sont la cause.

Certaines personnes diront que la mort est la fin des souffrances et l'aboutissement de notre mission terrestre. Je pense que la mort, c'est le début d'un long voyage, sans retour, vers la plénitude et la satisfaction du devoir accompli. C'est aussi l'abandon des personnes que nous avons aimées et à qui nous avons pardonné, en leur montrant le chemin à suivre pour connaître la paix et la sérénité ».

En bout de piste, je me garderais de conclure dans un sens ou dans un autre, qu'une approche globale d'un sujet souffrant d'un cancer est plus bénéfique qu'une simple approche technique. Mais je suis totalement convaincu que même si un sujet souffrant de cancer n'en réchappe pas, il est possible qu'il puisse vivre le restant de ses jours avec plus de bonheur qu'en se contentant de décompter ses jours.

Cancer et sexualité

Il y a pourtant un autre sujet que René nous lance en pleine face comme un brûlot. C'est celui de l'importance de la sexualité.

Il est très clair que pour lui, la sexualité était d'une importance capitale sur le plan existentiel. Freud aussi pensait que tout était réduit à la sexualité. Alors que Jung allait plus loin, et transcendait la sexualité pour parler d'inconscient collectif. Quand je lis ce que l'on sait de la sexualité de Sigmund Freud avec sa « chère petite Martha », et ce que l'on devine de son rapport avec les femmes, surtout maintenant que des femmes psychanalystes se sont interrogées à ce sujet, je ne peux m'empêcher de faire la moue à propos des idées freudiennes. Il y a aussi Osho Rajneesh qui a écrit à ce sujet dans *Tantra, spiritualité et sexe* que « le sexe qui passe par le mental, c'est de la sexualité ». C'est toute la question fondamentale entre le désir et la convoitise, entre l'idée du désir et le désir. Entre « exister » et « être ». Comme je l'ai noté pour Danielle.

René nous questionne donc sur le désir et son lien avec la vie, l'amour et la mort. Et avec la maladie. Il est clair, de par son récit, qu'il n'a jamais été bien avec sa femme sur un plan global. Dans leur intégrité à tous les deux. Qu'elle n'a jamais aimé faire l'amour avec lui, et qu'il avait fini par s'épuiser dans ses tentatives d'approche et de partage. Et presque renoncer. Presque. Car c'est là que je peux dire que le cancer du côlon, dont a souffert René, a été pour lui une façon brutale et dure d'apprendre à vivre « comme il le faut ». À vraiment vivre. Non pas en continuant de courir après l'autre, le fuyant, dans une futile course inépuisable de maintien de la distance fixe de l'hystérie. À deux, nous sommes toujours six, chacun projetant ses parents sur l'autre. Est-ce que René était, avec sa femme, à quatre ou à six ! Certainement pas à deux. Et je doute à six, puisqu'ils n'ont pas été capables de passer d'un état de ménage où les deux partenaires vivotent dans une situation fusionnelle chronique, à une vie de couple où les deux partenaires grandissent en devenant de plus en plus eux-mêmes, tout en restant ensemble. Je suis de plus en plus persuadé qu'on ne peut pas « avoir aimé ». Et tout aussi convaincu qu'il est possible et facile de se leurrer, et de confondre « amour » et « transfert », où l'autre comble le vide créé par nos vieilles blessures.

Amour, sexe, spiritualité. Voilà ce à quoi nous renvoie René avec toute l'intensité de sa quête et son idéalisme.

Est-il guéri ? Oui, du cancer, puisqu'il y a plus de quinze ans qu'il a été opéré. Vraiment guéri ? Mais alors, de quoi ?

CHAPITRE VIII

Même la merde parle…

Le secret de la sphinge… Pourquoi avoir choisi ce titre ? Au départ, instinctivement. Ou intuitivement. Avant réflexion…

Le sphinx est un personnage ambigu sur le plan sexuel. Il a souvent été présenté avec une tête de femme extrêmement séductrice et un corps de bestiau dangereux. Mais on appelle aussi ce monstre mythique du nom de sphinge… Voilà l'essence de ce qui m'a fait baptiser Vanessa du surnom de « sphinge » et parler de ses douleurs anales bizarres et épouvantables comme porteuses d'un lourd secret.

Fantasmes aidant, il a été cru longtemps que l'entrée secrète de la chambre du trésor du grand sphinx égyptien était dans… son anus ! Premier appel à l'inconscient et à mes fantasmes… Il est sans doute pertinent d'un peu interroger, à ce sujet, la mythologie antique, pour tenter de découvrir le « dessous » des cartes…

La sphinge est, donc, souvent appelée le sphinx, et représente un personnage principalement féminin, mais avec une queue de dragon, qui la rendait à la fois séductrice et mortellement destructrice. Elle dominait Thèbes, où elle posait une question, avec menace de mort en cas de mauvaise réponse : « Qui se tient à quatre pattes le matin, à deux à midi, et à trois le soir ? » Œdipe, qui venait de tuer son père, sans savoir qu'il l'était, répondit à la sphinge qu'il s'agissait de l'homme, qui rampe à quatre pattes pendant sa petite enfance et a besoin d'une canne pour marcher dans sa vieillesse avancée. La sphinge se jeta en hurlant du haut de sa montagne vers la mort, et Œdipe put épouser Jocaste, sa mère, sans savoir qu'elle l'était.

Le mythe de la sphinge de Thèbes est donc intimement relié à une triangulation entre un homme et ses parents. Vanessa a mis au monde un garçon conçu avec son mari, et cela a déclenché ses souffrances. Mauvaise interprétation... Mauvaise association... Car si on parle de triangulation, il n'y a pas seulement celle, célèbre, d'Œdipe, Laïos son père et Jocaste sa mère, mais celle d'Œdipe avec la sphinge et avec Jocaste, puisque au moment de cette rencontre, Laïos est mort.

Freud a utilisé le mythe pour élaborer sa construction très cérébrale d'un fils « œdipien », qui veut tuer son père, pour pouvoir avoir une relation sexuelle avec sa mère. En chargeant en l'occurrence le pauvre Œdipe de tous les opprobres, mais sans se questionner, pour ses raisons propres, sur la première partie du mythe. En effet, Laïos, le père d'Œdipe, avait été maudit par les dieux et condamné à ne pas avoir d'enfant mâle. Ils l'avaient ainsi puni pour avoir assassiné, au cours d'un viol homosexuel, Chrysippos, le fils favori que son père adoptif, le roi Pélops de Corinthe, avait eu avec une nymphe. Laïos avait été adopté à la cour de ce roi après le meurtre de son père Labdacos, qui régnait sur Thèbes, par les jumeaux Amphion et Zéthor. La légende, étant donné les nombreuses variantes mythologiques, est peut-être même plus complexe, relevant d'une répétition transgénérationnelle. Il est en effet parfois relaté que c'est la femme de Pélops, la reine Hippodamie, et non Laïos, qui aurait tenté de tuer Chrysippos, avec le glaive de Laïos après qu'il fut arrêté par ses propres fils après le viol. Sans réussir le meurtre, et ce, pour favoriser leur accès au trône. Donc, une histoire de viol homosexuel et de belle-mère meurtrière. Les dieux avaient décrété que si Laïos transgressait l'interdit, et qu'il avait un fils, ce fils le tuerait et épouserait sa mère, femme de Laïos. Devant le rappel de la malédiction, à la naissance d'Œdipe, Laïos et Jocaste ont alors exposé le bébé à la mort, en le suspendant par les pieds et l'exposant aux bêtes sauvages. Ce qui gonfla ses pieds, d'où son nom *oedi-pous*… Tout cela est autrement moins simpliste que l'histoire d'un fils qui veut tuer son père pour avoir sa mère… Et ce mythe réfère à un idéal du féminin, tel que l'illustre une poète, Joanne Roy.

> Corps et âme
> au-dedans
> Les frontières éclatent
> tout s'aligne
> mon cœur à corps habite mon âme
> qui le transcende
> fantasme dépouillé
> Lilith libérée
> Adam unifié

La sphinge n'est qu'un sous-produit fantasmatique du mythe de Lilith.

Jacques Bril, dans *Lilith ou la mère obscure*, nous a appris ce que les féministes juives ont par ailleurs, elles aussi, repêché du Talmud, à transmission orale exclusivement masculine : c'est Lilith, et non Ève, qui fut la première femme de la création. Elle fut, comme Adam, créée du même limon. C'est-à-dire son égale. Plus tard, Adam entreprit de prendre le pouvoir et Lilith le quitta pour cette raison. Dieu s'allia à lui, devenant dieu le Père, se reniant lui-même dans sa création de deux créatures, homme et femme, égaux et différents. Les trois grandes religions monothéistes, l'islam, le christianisme et le judaïsme convergent à l'époque d'Abraham et ne s'en distinguent que plus tard. C'est ainsi que le penseur iranien Fakhr al-Din al-Mazi (1149-1209) faisait déjà une équivalence entre l'adoration pour Dieu et le respect pour le père et la mère. Dieu, plus père que mère, prit donc parti pour Adam et maudit Lilith. Il lui interdit d'avoir des enfants mais lui donna droit de vie et de mort sur les nouveau-nés, durant une semaine seulement pour les garçons, mais trois semaines pour les filles. Pris de pitié pour Adam, Dieu l'endormit et créa Ève en la sortant de sa côte et la créant à son image, c'est-à-dire en en « faisant » une pure projection. Quant à Lilith, son mythe se transforma tout autour du bassin de la Méditerranée, où elle devint Gorgone, Méduse et autre Sphinge. Femelle. Ambiguë dans son identité. Séductrice. Meurtrière. Rien d'étonnant à l'idée que l'entrée de la chambre du trésor du Sphinx de Gizeh aurait été dans son anus, si l'on songe que chez les Égyptiens de l'Antiquité, la conception mythique du scarabée d'or était qu'il naissait d'une boule de sa fiente. Mythe vaguement rappelé par ces femmes constipées qui disent que leur défécation d'étrons gigantesques, quand elles ont l'anus fermé, et qui se referme encore plus durant le passage de la selle, est aussi douloureuse qu'un accouchement. L'anus est quelqu'un d'autre, nous dit cet autre mythe, raconté par Claude Lévi-Strauss, et qui vient cette fois d'Indiens d'Amérique du Sud. Puito était « l'anus ». Un animal, à part des humains et des autres animaux, qui... n'en avaient pas. Jaloux, ils tuèrent Puito qui ne cessait de leur faire des farces, et le coupèrent en petits morceaux. Chacun s'appropria un morceau en fonction de sa taille, accolé à eux-mêmes, sans en faire partie intégrante... Ainsi l'anus de Vanessa savait quelque chose que Vanessa ne savait pas et qu'il avait à lui apprendre. Le secret de la sphinge...

J'ai tenté en vain de trouver un texte fiable reliant l'anus et une quelconque chambre du trésor du sphinx, chez les Égyptiens ou chez les Grecs de l'Antiquité. Les Grecs étant, par ailleurs, plus conscients de l'ambiguïté de l'identité sexuelle du monstre. Faute de trouver, j'ai fait appel à un ami pédiatre, médecin, grand voyageur, spécialiste du Moyen-Orient, et très sceptique sur tout ce qui touche à la psychanalyse et la psychosomatique. Voici sa réponse :

Cher Ghislain,

De retour d'un voyage en Jordanie où il accompagnait un groupe de touristes, mon ami égyptologue vient de me donner réponse à la question que je lui ai transmise sur le prétendu anus du Sphinx de Gizeh. Il m'a confirmé ce que je t'avais écrit dans ma première réponse. Le grand Sphinx n'est pas une construction humaine, mais un rocher sculpté. Comme tout sphinx qui se respecte – et je crois que celui-ci se respecte beaucoup –, il a une queue qui couvre son anus. En dépit de tout cela, et compte tenu des fantasmes dont il a été l'objet depuis de nombreux siècles, diverses fouilles avaient été effectivement entreprises, autour et en dessous du sphinx. En vain, elles n'ont montré aucun vestige, tombe ou trésor, hormis, comme je t'ai écrit, le petit temple de Touthmôsis IV entre ses pattes antérieures qui a toujours été identifié comme tel, ainsi qu'une stèle votive de Touthmôsis IV pour le remercier de lui avoir prédit sa future royauté... mais c'est une tout autre histoire. Il n'y a donc, jusqu'à plus ample informé, rien à tirer de cette nouvelle (!) légende au sujet du Sphinx qui a toujours intrigué les voyageurs, légende qui s'ajoute à beaucoup d'autres au sujet des mystères supposés de l'ancienne Égypte. Il est bien triste d'anéantir une belle histoire de trésors cachés dont nous sommes toujours friands. Martine nous dira sans doute un jour en quoi tout cela nous aide à vivre...

Merci de m'avoir soumis cette question qui m'a donné l'occasion, toujours précieuse, de revoir l'histoire du Grand Sphinx, de te lire et de t'écrire,

En t'assurant de ma très fidèle amitié.

Bernard Grenier

Voilà pour les faits. Regardons à présent la langue et l'histoire. Le mot « sphinx » renvoie aussi bien au monstre égyptien à corps de lion et tête d'homme qu'au mythe grec d'un monstre ailé, lui aussi à corps de lion, mais à tête de femme. Nous entrons ici de plein fouet dans une ambiguïté sexuelle identitaire avec un monstre masculin en Égypte qui se féminise en Grèce. L'étymologie populaire a également rapproché le terme grec *sphingos* et le verbe *sphingein* qui parle d'enserrer, de lier, et de... sphincter ! Au niveau du langage, la forme féminine du mot « sphinx », la « sphinge », apparaît assez tardivement, au milieu du XVIe siècle. Finalement, Réaumur, au XVIIIe siècle, parle de sphinx à propos de la chenille et du papillon, et, par métaphore, le terme désigne alors une entité énigmatique ou une personne habile à poser des énigmes. Et quelles énigmes ne nous a pas posées Vanessa !

Il est aussi possible de chercher du côté de la symbolique des rêves à propos du sphinx. Citons Georges Romey, dans son *Encyclopédie de la symbolique des rêves*, à partir d'une immense expérience de rêve éveillé libre : « Depuis le fond des âges, le sphinx, à chaque aurore, présente sa face encore enrobée par les ombres de la nuit à la lumière naissante. Le visage de pierre reçoit l'illumination des premiers rayons de soleil. Entre l'évidence du caractère colossal de la sculpture et la subtilité de la transformation d'un visage d'ombre qui s'illumine, l'inconscient a choisi. Il a retenu la lumière. La médecine grecque antique avait forgé un mot, métaschématisme, dont la traduction littérale correspond à "changement de figure". Ce que nous appellerions transfiguration. La carbonisation exprime le gel et les pesanteurs d'une psychologie frappée par les culpabilités œdipiennes. Alors que la transfiguration exprime l'illumination qui résulte de la dissolution des mécanismes de l'Œdipe. Le Sphinx grec, révélateur de l'Œdipe, se dissimulerait-il derrière le masque du colosse de Gizeh ! Le sphinx réel, saisissant masque de pierre, ne peut recevoir la lumière que de l'extérieur. Plus précisément du soleil, ce qui n'est pas une remarque incidente. Pour l'animisme, la transfiguration est la marque d'une transformation intérieure. Au fil des rêves s'établit la conviction qu'à travers le sphinx, l'imaginaire exprime la possibilité d'un échange, d'une interaction entre une lumière reçue du dehors et la lumière émanée du dedans… Sur le plateau de Gizeh, le Grand Sphinx présente au soleil levant sa face de pierre, impénétrable comme le mystère qu'il incarne. Impassible devant les sables qui le cernent, indifférent au temps des hommes, il propose l'éternelle énigme du rapport entre la nature animale, la conscience humaine et l'intuition divine. Impénétrable, le sphinx ! Inaccessible, le mystère ! Qui revient d'un rêve de sphinx sait qu'il n'y a pas de différence entre la lumière qu'il porte en lui et la lumière absolue. Le sphinx révèle à l'âme du rêveur qu'elle est une des myriades de gouttes d'eau qui forment l'océan de l'âme universelle. Il s'inscrit parmi les témoignages d'où jaillit la conviction que l'homme serait fait à l'image de Dieu. »

Alors, Vanessa… Grâce à sa souffrance, qui était « impénétrable » pour la profession médicale et la rendait « impénétrable », elle a pu se transfigurer en une femme épanouie et intégrée à elle-même. Sa souffrance l'enserrait, la liait dans son sphincter anal. Elle fut un moteur qui l'a pourtant propulsée dans sa féminité.

La féminité de Vanessa… C'est une femme, une psychanalyste, Jacqueline Schaeffer, qui constate que « les femmes ont autant de difficultés à devenir vraiment femmes que "les" hommes en ont à être vraiment hommes ». Et Joyce McDougall, une autre psychanalyste, de nous dire que tous les êtres humains, hommes et femmes, ont un travail de deuil à faire entre leur bisexualité psychique, legs ancestral d'une humanité en devenir, en processus d'humanisation, et leur monosexualité corporelle. Il leur faut donc ajuster le « schéma corporel » – représentation mentale du corps déformée par l'histoire de l'individu – à la réalité vraie de ce corps. Pour rétablir l'unité de l'être *ad integrum*. Pour que le sujet, homme, pour que le sujet, femme, cesse d'être dissocié, d'être fragmenté, dans une incohérence plus ou moins grande, suivant les aléas de l'histoire des familles.

Et Jacqueline Schaeffer « prie » la Sphinge, figure

mythique du complexe d'Œdipe, de s'offrir aussi comme figure du « refus du féminin » Elle pousse Freud dans ses retranchements, lui qui faisait remarquer que le sexe féminin représentait à ses yeux un « continent noir ». Et c'est logique, car Freud, homme de son temps, ne pouvait avoir de la femme qu'une vision extérieure, tissée d'intelligence, d'observations, d'associations, mais totalement dénuée d'expérience intime, corporelle, sexuelle, même *via* le contre-transfert possible dans son corps d'analyste. En 1937, il se rapproche de la mort. Il se débat depuis plusieurs années avec un cancer de la mâchoire multirécidivant pour lequel il a été opéré de très nombreuses fois, sans que nous ayons l'ombre d'une indication qu'il ait trouvé une piste du sens profond de sa maladie. Dans « L'analyse avec fin et l'analyse sans fin », il avoue son impuissance et désigne un « refus du féminin » comme « roc d'origine », mais aussi comme roc ultime, sur lequel se brisent les efforts thérapeutiques. Cet « originaire », nous dit Jacqueline Schaeffer, « ne peut être qu'un après-coup théorique, et il est la marque de l'embarras de Freud face à l'irréductibilité de certains symptômes, aux reliquats du transfert, aux difficultés de prédictibilité et donc de prévention du retour des formations pathologiques qui auraient été, en principe, dépassées au cours du traitement psychanalytique ». Et de conclure que cet échec de l'analyse, pour Freud, n'est pas la fin de l'analyse.

Cela n'est pas surprenant puisque ses théories, magistrales et visionnaires pour l'époque, sont néanmoins vieilles de presque un siècle. Freud a été incapable de dépasser sa perception d'un couple « phallique-châtré », généralement « lié », et d'envisager la possibilité de la genèse d'un couple « masculin-féminin », « relié » et non fusionnel, puisque n'étant plus dans une relation de « pouvoir », de « domination », de lien entre « vainqueur et vaincue ». Ou « vaincu ». L'homme, qui était « fier » d'avoir, lui, un pénis érigé, devient imprégné de sa puissance virile désirante. La femme, qui était « frustrée », elle, de ne pas « en » avoir un, peut entrer en alliance avec

son désir essentiel d'être désirée, et pénétrée. À la
« femme désirée, femme désirante » (Danièle Flaumenbaum) correspond alors un « homme désirant, homme
désiré ». Dans l'égalité absolue, dans la liberté essentielle,
et dans la jouissance du couple, où lui accède enfin à sa
masculinité, et elle à sa féminité.

Quand Vanessa n'arrivait à vivre normalement à
cause des douleurs anales déclenchées par la naissance
de son premier enfant, elle était, pour reprendre
l'expression magique de Jacqueline Schaeffer, une
« belle au sexe dormant ». Et celle-ci, de restituer à la
Sphinge sa double qualification, non seulement de
monstre, démone opprimante, étrangleuse, mais aussi
d'« âme en peine », en attente d'être délivrée. Vanessa ne
savait pas que son « père » n'était pas son vrai père, son
géniteur. Mais l'anus de Vanessa « savait » qu'elle avait
à se trouver en passant « entre » ces deux hommes pour
devenir une « âme en joie ». Jacqueline Schaeffer se
pose une question à laquelle Vanessa a trouvé « sa »
réponse. Au moins pour franchir une étape fondamentale, et passer du derrière au devant : « Ce "féminin",
mystérieux et dangereux, profondément tapi dans les
gorges, comme la Sphinge à l'entrée de Thèbes,
comment lui arracher ses secrets, ses défenses ?
Comment faire d'une Sphinx menaçante, "étrangleuse",
anale (l'étymologie est la même du Sphinx et du
sphincter), une femme libidinale, dont le sexe est une
"âme en peine", qui exige d'être vaincu, possédé, mais
dont le moi, le narcissisme anal, hait la défaite ? Un sexe
qui dit "ouvre-moi !" tandis que le moi dit : "Tu ne
m'arracheras rien", ou "rien de ce que je ne veux pas te
donner !" » Elle ajoute : si la femme arrive à dépasser
son conflit entre son attente de féminité et son refus du
féminin, dans sa rencontre sexuelle avec un homme, lui
aussi en devenir, elle acquerra « un tel bénéfice de
plaisir et de jouissance, mais aussi de bonheur et de tendresse, que l'âme en peine en deviendra une âme en
joie ». « Le test ultime de l'altérité, c'est la rencontre
sexuée entre un homme et une femme », dit le

philosophe Emmanuel Levinas. « J'ai rencontré l'Autre dans ma chair », dit mon amie Alexandrine.

Mais Jacqueline Schaeffer, à plusieurs reprises, parle, à propos de cette rencontre pétrie de conflits, de « défaite constitutive du "féminin" […] et de soumission au vainqueur ». Même si elle nuance finement sa pensée en précisant que l'homme doit « affronter chez la femme son conflit entre libido et analité et vaincre les défenses anales de son moi », le viol n'est pas loin quand l'homme se trouve sur le point d'avoir à imposer son sexe devant le refus de celui-ci par la femme qu'il tente de rencontrer. Quiconque a un peu exploré la différence entre « faire le sexe » et « faire l'amour », autrement dit entre génitalité et sexualité, connaît cet étroit passage, cette corde raide, où les dérapages sont nombreux. Et a aussi la conscience aiguë des sensations de ce qui se trame dans la genèse d'une alliance entre les deux désirs qui sont très occupés à dépasser les traces restantes de conflit et de refus, de part et d'autre, du féminin. Que de femmes m'ont confié avoir à être un peu « forcées » pour arriver à jouir ! Passer du couple « phallique-châtré » au « masculin-féminin » résulte, alors, non pas seulement de la parole qui nomme les choses, mais de l'expérience infinie de deux sujets incarnés, égaux, libres, et différents, qui se rencontrent dans un corps à corps global.

Jacqueline Schaeffer nous dit que l'essentiel de cette union fructueuse consiste, pour l'homme et la femme, à rester portés par la poussée constante de leur pulsion sexuelle. Mais elle nous dit aussi, et cela est discutable parce qu'il s'agit là d'une manière de penser « freudienne », que « l'effraction par la poussée constante de la libido s'avère plus facile pour le sexe de la femme dont c'est le "destin" [les guillemets sont de moi] d'être ouvert ». Si elle nous dit que le refus du féminin, chez l'homme, réside dans sa peur homosexuelle d'être pénétré qui l'empêche de devenir pénétrant, elle ne nous dit pas grand-chose, au-delà d'une quelconque « destinée » qui, pourtant, devrait logiquement lui faciliter les choses, de ce qui, chez la femme, nourrit un repli anal et par là même un autre refus du féminin. Ce n'est probablement pas par hasard que, chez le sujet adulte, la constipation fonctionnelle, sans lésion organique, avec ralentissement objectif du passage des matières fécales à travers le gros intestin, est un problème qui se retrouve principalement chez les femmes, et chez certains hommes dont les pratiques sont exclusivement homosexuelles.

Pour Jacqueline Schaeffer le fardeau de l'homme est double. Il doit vaincre le conflit entre libido et analité dans la motricité de son propre pénis. Sans érection, point de salut ni d'existence. Mais il doit également emporter malgré elle la compagne qu'il pénètre, alors qu'en elle se joue un tout autre conflit qui l'empêche d'accéder à son féminin. Sur cet autre conflit, l'analyste reste étrangement silencieuse. Il est certain que Vanessa a cessé d'avoir mal à l'anus quand elle a accédé à sa jouissance durant la pénétration. Si nous regardons la séquence des événements, c'est la révélation par son médecin traitant, figure parentale certainement transférentielle, que son « père » n'était pas son géniteur qui lui a permis de basculer dans son plaisir de femme, son derrière se taisant dès lors, la douleur ayant rempli sa fonction. Est-il significatif de prendre en compte le fait que, pour la première fois de sa vie, Vanessa ait chevauché un homme, et qui plus est l'homme avec qui elle avait conçu le fils qui avait, par la sortie de son corps, déclenché ses tourments ? Est-il significatif que ce soit la grand-mère, et non la mère de Vanessa, qui soit allée nommer la vérité de son existence à son médecin traitant ? Médecin qui a agi dans une magnifique neutralité en remettant à la patiente ce qui lui était dû, à elle... N'est-il pas clair que le rapport de Vanessa face à sa génitrice reste obscur : « Je ne peux pas du tout compter sur ma mère pour me dire la vérité sur ma nature réelle, dit-elle. Il va falloir que j'y aille seule. Ou que je fasse le deuil de mes origines... Seule ! »

Le « refus du féminin » plus facile pour la femme, qui n'aurait qu'à se laisser « vaincre » par la puissance virile de son amant pour accéder à sa jouissance de femme ? Pour que la belle au sexe dormant devienne la belle au sexe vivant et que son âme en peine retrouve sa joie ! Et sa mère, là-dedans ? Et le conflit mère-fille, qui empêche celle-ci de devenir femme et ne l'autorise qu'à devenir une matrone, par jalousie et par incapacité viscérale à servir de modèle adéquat de sujet accompli, et de sexe féminin ? Quoi qu'il en soit de toutes ces considérations, Vanessa n'a plus mal à l'anus. Elle jouit en faisant l'amour. Elle a eu deux autres enfants depuis que son secret de sphinge à été éventé, et ce, sans récidive de sa problématique médicale.

Cette femme est clairement passée, sous nos observations attentives, médusées, et bienveillantes, du « derrière » au « devant ». Elle semble avoir dépassé la féminité, dont elle avait tous les atouts, ne ressemblant en rien à un garçon manqué, pour accéder à son propre-féminin. Rappelons ce que j'ai dit à propos du « derrière » : le mythe de Puito, petit animal imaginaire, seul anus sur la planète, ostracisé, séparé de tous les autres êtres vivants « qui n'en ont pas ». Et souvenons-nous alors que dans l'Antiquité, l'utérus était lui aussi considéré comme un animal autonome, affamé et desséché, qui errait à l'intérieur du corps de la femme à la recherche d'humidité et de satisfaction sexuelle. Que de tortures sexuelles sadiques les hommes, surtout les hommes d'Église, n'ont-ils pas fait subir à ces femmes « hystériques » pour repousser cette bête malfaisante vers le bas et la remettre à sa place ! Que de violences ! Que de meurtres de femmes blessées dans leur féminin par terreur de leur puissance sexuelle ! Alors… L'anus : quelqu'un d'autre… Chez l'homme autant que chez la femme… Et l'utérus : aussi quelqu'un d'autre… Mais qui n'habite pas le mâle.

Vanessa est devenue plus proche de son féminin.

Est-elle guérie ? Il est clair qu'elle se pose encore des questions. Va-t-elle encore cheminer ? C'est plus que probable. Revenons, cette fois, à Freud et sa définition de ce que serait la « normalité ». « *Lieben und arbeiten* », a-t-il répondu de façon lapidaire quand on lui a posé la question. Vanessa est en amour. Et elle a recommencé à travailler. Dont acte.

Parlons aussi brièvement de la problématique médicale dont elle souffrait. Les douleurs anales, la plupart du temps, proviennent d'une cause bien précise, facile à mettre en évidence, à traiter et même à guérir. Les plus fréquentes sont les divers abcès de la région, qui peuvent se transformer en fistules en aboutissant à la peau, ou en étant incisées par le chirurgien. Les fissures anales sont une autre cause fréquente de douleurs dans la région de l'anus. Jadis, elles étaient exclusivement traitées par un acte chirurgical si elles persistaient. Aujourd'hui, surtout si les tissus alentour ne se sont pas rigidifiés de façon irrémédiable, elles peuvent faire l'objet d'un traitement médical avec différentes substances qui visent toutes à diminuer la spasticité intense du canal anal, par l'intermédiaire du sphincter anal interne, involontaire et indépendant de toute tentative de contrôle des muscles lisses qui le structurent, sauf par de rares adeptes avancés du yoga. D'autres douleurs, plus rares, sont causées par un étranglement des veines dans les hémorroïdes internes ou par des caillots qui se forment dans les hémorroïdes externes, celles qui sont couvertes de peau et qui n'ont pas la couleur rouge typique des hémorroïdes internes. Reste enfin, encore plus rare, la présence de tumeurs, bénignes ou malignes, dans la partie basse du rectum ou dans l'anus. Toutes ces causes de douleur sont raisonnablement faciles à identifier, diagnostiquer et traiter, pour peu qu'une formation adéquate ait été suivie.

Mais si rien n'est trouvé ? Alors, là… Les douleurs de l'anus sans cause précise sont pompeusement nommées douleurs anorectales (ou périnéales, si la douleur est moins localisée) « idiopathiques chroniques ». Elles constituent pour la profession médicale, chirurgiens du côlon, du rectum et de l'anus inclus, littéralement un pont aux ânes, comme on le dit d'un obstacle à franchir en trigonométrie... Imaginez ma surprise d'observer la disparition de ce type de douleur chez une jeune femme qui l'avait développée quand naquit son premier enfant, un petit garçon, et qui en guérit subitement le jour où ses soupçons, lentement éveillés tout au long de son chemin de souffrance invalidante, sont confirmés, à savoir que son père n'est pas son géniteur ! Vous ne trouverez aucune histoire de ce genre dans un article ou un texte médical, même ceux réservés aux spécialistes du côlon ! Devant une observation aberrante, un être humain, fût-il médecin, a le choix entre se remettre en question ou fermer les yeux devant la réalité et conclure, faussement, à un pur hasard.

Reste à chercher un sens caché profond à la guérison subite, chez Vanessa, d'une problématique qui l'avait conduite d'abord à subir pour rien une coccygectomie, puis à se faire proposer par un neurologue réputé, expert dans le domaine et hautement apprécié, de subir une neurolyse des nerfs honteux, ceux qui innervent le périnée. Entreprise drastique, et qui n'a toujours pas fait ses preuves. Cela avait terrifié Vanessa. Et l'avait poussée à l'introspection au lieu de la quête d'un Graal extérieur. Vanessa qui, apprenant que celui qu'elle a toujours appelé et considéré comme son père n'est pas l'homme qui l'a conçue, se met à rêver du vignoble, où son géniteur, fils de vigneron, l'a conçue. Et s'enhardit dans sa splendeur de femme incarnée. Pour la première fois, chevauche son mari durant leurs étreintes amoureuses. Découvre l'orgasme par pénétration. Met au monde deux autres enfants. Le tout en n'ayant plus jamais mal à l'anus... Curieuse façon de se guérir d'un feu au cul ! Qui nous renvoie encore une fois au fait que le corps ne ment jamais. Qu'il a la mémoire longue. Qu'il sait des choses que nous ne savons plus. Il paraît, dit le folklore hébreu, que juste avant la naissance du bébé un ange lui souffle dans l'oreille pour qu'il oublie tout ce qu'il aura à retrouver au cours de sa vie...

Cette fois, la sexualité nous parle, non pas de mort, de souffrances physiques, de maladies d'un corps muet, mais de mort d'un ego faussé par le manque d'amour. La sexualité parle ici de vie. De vie dès la conception.

CHAPITRE IX

Les maux d'un ventre sans mots

*Entendre sans avoir de projet
pour l'autre*

Dans l'histoire de Jacques, tout s'est passé dans l'écoute. J'interroge ici la nature de l'attitude du soignant. Le malade s'est guéri lui-même, en se disant devant autrui, dans une sorte de monologue curatif. L'histoire que j'ai vécue avec Jacques m'a fait émettre l'hypothèse que tout soignant, du corps ou de la psyché, devrait seulement viser à servir au sujet, qui cherche à guérir, d'« enzyme » sur son chemin de guérison. Groddeck, jadis, parlait de « catalyseur », dans une optique semblable, mais ce terme n'est approprié qu'aux réactions chimiques. Et nous, les êtres humains, nous ne sommes pas que le fruit de réactions chimiques.

Comme me l'a dit un jour Joanne, sur son chemin de féminité, alors qu'elle était attendue garçon : « Toi, tu ne parles pas de moi, tu ne parles pas pour moi... Tu parles avec moi ! » Oui, accompagner l'autre, qui a pris sa santé en main, délaissant les biberons, becquées et béquilles de la relation médicale ordinaire. Quand la médecine scientifique est devenue impuissante devant la chronicité d'un problème et les limites actuelles des connaissances médicales. Voyage dans l'inconnu plutôt qu'attente de la découverte du Graal par une médecine factuelle éprise de vérités, mais encore si limitée, même aujourd'hui. Sur ce chemin, le soignant – et j'en suis un parmi des milliers, avec leurs forces vives propres – ne peut qu'accompagner le soigné. Un pas en arrière, puisqu'il ne peut avoir de projet pour l'autre, ni de possibilité de lui imposer ses vues et ses théories. En arrière et à droite si le soignant, comme moi, est un homme. Parce qu'un homme, nonobstant tout transfert indifférencié, au-delà – et non en deçà – de ce transfert, un homme, ce n'est pas une femme. D'où la sagesse de ces sujets en quête et en chemin d'aller aussi partager avec une femme. Ainsi Danielle, laissant parler son corps en shiatsu avec Josiane, qui a son âme à l'écoute au bout de ses doigts. Ou Jacques qui découvre avec Véronique que la massothérapie peut être autre chose qu'une technique de « touche-thérapie ».

Le transfert, ailleurs que sur le divan

Il est alors paru évident que ce que Jacques attendait de moi, c'était que je mette au rancart toutes mes théories, idées, réflexions *a priori* et hypothèses scientifiques. Il fallait aussi que je me passe de mes valeurs, principes et autres diktats éthiques. Et surtout que j'accepte d'adopter son moule – tout en restant moi-même. Difficile… En relisant des années plus tard tout ce qu'il a écrit, je m'aperçois que nous étions très peu en transfert l'un envers l'autre.

Parfois, en clinique médicale, je sers de « médicament »… Une fois laxatif… Une fois constipant… Une fois opiacé… Comme une auberge espagnole où le client trouve ce qu'il cherche. Cela semble relever du « magique ». Parfois, tout va bien. Au bout d'une ou deux visites, la personne qui est venue me voir me dit, stupéfaite, qu'elle est guérie, que tous ses problèmes ont disparu. Elle s'en va, et reste guérie.

Ainsi, de cette constipée qui habite dans la ville de

Québec. Je ne l'ai vue qu'une seule fois. J'ai tout oublié d'elle sur le plan social, prénom et nom y compris.

Elle est vraiment très constipée ! Elle a épuisé toutes les ressources médicales de son environnement.

Son médecin de famille me l'adresse en consultation. C'est l'été. Elle passe la nuit dans le foyer des étudiants, à moitié vide. Hyperanxieuse. Elle y fait une crise de nerfs. Une syncope. Et se retrouve aux urgences. On la calme. On lui dit que ce n'est pas grave. Que ce sont les nerfs. Elle retourne à Québec. Je ne sais même pas qu'elle est venue me voir.

Courageusement, elle reprend rendez-vous. Cette fois, elle s'inscrit en clinique. Va s'asseoir dans la salle d'attente. Me voit déambuler. Quand vient son tour, je l'appelle en vain. Elle est rentrée à Québec. Je sais qu'elle est venue, mais je ne l'ai toujours pas vue...

Troisième rendez-vous. Cette fois-ci, je la vois. Elle est toute gênée, toute rougissante.

« Docteur, je ne comprends pas... Je ne suis plus constipée.

– ...

– Pouvez-vous m'expliquer cela ?

– Vous savez, le Centre hospitalier universitaire de Sherbrooke, c'est le Lourdes de la constipation, et moi je m'appelle Bernadette Soubirous... »

Je ne lui dis pas que lorsque j'ai présidé le comité scientifique du premier Congrès international sur le processus de guérison, mes collègues et moi avions invité le docteur Roger Pilon. Celui-ci était en charge du comité médical, qui avait mission d'examiner les faits scientifiques des « miracles » de Lourdes, sans pour cela se pencher sur leurs explications. Je ne lui dis pas non plus que toute hypnose est une auto-hypnose, et que les deux crises d'angoisse panique qu'elle a vécues avaient certainement eu un impact sur son inconscient.

Parfois, au contraire, il y a rechute. Même si je ne suis pas partie prenante de ce qui se passe. Ainsi, cette autre constipée, guérie rapidement aussi, mais qui revient un an plus tard en me disant : « Je suis de nouveau constipée, mais je sais pourquoi ! Mon compagnon m'a abandonnée. » Lui restera à travailler le lien entre sa vie amoureuse et sa vie digestive.

Et parfois, je fais carrément partie du problème. Il n'y a pas de transfert sans contre-transfert du soignant, quoi qu'en disent beaucoup d'analystes qui prétendent que c'est le transfert de l'analysant qui déclenche le contre-transfert de l'analyste.

Ainsi de Laila. Elle est née en Égypte et s'y est mariée. Le couple vit au Canada, près de Montréal. Elle est hôtesse de l'air. Et mal en ménage. Son cousin, interne en urologie dans mon hôpital, me demande si je peux la recevoir. La première visite n'est pas particulièrement marquante sur le plan de son histoire personnelle de vie. Je me contente de demander un bilan extensif de sa constipation. À la seconde visite, je note qu'elle a subi tous les examens que j'avais demandés pour elle, hormis le lavement baryté, examen radiologique visant à voir la configuration de son gros intestin, la manométrie ano-rectale dont le but est d'évaluer la pression au niveau du rectum et de l'anus et les réflexes neurologiques à ce niveau, et la proctoscopie, examen endoscopique destiné à évaluer la configuration de l'anus et du rectum. Les trois seuls examens impliquant une pénétration anale…

Je lève la tête.

« Oui, je sais, me dit-elle. Je vous parlerai, mais en tête à tête… » Je prie l'étudiant, qui est présent, de nous laisser. « Mon grand-père, au Caire, quand j'étais petite, m'a sodomisée. »

Bien entendu, nous avons alors commencé à échanger non seulement sur la constipation, mais aussi sur la vie de Laila.

Et un jour… « Tes patientes doivent tomber amoureuses de toi, mais moi, je ne tomberai pas amoureuse de toi ! » Je ne bronche pas. Et reçois, quelque temps plus tard, une lettre de « constipée » : hermétiquement fermée, enrubannée de scotch ! Étiquetée « Confidentiel », « Personnel ».

Une grande déclaration d'amour. Bien entendu, si elle est amoureuse de moi, moi je suis amoureux d'elle... Elle arrive en clinique. Entre dans mon bureau. Se dirige vers moi, les yeux mi-clos, la trajectoire de sa bouche clairement alignée sur la mienne... Nous ne disons mot. Au dernier instant, je tourne légèrement la tête, et reçois un beau « bec » sur la joue...

« Salaud ! Tu me rejettes... ! »

Et elle sort en claquant la porte.

Le temps continue de passer.

Son cousin me demande un autre rendez-vous pour elle. « Il faut que tu m'expliques, me dit Laila. J'ai cessé d'être constipée à l'instant où je t'ai envoyé ma lettre ! Et cela a recommencé quand je t'ai quitté, salaud ! Et dès que j'ai reçu la date du rendez-vous d'aujourd'hui, la constipation a de nouveau cessé ! Explique-moi... »

Et voilà comment je sers de laxatif dans la dynamique transférentielle ! Les raisons personnelles de mon contre-transfert sur elle, je les fouillerai ailleurs et plus tard. L'important, ici, c'est que Laila a guéri définitivement.

Quelle fut la nature de la relation que Jacques et moi, pendant presque trois ans, avons vécue tout au long de son processus de guérison ? Il me semble que nous étions, la plupart du temps, non pas en deçà, ou dedans, mais au-delà du transfert. À aucun moment je ne lui ai imposé ma vision des choses ; je l'ai accompagné au long de ses méandres, et il a guéri. Loin de moi, pourtant, l'idée de prétendre que nous avions une relation « mystique », celle où l'autre n'est plus que autre, où il n'y a plus aucune projection. En cours de route, je n'ai rien perçu dans sa parole ou au travers des messages de son corps qui ait pu me faire penser à un « transfert ». Ce n'est qu'à la toute fin que lui dans sa parole, et moi dans mes pensées, nous en avons pris conscience. Il écrit, le 2 avril 2004 : « J'avais pris la décision de ne plus vous rencontrer. Sous prétexte que j'étais guéri. En fin de semaine, j'ai eu une crampe. Ça faisait longtemps que je n'en avais pas eu. » Et le lendemain : « Ma conscience a menacé mon inconscient de ne plus communiquer avec vous et de ne plus chercher. Mon inconscient a réagi à cette menace. »

Du coup, il comprend aussi son transfert sur sa massothérapeute, Véronique, rousse comme sa mère qui se teignait toujours les cheveux de cette couleur. Lui ai-je servi de « mère-père » dans cette triangulation œdipienne, ou ses échanges avec moi lui permettaient-ils de ne pas faire face à tout ce qu'il avait vécu de guérisseur avec Véronique ? Toujours est-il qu'il remonte aux sources archaïques de ses blessures abdominales : « Elle caresse mon cœur en touchant mon corps et me donne de l'affection comme j'aurais aimé en recevoir de ma mère après la chirurgie et les violences paternelles. »

Il est au bout du parcours douloureux abdominal. La persistance de son confort par la suite est une bonne évidence de la fin de l'analyse corporelle déclenchée par ses crises, et du transfert du couple qu'il a créé entre Véronique – que je n'ai jamais rencontrée – et moi.

Une écoute partagée

Que nous dit donc Jacques, qui « guérit » de sa colopathie fonctionnelle ? Qu'en l'occurrence, face à un problème organique, corporel, bien ancré dans le ventre d'un individu, quelle qu'en soit la cause, et pour lequel il n'existe pour le moment aucune médication efficace si l'on se réfère aux critères diagnostiques scientifiques dit « de Rome III », les plus modernes qui soient, il reste l'écoute, l'accueil, le partage.

Aucune médication efficace jusqu'ici… La prucalopride, toute prometteuse qu'elle ait été pour la constipation, n'est jamais arrivée en pharmacie. Le tegaserod, lui, a réussi à entrer dans certains pays, dont le Canada, sous le nom de Zelnorm, pour en être très vite retiré, malgré son efficacité remarquable, parce que, paraît-il, il déclenchait des effets secondaires indésirables, que je n'ai personnellement jamais observés ni durant les études de recherches de la compagnie auxquelles j'ai participé, ni, plus tard, pendant le temps où j'ai pu le prescrire dans ma pratique clinique. Il est hautement probable qu'il y a là une question de choix des sujets auxquels le médicament a été prescrit. Quant à l'alosetron, autre médication « miraculeuse » à prescrire dans la colopathie fonctionnelle, diarrhéique cette fois, la « nouvelle ère » annoncée par la compagnie à grands coups de fanfare publicitaire a fait l'effet d'un pétard mouillé. Le médicament, lui aussi utile, comme j'ai pu l'observer sur protocoles de recherche pour la compagnie, a été, lui aussi, interdit, et ce, malgré son efficacité. Et, dans mon expérience, son innocuité. Les malades diarrhéiques guéris de leur diarrhée sous alosetron ont donc alors retrouvé leur diarrhée, et nous, cliniciens, avons été forcés de nous débrouiller avec eux et avec l'absence totale de médication efficace. Choqué par la séquence des événements, et connaissant beaucoup de chercheurs dans de nombreux pays, j'avais tout de même fini par apprendre, officieusement, que c'était le département du « marketing » qui pilotait tous les projets de recherche sur le médicament... Financiers, qui, évidemment, salivaient à l'idée de pouvoir obtenir un accord gouvernemental pour introduire le produit dans le troisième groupe de malades souffrant de colopathie. Ceux souffrant du type alternant entre la constipation et la diarrhée. Le plus important... Le plus juteux... Le plus susceptible de répondre aux exigences des actionnaires en attente d'un retour à court terme sur leurs investissements... En attente de « bulle » pharmaceutique... Voilà pour l'approche biomédicale antique, axée sur le court terme immédiat, et l'application d'une drogue qui abolit les symptômes.

Quant à la chirurgie, elle est pour la colopathie fonctionnelle un danger ! Nous savons que les sujets colopathes sont beaucoup trop opérés par rapport à des sujets contrôlés. Mal. Et à mauvais escient.

Que reste-t-il, sinon l'écoute ? Et que reste-t-il au médecin qui « écoute » sans rien « entendre », qui

« regarde » sans rien « voir », qui a peur du toucher et des informations qu'il véhicule, et qui a son sens de l'olfaction tellement émoussé qu'il ne peut « sentir » à quel point son « client » se sent mal de ne pas être un sujet ? Et comment ce médecin peut-il se sentir, lui, quand son client est désobéissant, et traduit sa colère existentielle, sa violence primordiale de n'avoir jamais été reconnu comme soi-même, autre que tout autre, en envoyant promener toutes les recommandations raisonnables, et parfaitement justifiées sur le plan scientifique, de son soignant ? Reste la présence. Et l'acceptation inconditionnelle de cet autre être, souffrant, incapable de s'exprimer autrement. C'est ce que Jacques m'a appris. Et il est loin d'être seul. Maryse, par exemple, vient me voir pour un problème semblable. Elle est suivie par les psychiatres. Régulièrement, elle subit des électrochocs. Elle est constipée. Elle a de l'anisme : pendant qu'elle défèque, elle serre son anus. Elle a besoin de rééducation anale par biofeedback, une sorte de physiothérapie, de thérapie corporelle qui permet au sujet de réapprendre à relâcher son anus durant la défécation. Elle a été violée à l'âge de deux ans, avec pénétration complète. Elle a le souvenir de la douleur et du sang. Les psychiatres me crient : « Casse-cou ! », me disent : « Pas touche ! », me font, évidemment, bien peur. Là encore, j'ai été totalement passif. Et Maryse a guéri, elle aussi. Tout en m'écrivant plus de deux cents poèmes... Et se déclarant heureuse que je les lise.

L'acceptation inconditionnelle de l'autre, n'est-ce pas l'une des caractéristiques fondamentales de l'amour ?

Des mots sur les maux

Mais encore ? me direz-vous. Au-delà de cette écoute respectueuse et inconditionnelle, quel chemin Jacques a-t-il donc suivi pour que son ventre apprenne à se taire et n'ait plus besoin de dire haut et fort ce que personne, jusque-là, n'avait écouté ni entendu ? Sur le coup, durant son voyage, je n'ai pas tenté de reconstruire quoi que ce soit. Je me suis contenté de faire un suivi « normal », même si peu « médical » puisque le malade, littéralement, m'a empêché d'être médecin. Chaque texte qu'il a composé se tenait en soi, comme les morceaux d'un puzzle de vie. Chaque morceau était intéressant, éclairant, parfois fascinant. Mais Jacques me les apportait dans un joyeux désordre. Comme s'il voulait me faire passer une épreuve, un examen, pour voir si j'étais capable d'avoir un comportement acceptable à ses yeux. C'est-à-dire sans condition. Je ne savais pas non plus où il allait et m'entraînait. Ne me restaient alors, en guise de boussole, de compas intérieur, que l'intuition, l'instinct et l'expérience. Et les garde-fous de la médecine « normale » scientifique lors de questionnement médical majeur. « Osez me suivre et vous perdre à l'écart de votre chemin », me met-il au défi dans un texte non daté qu'il considère comme une introduction.

Jacques m'a privé de tout pouvoir. Heureusement, je déteste le pouvoir. L'imposer. Et encore plus le subir. De ce point de vue, nous étions plutôt très complices. J'avais aussi appris qu'accepter l'impuissance sans que cela angoisse, à la limite, c'est une plus grande forme de pouvoir que celui de l'imposer superficiellement comme cela se fait si souvent dans les structures hiérarchisées de la société. Et enfin, si je suis inconditionnellement fidèle quand je m'engage dans une relation thérapeutique, j'ai été épargné par ma mère et par mon père de toute forme de culpabilisation. Ce qui me permet de ne pas passer de nuits blanches face à un échec thérapeutique ou parce qu'une problématique chronique perdure. Pourvu que j'aie fait tout ce qui pouvait l'être suivant les normes scientifiques. Comme le lecteur des textes de Jacques, j'ai donc marché dans l'inconnu, sans garantie de succès, et sans avoir aucune idée du temps que cela prendrait si succès il y avait.

D'une certaine manière, et sans prédétermination, j'ai donc mis en pratique la sentence bouddhiste qui dit que le but, c'est le chemin.

Naissance

S'il me l'a fait lire seulement en 2003, trois semaines après sa première visite, Jacques écrivait déjà, le 22 novembre 2001, un texte parlant de son amie « Ma » qui lui fait prendre conscience qu'il est en carence affective et qu'il a caché son hypersensibilité sous un masque de rationalité objective. Il dira d'ailleurs de lui-même qu'il se voit comme une banquise à la dérive et qu'il espère que le module de sa pensée, qui a dominé si longtemps sa vie, va s'échouer. Il est clair d'emblée que si je m'étais comporté en scientifique cartésien, il aurait pu profiter de ma froideur affective comme miroir de la sienne, sans jamais aller aux sources.

Ce jour-là, il a aussi compris que l'orgasme est un coup de bistouri dans l'inconscient et qu'au lit, on ne ment pas. « Ma » a été abusée toute son enfance par son père. Sa sexualité en est handicapée, comme chez toutes les victimes d'abus. La rencontre sexuelle ramène de vieux souvenirs à la surface. C'est pour cela que certains thérapeutes organisent des groupes pour les conjoints des victimes, parce que eux aussi sont victimes par personnes interposées. Et tout cela revient et revient. « Nous répétons sans cesse nos conditionnements », nous dit Jacques. Et il faut retourner aux sources pour transformer la mémoire en histoire. Car la mémoire, c'est ce qui nous empêche pleinement de vivre, tellement elle est surchargée d'émotions inexprimées jusqu'à leur paroxysme. Jacques découvre donc intuitivement les techniques corporelles de régression. Il revit sa naissance dans un lac d'abord. Sans doute par hasard. Puis dans sa baignoire. Expérimentalement. Comme un scientifique qui se prendrait pour objet d'étude.

Il écrit beaucoup durant la troisième année de son parcours. Il comprend qu'il est « déjà passé par ce chemin ». Mieux, il nous sert de mentor, il nous guide. « Je ne suis pas seul. Nous sommes plusieurs en file. » Il prend aussi conscience de la nécessité du détachement pour sortir d'un système tribal, où les descendants restent proches de leurs ancêtres. « La folie m'a poussé à demeurer aussi longtemps dans ma ville natale. Un seul espoir. Profiter au maximum de ses atouts pour partir loin. Et ne plus y revenir, puisque la vie y serait impossible. » Il a compris qu'il devait retenir les forces héritées aux sources, mais quitter celles-ci pour devenir lui-même.

La quête

Il cherche... Il cherche encore... Il trouve ce qu'il cherchait.

Un instinct de vie prodigieux nourrit Jacques tout au long de sa quête au travers de ce qu'il appelle les zones noires. Maurice Bellet dit clairement qu'il n'y a pas de chemin de ce chemin. Chaque vie de chaque humain étant unique, il serait illusoire de fournir une carte routière des pistes à suivre pour guérir du passé. Parfois, Jacques tombe dans un silence qui perdure des semaines. Et prend conscience que son exploration, sa créativité, c'est ce qui lui évite de retracer des chemins déjà tracés, qui le conduiraient inévitablement à la mort. Sans jamais nommer le mot, il parle d'une partie de lui-même qui a l'âge de la terre et ne connaît pas de limites, qui semble avoir traversé toutes les formes de vie et en avoir exploré leurs sens. « En sa présence, je suis au milieu d'une odyssée. Dans la nature, je la sens vibrer. Au fond du lac, en apnée, c'est l'extase en elle. Elle se sert de mon corps pour revivre elle-même. » Il ajoute que privée de son énergie, sa conscience n'investira plus dans un corps corrompu, où elle ne trouve plus de place pour s'épanouir. Jacques parle-t-il là de son âme ? Parle-t-il d'un inconscient collectif ? Parle-t-il d'une communion des saints ? Ou même de Dieu ? Ce qui est certain, c'est qu'il est dans un ordre de psychologie transpersonnelle, au-delà de l'ego. Je pense à la chanson de Bob Dylan qui dit que celui qui n'est pas très occupé à naître est très occupé à mourir. Et je pense à

234 / *Chacun peut guérir*

Joyce McDougall qui dit qu'il existe des ponts de transmission entre créativité, sexualité, et psychosomatique.

Et puis, un jour, il râle contre mon « incompétence » et mon « inaction ». Cela prend trop de temps. Et il a senti une « bosse » dans son ventre, dont il me dit qu'elle n'est pas dans sa tête. Il se l'imagine de façon très fantasmatique. Mais... quelques jours plus tard, il trouve ce qu'il cherchait depuis si longtemps. Il écrit cinq pages à ce sujet. Il recontacte une douleur similaire qu'il avait quand il était tout petit bébé. Quand il avait été placé plusieurs mois chez sa grand-mère. Il prend conscience qu'il était non seulement un « accident » dans la famille, mais que sa mère, après avoir eu des fils, aurait voulu avoir une fille. La colopathie fonctionnelle se retrouve beaucoup plus souvent chez les femmes que chez les hommes. Ses problèmes d'identité, qui ont évolué avec le temps, et grâce à ses contacts physiques avec Véronique, en massothérapie, auraient-ils eu un lien avec les souffrances de son ventre ? Quant à son père, il en dit peu de bien avant qu'il n'ait sa chirurgie aortique. C'était un homme violent qui battait sa femme quand elle était enceinte et qui le dénigrait, lui, dans ses tentatives de développement social.

Chemin faisant, Jacques se découvre une âme de détective. Quand il enquête auprès de sa mère sur une blessure subie très tôt dans la vie, il note l'ambivalence de sa mère dans ses réponses. Le contraste entre ce que disent ses paroles et ce que montre son corps. Il recoupe le discours maternel avec celui de la grand-mère qui l'a recueilli durant six mois, et note les incohérences. La négation de la réalité est de nature psychotique et détruit durablement chez l'enfant la confiance en soi. Comme il est impensable pour le petit qu'un parent qu'il aime lui mente, il se met alors à douter de ce qu'il a lui-même capté, et se retrouve en porte à faux. C'est pourquoi je considère comme une attitude essentielle, capitale pour le soignant d'authentifier la parole de celui qu'il accompagne. Si cet autre dit à haute voix quelque chose que je pense, ou que je vis, sans que je lui en aie parlé, reconnaître la véracité de sa parole est guéris-seur. Ne pas le faire est de l'ordre de la revictimisation. Et cela s'applique encore plus dans les relations ami-cales ou amoureuses, qui croissent harmonieusement quand les échanges se font dans la transparence absolue et l'acceptation inconditionnelle de l'autre. On entend souvent ergoter sur le danger de cette transparence dans la dynamique de couple. En fait, le seul risque, c'est que les deux sujets soient plus liés que reliés, et que la trans-parence provoque la rupture, la perte, le retour à la soli-tude, et le deuil imposé à faire. Mais qui dit transparence ne dit pas fusion, mais respect de la diffé-rence. Dans son enquête policière, Jacques est raffiné, à l'affût de toutes les informations utiles, même en dehors des mots. Il sait qu'il doit extorquer la vérité et note la pâleur de sa mère quand elle nie qu'un tout petit bébé puisse avoir des souvenirs aussi précis que ceux qu'il lui relate.

Et de conclure ses réflexions avec une lucidité essen-tielle à sa guérison. Il est impossible de guérir sans accepter la réalité. Ce qui ne veut pas dire s'y résigner. « Le crime de mon père, à ses propres yeux, c'était de m'avoir mis au monde. Son antidote, c'était de me voir disparaître. Il ne s'est donc jamais occupé de moi et a fait comme si je n'existais pas. Il disait souvent, lorsque j'étais malade : "S'il peut crever, on va en être débar-rassé", ou : "Il est de trop, celui-là !" Le crime de mon père, aux yeux de ma mère, c'était de lui avoir donné un troisième fils. Elle aurait voulu une fille. Son antidote, c'était de faire comme si j'étais une fille. Jusqu'au moment où ça sera trop évident que je suis un gars. Après, on ne s'en occupera pas trop, à moins qu'on arrive à s'illusionner que c'est toujours une fille. » La blessure fondamentale est nommée. Il reste à en guérir.

Les relations entre les hommes et les femmes

Blessé à la source, non reconnu dans son existence d'homme, Jacques ne peut pas ne pas s'interroger sur la nature de l'amour et sur les rapports très difficiles qu'il entretient avec les femmes. Il n'a jamais été attiré par les hommes, probablement parce que ses relations avec son père avaient été beaucoup trop conflictuelles, sauf quand il avait subi une grave opération.

Ce qui n'exclut pas qu'il soit lui aussi, comme d'ailleurs tous les humains, confus dans son identité. Pour avoir un peu d'affection, il est prêt à renoncer à qui il est. « J'ai tendance à m'associer à des femmes qui me volent une partie de moi-même. » Et il combine « prostitution » avec « victimisation » en inventant un néologisme, à savoir la « prostvictimisation ». « La perte de moi-même n'est que ma motivation. Sa récompense transite par le même procédé que chez une putain. Il confirme un conditionnement antérieur. De la même façon que la prostitution. » Il y a du féminin plaqué dans la tête de cet homme que, tant qu'à faire, sa mère aurait préféré fille. Il est l'âme sœur, ou l'image en miroir de Vanessa qui avait un mécanisme en elle qui l'empêchait d'accéder à toute la splendeur de sa féminité. Et nous revenons ici aux idées de Jacqueline Schaeffer que j'ai évoquées à propos de son livre *Le Refus du féminin*. Au départ, Jacques n'a pas plus accédé au masculin que Vanessa au féminin.

Il est donc loin d'être un amant de jouissance capable d'entraîner sa compagne, et vice versa, pour que les deux amants puissent devenir eux-mêmes, en pleine identité. Il le dit clairement. Il est dans la confrontation. Mais subtilement, en se réappropriant la négation parentale de qui il est vraiment, et en s'identifiant totalement à l'autre, il met cette autre en échec par effet de miroir. Il n'est pas difficile à vivre. Et elles disent toutes que personne ne les a autant affrontées. Et ces femmes de faire alors une dépression. Échec et mat. Mais… ainsi, enfin, il a réussi à communiquer puisque la rupture laisse des traces de son passage. Et il comprend son incapacité à maintenir une relation amoureuse par le fait que, petit, il ne pouvait se défendre contre l'hypocrisie et l'abus de pouvoir ambiant.

Premiers pas dans la prise de conscience qui aboutira, quand il sera guéri, à la compréhension incarnée qu'une relation transférentielle est souvent baptisée du mot « amour », alors que c'est une ruse de l'inconscient des deux amants pour ne pas voir qu'ils ont tellement manqué d'amour. La relation n'est alors qu'un mécanisme de défense. « Paroles… Paroles… » chantait Dalida.

Dans cette quête désespérée d'amour pour combler un vide, Jacques découvre les sources de l'agressivité et les liens entre sexe et violence. « Les frustrations accumulées sortent chez l'homme par l'agressivité physique et verbale, et chez la femme par le charme. »

Jacques a compris profondément l'essence des projections, de l'identification et du transfert. Il a donc compris que l'autre, de sexe différent, peut être, au niveau des fantasmes, de son propre sexe. Et que l'amour, c'est l'acceptation inconditionnelle de l'autre. Il a aussi compris que la main de l'autre peut transmettre la tendresse. Ce qu'il vivait en massothérapie avec Véronique lui permettait d'entamer le deuil du manque de tendresse de sa mère. Tout comme la main secourable de l'infirmière, après son opération pour la coarctation de l'aorte, lui avait laissé un souvenir indélébile. « J'agitais ma tête de gauche à droite… Quant à mes mains, elles étaient soulevées de mon corps. » Fort de cette expérience bénéfique, il peut commencer à donner, en reconnaissant un appel chez l'autre : « Sa tête se balançait de gauche à droite… Ses mains étaient soulevées du corps. » Il est sur les lieux d'un accident. Il reconnaît chez la femme blessée ce qu'il a vécu. « Je pris donc l'une de ses mains dans la mienne, et ce fut le calme. Les deux ambulanciers m'ont regardé. Ils m'ont demandé comment je savais ce qu'elle voulait. J'ai répondu : J'ai déjà été dans la même situation. » Jacques est devenu capable de tendresse sans désir. De compassion et d'empathie sans sombrer dans la sympathie et la fusion.

Mais est-il devenu capable de vivre une relation amoureuse qui soit de la nature d'un couple ? Avec la lucidité fabuleuse qu'il a développée, il est peu probable qu'il soit encore capable de vivoter dans une relation de « ménage » comme il y en a tant. Ses récits s'arrêtent quand il est prêt à vraiment vivre. Levinas nous a dit que le test suprême de l'altérité, c'est la rencontre sexuée d'un homme et d'une femme. Ce jour, Jacques saura s'il est en rémission ou en guérison. Si son ventre reste muet de bonheur, ou s'il a encore d'autres choses à lui apprendre, maintenant qu'il est devenu capable de se débrouiller tout seul dans la vraie vie.

Conscience et inconscience

Il doit d'ailleurs garder la porte ouverte à de futures découvertes et se rendre vaguement compte que son chemin n'est pas fini. En effet, sa dernière note nous dit que « l'inconscient ne rattrapera jamais le conscient ». Il n'est pas le premier ni le dernier à se poser cette question. Freud, plus défaitiste que Ferenczi, disait jadis que l'analyse était interminable. D'où la nécessité absolue de se poser la question de savoir ce qu'est la guérison. La capacité de pouvoir aimer et travailler, répond Freud. Ne plus avoir mal au ventre, diraient les médecins en parlant de Jacques. Mais quand Freud parlait d'aimer, à quoi faisait-il référence ? Et peut-on « guérir » d'avoir été conçu sans amour ? Après tout, cela fut le lot du genre humain dans la plupart des cas jusqu'à l'avènement de la pilule contraceptive… C'est pourquoi il n'est guère surprenant de remarquer que la dernière note écrite par Jacques est datée du 25 juin 2004, mais qu'il me l'a remise en cours de route, m'apportant par la suite des textes écrits antérieurement. Même sa lettre de remerciements est datée d'un mois auparavant. Et sa conclusion d'un an ! Belle démonstration que l'inconscient ne connaît ni le temps ni la distance. Et dire que de nos jours, il y a encore tant de gens qui se leurrent qu'ils sont ici et maintenant, qu'ils ont dépassé l'âge de raison depuis longtemps, et qui viennent nous demander de l'aide à nous soignants de la psyché ou du corps, seulement quand ils vont mal, que ce soit d'un mal à l'âme, ou qu'ils soient « tombés malades » dans leur corps, fruit d'un malheureux hasard…

Quand Jacques vient me voir pour son mal de ventre chronique que personne n'a pu guérir, c'est un adulte qui vient me voir. Mais le petit Jacques est aussi là, devant moi. Lui qui n'a jamais été écouté par ses parents, porteurs de cette fabuleuse « autorité » dont certains ont la nostalgie. Et ce « petit grand » enfant me met au défi de me comporter de façon radicalement différente de ses parents. De ne pas avoir pour lui de « projet éducatif ». De ne pas entrer en conflit avec ses exigences de non-compliance… Pour moi, les bons parents sont ceux qui sont conscients de leurs carences enfantines, qui les amènent à projeter sur leur progéniture toutes les souffrances accumulées et mal digérées, reliquat d'un héritage ancestral. Les autres parents ne sont pas des parents. Ils ne sont que des géniteurs dotés d'un surmoi inculqué de l'extérieur. Ils sont seulement capables d'accoucher de clones.

Parlant de l'inconscient, Jacques nous ouvre des pistes de guérison qu'il commence à peine à explorer. Qui lui seront sans doute très utiles quand il sera de nouveau prêt à entreprendre des relations amoureuses, mais cette fois, plus dans la conscience, et plus libres de projection. Il esquisse une psychologie du fœtus qui commence à être explorée, en ce début de XXIᵉ siècle. La dernière mouture du texte classique de psychiatrie française y consacre tout un chapitre. Et Jacques de nous dire que dans le ventre de la mère, « le moindre soubresaut irrégulier peut éveiller la peur, l'inquiétude, la curiosité, la sensualité, la défensive, l'éveil. Autant de mécanismes que nous aurons besoin de gérer pour survivre ». Et d'inventer la métaphore d'une « pile émotionnelle » qui permettrait de gérer les moments difficiles de l'existence, qui surviennent chez tout un chacun. Il suffit de « se souvenir d'un bon moment pour nous aider à surmonter une période difficile... La pile émotionnelle est passive, se nourrit d'énergie (d'émotions), une vraie éponge qui absorbe tout. Sa soif est insatiable, elle ne peut être assouvie, elle n'existe que pour enregistrer l'émotion ». Et il nous parle alors d'un « transfert massif d'énergie, à partir d'une période difficile ou d'une souffrance externe, pour survivre à une épreuve mortelle, ou atteindre un objectif lourd à supporter ».

Jacques ne nous dit-il pas là qu'il est possible de profiter de la maladie comme mémoire du passé ? Que le « stress », ce n'est pas ce qui nous arrive, mais ce que nous en faisons ? Et que ce que nous en faisons est conditionné par la singularité de notre expérience de vie ? Ce qui permet de comprendre pourquoi ceux qui ont le meilleur système immunitaire ne sont pas ceux qui ont appris, non pas à le « gérer » ou le « contrôler », mais à s'en servir ! « Notre inconscient, une mémoire à événements. » C'est encore Jacques qui parle. Poubelle de l'histoire. Mais aussi source d'énergie et de forces de vie. Avec un guérisseur interne et un tueur interne. Un instant de vie intrinsèque, et un instinct de mort réactionnel aux blessures non guéries. Jacques rejoint là le poète :

> « Mère des souvenirs, maîtresse des maîtresses
> Ô toi, tous mes plaisirs ! ô toi, tous mes devoirs !
> Tu te rappelleras la beauté des caresses
> La douceur du foyer et le charme des soirs
> Mère des souvenirs, maîtresse des maîtresses »

Toutes ces réflexions, je le rappelle, me sont venues après coup, des années plus tard, à partir du matériau brut qu'il m'a apporté. En cours de route je me suis contenté d'exister à ses côtés et d'être différent de lui. D'être intensément présent. Quant à lui...

Je n'ai pas « reparenté » le « petit » Jacques pour qu'il rejoigne le « grand ». Se réassocie. S'intègre. S'unifie. Je n'ai pas, donc, servi de « bouche-trou » pour que le « grand » Jacques puisse s'éviter de reconnaître ses souffrances d'enfant. De ce travail de deuil et de détachement profond de son enfance, a surgi un nouvel homme, beaucoup plus conscient.

Donc, quant à lui...

Il n'a plus mal au ventre et ne vient plus me voir...

CHAPITRE X
La blessure fondamentale

Dihliz est à l'origine un mot persan, plus tard arabisé, qui désigne le lieu d'une demeure situé entre la porte donnant sur l'extérieur et la maison elle-même. C'est un espace liminaire, situé à l'intérieur par rapport à la rue, mais à l'extérieur du point de vue de la maison.

Un penseur de l'islam des années 1000, Abu Hamid al-Ghazali, a transformé le *dihliz* en métaphore. Il en a fait une sorte d'espace symbolique thérapeutique, où peut se travailler la complexité du « moi ». C'est là que les antinomies, les polarités, les différences apparentes, se révèlent particulièrement fécondes. Ce philosophe a laissé à la postérité l'idée que l'être humain, particulièrement celui qui est influencé par le discours de la religion, est le produit de savoirs hétérogènes, parfois totalement contradictoires. Il affirme que l'homme ne peut véritablement franchir les étapes de sa réalisation qu'à partir du moment où il accède à différents types de connaissance.

À un niveau extrêmement profond de son être, l'homme doit passer par un déclic. Une sorte de mutation. Une transformation. Pour accéder à lui-même en dehors de toute forme d'apprentissage venant de l'extérieur. Il est probable que ce déclic se produit quand nous rencontrons notre blessure fondamentale. Il peut survenir à l'occasion d'un événement dramatique, à un moment donné, sur le chemin de notre vie. Mais il peut aussi se produire quand la vie nous lance des appels répétés, nous conduisant à toujours faire face au même problème. Une répétition de plus d'un sempiternel problème de vie identique conduit, un jour, l'individu à basculer dans un autre mode de vie, une autre forme de connaissance. Se rencontrer soi-même force à grandir, et permet à la vie de nous transformer.

Mais pour en arriver à ce point de bifurcation, il faut lâcher prise de façon absolue. Pour pouvoir faire le deuil du passé. Et c'est si pénible ! Si dur ! Même quand on sait ! Même quand on y croit ! Danielle préfère le terme « abandon » au terme « lâcher prise ». Non pas au sens d'être abandonnée par qui que ce soit, mais au sens de laisser aller ce à quoi on tient, de se détacher. Nous sommes en échec de guérison quand nous sommes loin de nous-mêmes. La volonté de guérir, paradoxalement, n'est pas le fruit de la conscience, mais du contrôle. Vouloir en finir avec la maladie, c'est, ironiquement, et de façon tout à fait contradictoire, une forme d'autodestruction, dans la mesure où c'est refuser de dialoguer avec la partie de nous-mêmes qui est souffrante. Tenter de mater la maladie fait souffrir encore plus, car on ne guérit qu'avec le lâcher prise, l'écoute, l'accueil et l'amour de soi. En acceptant ce qui est, sans avoir à se résigner à rester malade. C'est ce que François, qui a dépassé deux cancers du côlon et une métastase hépatique, en s'en servant comme d'un tremplin éclairant pour se transformer, a si bien compris.

Personne n'a de pouvoir sur personne. Faire confiance, ce n'est pas faire confiance à un thérapeute, de quelque école qu'il soit. C'est se faire assez confiance pour lâcher prise et plonger dans le vide inconnu de la guérison. Ce passage implique un choix, conscient ou inconscient, de non-retour à l'état antérieur. Symboliquement, il s'agit d'un processus de mort à toutes nos valeurs, toutes nos croyances, tout ce à quoi nous étions attachés, pour renaître à l'inconnu. Transformés. Différents.

Je ne suis pas convaincu d'avoir rencontré un tel être humain. Je suis certain, en tout cas, de ne pas avoir franchi ce cap. Mais je suis tout aussi sûr que l'idée d'un paradis seulement après la mort physique est une rationalisation économique de beaucoup de souffrance psychique refoulée. Je crois donc profondément qu'il est possible de devenir vraiment adulte, vivant, et libéré des chaînes du passé. Je ne peux m'empêcher, à ce propos, de citer *Le Refus global*, manifeste artistique publié en 1948 par le peintre et sculpteur québecois Paul-Émile Borduas : « Nous entrevoyons l'homme libéré de ses chaînes inutiles, réaliser dans l'ordre imprévu, nécessaire de la spontanéité, dans l'anarchie resplendissante la plénitude de ses dons individuels. D'ici là, sans repos ni halte, en communauté de sentiments avec les assoiffés d'un mieux être, sans crainte des longues échéances, dans l'encouragement ou la persécution, nous poursuivons notre sauvage besoin de libération. » Mais il nous faut aussi nous demander si cette transformation doit obligatoirement s'opérer dans la solitude, ou si une présence bienveillante, mais non interventionniste, est nécessaire.

L'enfant a besoin d'amour. C'est crucial pour lui. Tant au plan vital, corporel, qu'existentiel, psychique. Mais l'amour humain, si on le définit comme l'acceptation inconditionnelle de l'autre, est le fruit d'une évolution de l'humanité relativement récente. Qu'on y songe ! L'amour courtois : mille ans. Le choix du conjoint : à peine une centaine d'années. La liberté sexuelle de la femme : tout juste cinquante ans… Pourtant, l'espèce se reproduit depuis longtemps, et elle a continué à se reproduire, avec une espérance de vie qui s'allonge avec la qualité de celle-ci. Mal aimé, l'enfant a tout de même appris à survivre, sinon vivre. C'est probablement cette douleur indescriptible de ne pas avoir été aimé qui est la blessure fondamentale. Christophe Dejours dit que le traumatisme le plus archaïque de l'être humain, c'est celui qui résulte du choc d'une conception non aimante. Un véritable cataclysme, qui transforme certains sujets en nostalgiques de l'état d'ange, dont l'esprit – l'âme, si vous le préférez – n'est plus intégré. Le corps se développe par ailleurs de son côté. Biologiquement. Inexorablement. En suivant une trajectoire de vie, de la conception à la mort, en passant à travers la naissance. Mais la psyché a du mal à suivre. La représentation mentale du corps se déforme de plus en plus. Le schéma corporel – réel – se dégrade et se transforme en corps imaginaire, fruit des projections de l'entourage. Et tout cela se fait dans un cadre transgénérationnel qui influence les géniteurs. Il ne suffit pas de savoir les misères ancestrales. Ce serait encore et toujours des projections et une impossibilité à internaliser le lieu de la conscience. L'enfant, a dit Françoise Dolto, naît de la rencontre de trois désirs : celui de la mère, celui du père, et le sien propre. Quand l'énergie vitale de la conception se déploie mal, la psyché développe toutes sortes de mécanismes pour contourner ou refouler l'obstacle, aussi bien dans le déni du fait de ne pas être aimé que dans la banalisation de la souffrance de ne pas l'être. Parfois, le sujet sait, il se souvient, mais il a clivé l'expérience, refoulant dans l'inconscient l'intensité émotionnelle du traumatisme. Pour guérir, il faut nommer ce qui s'est passé, et tout ce qui n'est pas nommable, ou n'arrive pas à être nommé. Tout ce qui a été emmagasiné dans le corps malade, devenu porte-parole du sujet véritable, réduit à seulement pouvoir somatiser faute de pouvoir dire.

Quand nous rencontrons un adulte qui souffre dans son corps, cet adulte est le survivant d'une enfance à travers laquelle il a réussi à passer. Tous les enfants ont besoin d'amour et d'appartenance. Tous les enfants aiment leurs parents. L'inverse n'est pas vrai. Tous les parents n'aiment pas leurs enfants. Et cela, même s'ils pensent les aimer. Pour rester vivants, leurs descendants ont donc souvent dû faire le sacrifice d'eux-mêmes, en partie ou en totalité, depuis le traumatisme que représente une conception non aimante jusqu'aux violences physiques ou sexuelles, en passant par quelques mois de vie intra-utérine, harmonieux ou agités. Ces enfants ont bénéficié d'un accueil incondi-tionnel ou, au contraire, d'attentes projectives paren-tales. Et même avant leur conception... Écoutons Jean-Pierre Relier, il nous dit que, même si une belle et bonne relation mère-enfant commence précocement, au début de la grossesse physique, en fait elle débute encore plus tôt, sous forme de désir d'enfant, ce qui est déjà une sorte de grossesse psychique. Dans les faits, une blessure fondamentale se situe entre le moi et l'autre moi-même, construit artificiellement pour la masquer. L'adulte humain, règle générale, est un enfant plus ou moins déformé par les égratignures ou par les grandes blessures qu'il a subies au cours de sa vie jusque-là. Et il est devenu pétri de croyances et de valeurs. Mais celles-ci sont le fruit de ses expériences, ce ne sont pas des idées factuelles, objectives, de l'ordre de la réalité et de la vérité. Toutes les croyances et les valeurs possèdent en elles une charge émotive souvent colossale, et elles se tiennent ensemble comme les fils d'une toile d'araignée. Pour pouvoir dire « Je », pour pouvoir advenir à nous-même, il faut que quelqu'un nous ait d'abord dit : « Tu. » Beaucoup de thérapeutes, conscients de cette nécessité, confondent l'acceptation inconditionnelle de l'autre, indispensable à la guérison, avec l'acceptation fusionnelle et symbolique de ses valeurs et ses croyances.

Céline m'est envoyée pour fermeture d'iléostomie. Elle est en conflit aigu avec le chirurgien qui l'a opérée, et refuse de le revoir. Elle souffrait de la maladie de Crohn depuis quelques années. Une nuit, son petit intestin s'est perforé. Elle s'est retrouvée avec un sac à la peau, la partie malade réséquée, en attendant que la péritonite soit guérie. Elle est vraiment très fâchée. « J'ai vécu cette opération comme un viol ! Et je me suis retrouvée enceinte de ce viol ! » La perforation est sur-venue juste après la rupture d'une relation amoureuse, qui lui a causé beaucoup de chagrin. Elle est maintenant en rémission complète. Tous les examens pratiqués sont normaux. Céline parle de sa vie. Avec beaucoup de lucidité. Elle n'a pas toujours eu des pratiques homosexuelles comme aujourd'hui. Elle a eu quelques amants au début de sa vie adulte, avant de traverser une période de grande angoisse, où elle s'est posé beaucoup de questions sur son orientation sexuelle. Elle s'interroge aussi énormément sur elle-même, à un niveau plus existentiel. Les échanges avec Céline sont faciles, limpides, non conflictuels. C'est elle qui parle presque tout le temps. Elle est ravie que j'aie accepté de l'opérer, et que son médecin traitant soit d'accord avec son choix. Elle se prépare mentalement à l'intervention. Elle le fait comme un sportif se préparerait à un marathon, avec toute la lucidité et la conscience dont elle est capable. Elle a choisi, elle, le moment de l'intervention.

Avec un but en tête. « Je veux sortir de cette opération en vraie femme ! » Céline ne s'explique pas. Elle semble se comprendre. Nous ne discutons pas de ce qu'elle entend par là. L'intervention se déroule sans encombre. Elle ne reste que cinq jours à l'hôpital. Pas de complication. Un peu de diarrhée quelques semaines, le temps que son petit intestin s'adapte aux changements. Quelque temps plus tard, elle entre dans mon bureau, toute belle, habillée avec élégance, féminine jusqu'au bout des ongles. Je suis pris d'une forte odeur d'ananas et m'en étonne un peu, sans le lui dire, puisque, manifestement, il n'y a pas d'ananas dans le lieu où nous sommes.

« Je suis déçue !

– Dites-moi…

– Je ne me sens pas différente d'avant la chirurgie. »

La conversation continue. « Ah oui ! Il y a tout de même une chose qui m'embête. Depuis l'opération, toutes les nuits, je rêve que je fais l'amour avec un homme ! Je ne vais pas repasser par les affres de la période, quand j'avais vingt ans, où je me questionnais sur mon orientation sexuelle, et où j'avais conclu et décidé que j'étais définitivement homosexuelle ! » Nous continuons à échanger. « Ah oui ! J'ai rêvé de vous. J'entrais dans votre bureau. Vous veniez de manger des ananas… » La nana des ananas… À suivre…

Après avoir vécu un certain nombre d'expériences, l'enfant développe un temps de latence entre ce qu'il vient d'expérimenter et vivre d'une part, et d'autre part sa perception, sa réaction, sa réponse. Il perd, ce faisant, une bonne partie de sa spontanéité, car il se fixe dans un état émotionnel, plus ou moins bien vécu, plus ou moins bien accueilli, plus ou moins bien digéré, métabolisé, intégré. Se construit alors un système de conclusions et de croyances reliées à l'expérience brute, qui s'enregistre dans le corps par les sens, avec des impressions visuelles, auditives, olfactives, gustatives et kinesthésiques. Comme l'écrit Marie-Lise Labonté, « les croyances ressemblent à des lunettes de couleurs différentes » qui teintent le regard de l'enfant sur la réalité, y compris sur celle de qui il est vraiment. Cela le protège. Mais ces croyances deviennent aussi la prison de l'identité d'un sujet qui prétend savoir qui il est. Pour l'observateur expérimenté et sensible, qui ne partage pas ces croyances, il est facile d'appréhender cela et de lire dans le regard de l'autre, dans le changement de couleur et de texture de sa peau, dans ses gestes, que toute « croyance » est un ancrage puissant qui marque le corps et la psyché de l'enfant devenu adulte. Accepter ses croyances comme si c'était la réalité, la vérité, serait non pas être respectueux de l'autre, mais complice de ceux et celles qui l'ont traumatisé.

La guérison brutale et subite de Vanessa quand elle prend conscience des éléments transgénérationnels de sa douleur anorectale… La disparition des douleurs abdominales de Jacques, qui se contente de monologuer… Cela ne peut pas ne pas questionner sur la nature du processus de guérison. Tout aussi impressionnante est l'évolution de René, qui passe d'un cancer du côlon à une fibrillation auriculaire et à des troubles du rythme cardiaque quand il découvre le plaisir sexuel qu'il cherchait depuis longtemps avec une femme incapable, pour ses raisons propres, de l'accompagner dans ce voyage. Enfin, le cri primal poussé par Danielle au souvenir du suicide de ses deux frères adorés, et qui se fait opérer « une fois pour mon père », puis « une autre fois pour ma mère », sans plus jamais récidiver durant les quinze ans qui suivent, contredit les données médicales statistiques qui parlent d'une maladie « incurable ».

Pour la plupart, nous nous soignons, ou nous nous faisons soigner, avant de guérir. La langue anglaise est plus sophistiquée que la langue française, et ramène au mot « soigner » : *care*, *taking care of* ou *caring for*, alors qu'elle renvoie au mot « guérir » : *cure* aussi bien que *heal*. En 1993, avec le docteur Luc Bessette, un urgentiste de l'université de Montréal, et quelques collègues, nous avons organisé le premier congrès international sur le processus de guérison. Nous avions décidé qu'il porterait sur les sujets dépassant la souffrance et la mort. La présence du Dalaï-lama nous avait permis d'attirer 1 600 personnes au Palais des congrès de Montréal, et y discuter et confronter les idées de l'Orient et de l'Occident, de mettre côte à côte non seulement les médecins, mais tous les groupes de la société, et de tenter de faire une réelle intégration psychosomatique. En 1994, nous avions tenté d'aller plus loin en explorant le pouvoir curatif du travail de deuil et de pardon. Sogyal Rinpoché, auteur du *Livre tibétain de la vie et de la mort* nous avait exposé la philosophie bouddhiste. Dan Bar On, psychologue israélien, auteur d'un livre fabuleux, *L'Héritage du silence*, celui des enfants des bourreaux nazis, avait fait pleurer une salle où se trouvaient plus de mille personnes, en y amenant un groupe formé de descendants de victimes de l'holocauste et de descendants des assassins. Ensemble ! Cet homme, bien sûr, plus tard, tentera de réunir Irlandais du Nord et du

Sud, Africains du Sud noirs et blancs, et à établir un dialogue entre Israéliens et Palestiniens. Un homme de paix œuvrant au pardon…

Soigner. Guérir. Quel est donc le sens profond de ces mots ? Guérir… Mais guérir de quoi ? Les quatre sujets qui nous ont interrogés par leurs souffrances nous ont fourni quelques pistes sur le sens profond de la guérison. Des pistes intérieures. Peut-être nous faut-il aussi tenter d'aborder la question de l'extérieur. C'est la raison d'être, bien sûr, de toute démarche scientifique. Mais celle-ci est toujours tronquée. Parce que simplifiant ce qui est complexe. Mais, heureusement – et c'est sa puissance –, toujours prête à une remise en question entre la réalité et sa représentation.

C'est là que réside possiblement un piège gravissime, celui de prendre la maladie pour une fatalité à laquelle on ne peut que s'habituer. Et la prendre pour acquise. Le sujet qui sombre dans cette croyance finit par ne plus questionner l'apparition d'une douleur, d'un symptôme, d'une maladie. Il s'y soumet, s'y enferme à double tour. En un mot, il s'y résigne. Combien de malades parlent du cancer comme de « leur » cancer, comme si, loin d'être un hurlement silencieux de leur corps, c'était leur bien le plus précieux ? Et combien de soignants, ou de groupes d'entraide, font des campagnes « contre » le cancer, ou toute autre maladie, sans voir que ce faisant, ils s'attaquent aussi à l'individu souffrant qu'ils prétendent soigner ? Et sans réaliser, par là même, qu'ils créent une entrave à la guérison en coupant le chemin de la conscience, et du sens à donner à la maladie ? « Docteur, ce n'est pas moi qui meurs, c'est l'autre », dit cette analysante à Michel de M'Uzan, avant de mourir d'un cancer du sein. Toute perpétuation d'une dissociation entre corps et psyché ne peut que nuire à la guérison d'un sujet qui n'est pas intégré. Le divorce intérieur d'avec son inconscient, son âme étant insupportable, le divorcé tente d'épouser toute substance ou être extérieur qui lui offrira le mirage d'une forme de salut marital : travail, jeu, drogues, richesses, nourriture, religion, conjoint, enfants… Et, si cela ne suffit pas à combler la vacuité, maladies… L'individu qui s'est identifié à la douleur va alors perpétuer sa quête d'identité à travers ses symptômes. Quant au soignant qui entérine cette identification, il ne pourra que l'accompagner jusqu'à la mort, sans lui offrir la possibilité de se transformer.

Le bénéfice secondaire de la maladie est une autre conséquence perverse de la croyance que la maladie résulte seulement d'une fatalité, sur laquelle nous sommes totalement impuissants, confondant par là même espérance de vie « naturelle » et mort prématurée par malchance. Nous pouvons retirer de nombreux avantages à être malade. Attirer l'attention. Reprendre notre souffle et nous reposer. Demander de l'aide. Prendre du temps pour nous-mêmes. Pouvoir nous isoler pour nous ressourcer. Nous sentir accueillis, traités avec douceur, en sécurité. Bref, enfin être reconnus et aimés par notre environnement ! Tout plutôt que prendre conscience de nos failles, nos blessures, nos vieilles souffrances. Se servir d'un entourage enfin bienveillant conduit trop souvent au bonheur qui rend malade, car il n'est qu'un bouche-trou et n'empêche pas le cancer qui ronge l'inconscient de continuer son existence autonome jamais exprimée. Que d'exemples d'êtres humains qui se débattent dans une enfance pénible, puis abordent leur vie adulte en commençant par y répéter ce qu'ils ont connu petits. En faisant lentement un cheminement vers un mieux-être. Puis, un jour, tout va bien, la vie est devenue belle, heureuse. L'amour est enfin là, au rendez-vous. Et c'est à ce moment que survient la maladie. Contre toute logique. Le bonheur qui rend malade ! Le vide intérieur terrifie beaucoup d'entre nous dans sa dimension immense, indescriptible, innommable. Et c'est vrai qu'il est probablement impossible d'accompagner le sujet dans la traversée de son désert intérieur. Faute de pouvoir nommer les choses, certains préfèrent alors mourir à leur corps plutôt que mourir à leur tête.

Pourtant, il y a tant de gens qui, totalement inconscients de ce qui les habite, mais poussés par leur instinct de vie, veulent malgré tout être sauvés ! Quelle tentation pour ceux et celles qui, à ce propos, ont fait carrière ! Une carrière de sauveur. Il est tellement fréquent que les soignants fuient leur douleur intérieure en soignant celle des autres ! Toutes les professions qui consistent à aider les autres, que ce soit en soignant le corps ou en soignant l'esprit, sont pétries de projections, de transfert et de contre-transfert. Les psychanalystes sont les plus sages, eux qui exigent, avant de reconnaître un aidant comme psychanalyste, qu'il ait fait une analyse lui-même, un travail d'introspection, et qu'il aille en didactique faire un autre travail, sinon de supervision, en tout cas d'échanges, de partage et de discussion, une fois qu'il commence lui aussi à accompagner. N'est-ce pas là une jolie métaphore, bien incarnée, de la communion des saints ? Nous sommes, tous et toutes, seuls et seules. Mais nous ne sommes pas seuls à être tout seuls. Dépasser la souffrance de la solitude pour déboucher sur l'existence dans la solitude permet enfin d'accompagner d'autres, comme des sujets différents de soi. Tous les médecins, tous les psys devraient faire ce cheminement de questionnement intérieur d'abord, de partage des interactions ensuite, avant de prétendre faire autre chose que de la technique.

Nous vivons dans une société en quête de résultats à court terme, qui incite à s'extérioriser sans s'intérioriser au prorata de la quête extérieure. D'où une déchirure. Psychanalyse et religions sont rejetées comme trop exigeantes et comme préconisant la responsabilité au lieu de la dépendance. Ceux qui pensent que guérir est possible sont souvent invités à se taire, car jugés faiseurs de rêves et faussaires de l'espoir, alors qu'en réalité ils ont adopté une philosophie fondée davantage sur la valeur de la vie que sur celle de la mort, et qu'ils ont émis l'hypothèse qu'il existe une biologie de l'espoir.

Le prix à payer pour mettre en œuvre cette biologie de l'espoir est le travail de deuil du passé à accomplir de façon radicale. À la place de la vie qui appelle la vie, trop souvent il n'y a que la survie. Assis entre deux chaises, ni mort ni vivant, nostalgique de l'état d'ange, à la fois incarné dans son corps et non incarné dans sa pensée, le sujet épuise, pour colmater cette brèche, une quantité phénoménale d'énergie qu'il pourrait utiliser pour faire son travail de deuil. Et vivre intensément l'instant présent.

Mais qu'est-ce donc que faire le deuil ?

TABLE

Mise en pages : FACOMPO, Lisieux

Achevé d'imprimer par Corlet, Imprimeur, S.A. - 14110 Condé-sur-Noireau
N° d'Imprimeur : 125613 - Dépôt légal : novembre 2009 - *Imprimé en France*